HELLO WORLD.

How to Be Human in the Age of the Machine

Hannah Fry

文藝春秋

アルゴリズムの時代　目次

アルゴリズムの時代

機械が決定する世界をどう生きるか

マリー・フライへ
最後まであきらめずにいてくれてありがとう。

原題にまつわる覚書

　私が七歳のときだった。父は姉と私にプレゼントをくれた。ＺＸスペクトラムという８ビットの小さなコンピュータだ。私たち姉妹にとって初めてのコンピュータだった。当時、そのコンピュータは発売からすでに五年ほど経っていて、しかも中古品だった。それでも、その可愛らしい機械を使えば、何かすばらしいことができると私は思った。当時、ＺＸスペクトラムと同等のコンピュータと言えばコモドール64だった。近所でコモドール64を持っているのは、裕福な家の子供だけだったが、私にとっては、ＺＸスペクトラムのほうがはるかに格好が良かった。光沢のある黒いプラスティック製のそのコンピュータは、しっくりと手におさまった。灰色のラバー製のキーボードや、隅のほうに描かれた斜めの虹色のラインも、どこか親しみやすかった。

　ＺＸスペクトラムがわが家にやってきたのは夏のはじめで、その記念すべきひと夏を、私と姉は屋根裏部屋にこもって過ごすことになった。それぞれハングマンゲーム（訳注：言葉遊びのゲーム）をプログラムしたり、簡単な図形を描いたりした。といっても、そういう高度な技術をマスターしたのはしばらくしてからの話だ。まずは基礎を身に付けなければならなかった。

今ふりかえってみても、初めてコンピュータ・プログラムを書いたのがいつだったか、はっきり思い出せない。けれど、どんなプログラムだったのかはよく覚えている。それは、ユニバーシティ・カレッジ・ロンドンで私がどの学生にも教えている単純なプログラムとよく似ていた。コンピュータ・サイエンスの初心者向けの教科書の最初のページに載っているものと言ってもいい。プログラミングを学ぶ者なら誰もがおこなう、通過儀礼だ。プログラミング初心者が最初にやることといえば、有名なあの言葉をモニターに表示させること。その言葉とは――

「ハロー・ワールド（HELLO WORLD）」

さかのぼること一九七〇年代、ブライアン・カーニハンがプログラミングの基礎の教本で、その方法を解説したことから、それは一種の伝統になった[1]。その教本とその言葉は、コンピュータの歴史の大きな分岐点と言える。当時、汎用のマイクロプロセッサが開発されたところで、それをきっかけに、それまでのコンピュータ――パンチカードと記録用紙テープ（ティッカーテープ）を用いる専門的な巨大な機械――から、今、私たちが使っているようなモニターとキーボードと明滅式のカーソルのパソコンへと、コンピュータは進化したのだった。人とコンピュータとの初めての会話「ハロー・ワールド」は、可能性に満ちていた。

何年ものちに、カーニハンは雑誌『フォーブス』のインタビューで、その言葉を選んだいきさつを語っている。それは漫画の中で、卵から孵（かえ）ったばかりの雛が口にした言葉だった。雛は卵の殻を割って出てくると同時に、「ハロー・ワールド！」と言った。その言葉がカーニハンの胸に響いたのだった。

雛が何を象徴しているのかは、はっきりしない。プログラミングの世界に果敢に足を踏み入れたことを、誇らしげに宣言している純粋な若者だろうか？　それとも、コンピュータそのものだろうか？　表計算とテキスト文書のためだけの冴えない機械から一歩前進して、本物の世界とつながり、持ち主の指示どおりに動くようになったことを意味しているのか？　もしかしたら、その両方かもしれない。いずれにしても、「ハロー・ワールド」は、あらゆるプログラマーが体験し、プログラマーとプログラムされた機械を結びつける言葉なのはまちがいない。

私がその言葉を好きな理由は他にもある。そして、今こそ、その理由が大きな意味を持ちはじめている。コンピュータのアルゴリズムによって人の未来が左右されるようになった今、「ハロー・ワールド」という言葉は、人と機械が初めて会話した瞬間を思いださせてくれる。支配するものとされるものの境界線が、ぼやけはじめた瞬間だ。そのときから、人とコンピュータの協働作業が始まった。コンピュータとともに歩む、可能性という名のその旅路では、どちらか一方が欠ければ、他方も存在しない。

コンピュータ時代では、それを胸に刻みつけておかなければならない。

はじめに

ニューヨーク州ロングアイランドにあるジョーンズ・ビーチへ行くには、いくつもの橋の下を運転することになる。その橋はハイウェイを通る車を選別するためのもので、造りもかなりユニークだ。道路の上でゆるやかな弧を描くアーチ橋。路面からの高さはかなり低く、場所によっては三メートルもない。

奇妙な設計にはそれなりの理由がある。一九二〇年代、ニューヨークの著名な都市計画家ロバート・モーゼスは、ジョーンズ・ビーチに自身が完成させ、賞も授与された州立公園を、裕福な白人だけの場所にしようと考えた。彼が好む裕福な白人は、そのビーチにマイカーで行き、一方、近隣の貧しい黒人はバスで行くことになるはずだった。そこで、そこへ行ける人を限定するために、ハイウェイの上に橋をいくつもかけたのだ。橋は低く、高さ三・五メートル以上あるバスは、その道路を通れなかった(1)。

秘密裏に人をコントロールしているのは、人種差別の橋だけではない。人類の長い歴史の中で、表向きの目的とは別に、裏の力を発揮するものは数限りなく作られてきた(2)。悪意を持って意図的に作られることもあるが、大半は軽率なミスだ。たとえば、車椅子での移動を考えずに設計された都市。あるいは、一九世紀の自動機織り機(はたお)のように、予期せぬ結果ということも多い。そういった機織り機は複雑な布を簡単に織ることを目的に作られたものだが、賃金、失業、労働条件に大きな影響を与え、一九世紀の搾取的な資本家よりも、労働者を苦しめた。

ある意味では、現代の発明も自動機織り機と大差ない。嘘だと思うなら、イングランド東部のスカンソープ（Scunthorpe）の住人に話を聞いてみればいい。インターネットの巨大企業が、スカンソープという地名を卑語と認識する無礼なフィルターを作ったせいで、そこの住人は大手インターネットサービス会社ＡＯＬのアカウントを開設できなくなった[3]（訳注：町の名前に女性器を意味するcuntが含まれていたため）。ナイジェリア人のチャクエメカ・アフィーボが気づいた、ハンドソープのディスペンサーの例もある。そのディスペンサーは、白人の友人が手を差しだすとハンドソープを出すが、アフィーボの黒い手には反応しなかった[4]。あるいは、二〇〇四年にハーバード大学の寮の一室で、フェイスブックのコードを書いたマーク・ザッカーバーグ。彼はそのときには、自分の大発明が世界中の選挙で票の操作に荷担したと非難されるとは、夢にも思っていなかった[5]。

そういった発明の裏にはアルゴリズムがある。表には見えない無数のコードの連なりであるアルゴリズムは、コンピュータとインターネットの時代の歯車だ。ソーシャルメディアからサーチエンジン、衛星ナビゲーション・システム、音楽レコメンデーション・システムまで、世界中にさまざまなものを提供している。いまやかつての橋やビルや工場のように、暮らしに欠かせないインフラと言っていいだろう。アルゴリズムは病院や法廷、車にも使われている。警察、スーパーマーケット、映画スタジオでも使われている。アルゴリズムは個人の好みを学習し、次に何を観て、何を読み、誰とデートすればいいのかを教えてくれる。そんなふうにして、見えない力を蓄えて、人間のあり方をじわじわと変えていく。

本書を読み進めれば、人が無意識のうちに頼るようになった数多くのアルゴリズムを知ることになる。アルゴリズムが求めてくることに気づき、アルゴリズムの目に見えない力について考え、アルゴリズムが引き起こす難問に立ち向かうことになる。犯罪を予測するために警察が使っているアルゴリズムについて詳しく知れば、被害者を守るべきなのか、無罪の人が濡れ衣を着せられないようにするべきなのか、選択を迫られる。有罪判決を受けた被告の刑罰を決めるために、裁判官が使っているアルゴリズムを詳しく知れば、司法制度のあるべき姿を示せと迫られる。医師が自身の診断より優先させているアルゴリズム、倫理観を問われる自動運転車のアルゴリズム、人の感情表現である芸術を数値化するアルゴリズム、民主主義を揺るがすほどの権力を握るアルゴリズムもある。

断わっておくが、アルゴリズムを悪者扱いしているわけではない。本書を読めばわかるとおり、未来は明るいと思える理由はいくらでもある。ものにしろアルゴリズムにしろ、それ自体に善悪はない。どう使うかが問題なのだ。GPSは核ミサイルを撃つために発明されたが、今はピザの配達に役立っている。繰り返し流されるポピュラー音楽は、拷問装置として用いられた。そして、どれほど美しい花冠を作ろうが、その気になれば、それを使って誰かを絞め殺せる。アルゴリズムをどう考えるか――それは人間と機械の関係を理解することでもある。どんなアルゴリズムも、それを作り、使う人間と複雑に結びついている。

突き詰めれば、本書は人間に関する本になる。私たちは何者で、どこへ向かうのか。私たちにとって大切なものとはなんなのか。その大切なものはテクノロジーによってどう変化しているのか――本書にはそれが記されている。アルゴリズムは人とともに働き、人の能力を伸ばし、人が犯すミスを正して、人が抱えている問題を解決する。そして、その過程で新たなアルゴリズムが作られていく。そんなアルゴリズムと人の関係が、本書には記されている。

アルゴリズムのおかげで、より良い社会になっているのだろうか？　どんなときでも、人の判断より機械の判断を優先させるべきなのか？　どんなときに機械に頼りたくなる気持ちを抑えるべきなのか？　その答えを見つけるために、アルゴリズムをこじ開けて、その限界を見極めよう。そうして、人は自分自身を見つめて、己を知る。利益と弊害を見定めて、私たちがどんな世界を望んでいるのかしっかり判断する。

未来は偶然の産物ではない。未来を作るのは私たちなのだ。

POWER

Prioritization

Classification

Association

Filtering

1章

影響力とアルゴリズム

チェス王者のコンピュータによる敗戦はアルゴリズム時代開幕の象徴となった。だがアルゴリズムとはそもそもなんなのか？　我々はなぜそれを過度に信じたり、恐れたりするのか？　その影響力を正しく知る必要があるガルリ・カスパロフはどうしたらライバルが怖じ気づくか知っていた。三四歳のカスパロフは向かうところ敵なしのチェスの名手で、対戦相手を追いこむ術に長けていた。ライバルが何よりも恐れているのは、相手の不安を煽るカスパロフの作戦だ。人生を賭した大勝負と言ってもいいほど重要な対局中に、カスパロフはチェスボードのわきに置いておいた腕時計を何気なく手に取って、手首にはめる。その仕草が意味することは、誰もが知っていた。相手をもてあそぶのに、カスパロフが飽きたという意味だ。腕時計をつけるのは、対戦相手が負けを認めるときが来たという合図だった。もちろん負けを認めずに、ゲームを続けてもいいが、そうしたところで、まもなくカスパロフが勝つと決まっていた。(1)

だが、一九九七年五月におこなわれた運命の対局では、その作戦は通じなかった。相手は、IBMが開発したチェス専用のスーパーコンピュータ〝ディープ・ブルー〟。その対局の結果は有名だが、そこにいたるまでの物語――ディープ・ブルーがどのようにして勝利を手にしたか――はあまり知られていない。コンピュータが人間を打ち負かし、さまざまな意味でアルゴリズム時代の幕開けとなったその勝利は、単にコンピュータの計算能力が優れていたせいではなかった。カスパロフに勝つために、ディープ・ブルーはまずカスパロフを知るところからはじめた。天才肌のチェス選手としての卓越した能力だけでなく、どんな人間なのかということも理解しなければならなかった。

その結果を踏まえて、ＩＢＭのエンジニアはディープ・ブルーを実際より愚鈍に見えるように設計した。カスパロフとの白熱した六番勝負で、ディープ・ブルーは計算処理が終わっていても、すぐには駒を動かさなかった。ときには数分の間を置いた。対局中のカスパロフにとってそれは、コンピュータが悩んでいるかのように見えた。次の一手を必死に計算しているように思えたのだ。そのせいで、カスパロフは自分の作戦が功を奏していると確信した。無数の展開が考えられる局面をディープ・ブルーが読めずに、正しい判断を下せずにいる、と。[2] だが、実際には、ディープ・ブルーは次の一手をきちんとわかっていながら、わざと何もせずに時間が過ぎるのを待っていたのだ。ずる賢いやり方だが、効果はてきめんだった。早くも最初の対局で、カスパロフはディープ・ブルーにどの程度の実力があるのかということばかりが気になって、集中できなくなった。[3]

それでも、第一局はカスパロフが勝った。だが、第二局で、ディープ・ブルーはカスパロフを完全に掌握した。カスパロフはディープ・ブルーに罠をしかけ、おびき寄せて、いくつかの駒を取らせ、その間に自分は何手か先を行き、クイーンを出して、攻撃をしかけた。[4] 対局を見守っていたチェスの達人はみな、コンピュータが罠にはまると考えた。カスパロフもそう思った。ところが、どうしたことか、ディープ・ブルーは罠に気づいた。カスパロフの作戦を読んで、クイーンをブロックすると、カスパロフの攻撃をすべて撥ねつけた。[5]

カスパロフにとってはショック以外の何ものでもなかった。ディープ・ブルーの実力を見くびったせいで負けたのだ。対局から数日後、カスパロフはインタビューに応じると、ディープ・ブルーについて「ふいに神がかった」と話した[6]。それから何年ものちに、当時のことを思い返して、〝コンピュータの意表を突くという作戦が成功すると過信したのがいけなかった〟と書いている[7]。何はともあれ、アルゴリズムという天才が勝利をおさめた。人の心を理解し、さらには、人がいかにまちがいを犯しやすいかを理解することで、実は誰よりも人間的だった天才を追い詰めて、打ち負かしたのだった。

落胆したカスパロフは第二局を引き分けに持ちこむことなく、負けを認めた。そこから、どんどん自信を失っていった。第三、四、五局は引き分けたものの、第六局は負けた。結果は、3½対2½でディープ・ブルーの勝利だった。

カスパロフにとっては奇妙な敗北だった。チェス盤上でのきわどい状況を切り抜けることに長けているにもかかわらず、アルゴリズムの能力を見くびったせいで、最後には自分が怖じ気づいたのだ。二〇一七年、カスパロフはその対局をふりかえり、〝ディープ・ブルーのゲームの進め方はひじょうに印象的だった〟と書いている。〝ディープ・ブルーにどれぐらいの実力があるのか、そればかり気になって、自分がまずい手を指していることのほうが問題なのだと気づかなかった[8]〟

本書のすべてを通して言えることだが、「期待」は重要だ。ディープ・ブルーが偉大なチェスの名手を打ち負かしたのは、アルゴリズムの力がプログラミング言語の中に含まれているものだけではないことを表わしている。人間の欠点や弱みはもちろん、機械の欠点や弱みも理解することが、すべてをきちんとコントロールするためのカギなのだ。

だが、カスパロフのような天才にもそれはできなかった。それなのに、私たちにできるのだろうか？　本書では、医療から犯罪、車、政治活動まで、現代人の暮らしのあらゆる要素に、アルゴリズムがどんなふうに潜んでいるのかを検証する。これまでに、私たちはどういうわけかそういったことをしっかり考えもせずに、アルゴリズムの力を畏れ、同時に崇めてきた。そうして、自分たちがアルゴリズムにどれほどの力を与えてしまったのか、どれほど頼っているのかさえわからなくなっている。

それはそもそもなんなのか

ここでいったん立ち止まって〝アルゴリズム〟とはなんなのかを考えてみよう。アルゴリズムという言葉はあちこちで目にするが、実際にどんなものなのかはあまり知られていない。それは、アルゴリズムという言葉自体が曖昧だからかもしれない。辞書には次のように書かれている[9]。

アルゴリズム（名詞）：主にコンピュータによって問題を解決するため、あるいは、なんらかの目的を達成するための、段階を追った手順。

そういうことだ。アルゴリズムは簡単に言えば、ひとつの作業をどのように成し遂げるかを論理的に示した手順だ。広い意味では、ケーキのレシピもアルゴリズムということになる。道に迷った人に教える道順も、イケアの家具を組み立てるためのマニュアルも、問題を解決してくれるユーチューブの動画も、自己啓発本もアルゴリズムと言える。目的をかなえるための手順が示されているものは、なんであれアルゴリズムということになる。

だが、実際には、そういう意味でアルゴリズムという言葉が使われることはまずない。一般的にはもう少し狭い意味で使われている。一連の段階的な手順であることに変わりはないが、たいていは数学的な事柄を指す。方程式、算数、代数、微分積分、論理、確率などの、数学的な操作を用いて、コンピュータコードに変換するのだ。現実から集められたデータを入力して、客観的に目的にかなうように高速処理で計算をおこなう。それによって、情報科学（コンピュータ・サイエンス）は現実に即した科学（サイエンス）になり、その過程で、コンピュータによる新たな偉業に一役買ってきた。

この世には無数のアルゴリズムが存在する。それぞれに独自のゴール、特徴、得意分野と欠陥があり、それらをどう分類するかは意見が分かれるところだ。それでも、一般的には、アルゴリズムが担っている役割によって、大きく四つに分けられる[10]。

優先順位：順位を決める

グーグル検索はひとつの結果と別の結果を順位づけして、ユーザーが見たがっているサイトを予測する。ネットフリックスはユーザーが次に観そうな映画を薦めてくる。地図アプリはもっとも早いルートを選びだす。どれも、無数の選択肢を数学的に処理して順位づけをしている。チェス専用コンピュータのディープ・ブルーも、本質的には優先順位のアルゴリズムで、チェス盤上で可能な手のすべてを参照して、もっとも勝ちそうな手を計算した。

分類：カテゴリーに分ける

二〇代後半になったとたんに、フェイスブックを開けば、ダイアモンドの指輪の宣伝ばかりを見せられるようになった――これは私の実体験だ。その後、ようやく結婚すると、インターネットを開けば、妊娠検査薬の広告を見せられた。そんなちょっとしたお節介は、分類をおこなうアルゴリズムによるものだ。広告主が大好きなその種のアルゴリズムは、舞台裏で密かに駆けまわり、インターネットを見ている人の特徴をもとに、特定のものに興味がある人物として分類する（その分類は正しいのかもしれないが、会議中にパソコンのモニターにいきなり妊娠検査薬の広告が出てくると、イラッとせずにいられない）。

ユーチューブには自動的に分類をおこなって、不適切なコンテンツを排除するアルゴリズムが使われている。休暇中の写真を分類するアルゴリズムもあれば、紙に書かれた手書きの文字を読みとって、一文字残らずアルファベットにしてくれるアルゴリズムもある。

関連：つながりを見つける

ここで言う〝関連〟とは物事のつながりを見つけて、結びつけることだ。出会い系アプリに使われるのは、基本的にこのアルゴリズムだ。メンバーの共通点を見つけだし、それをもとにデートの相手を勧めてくる。アマゾンのお勧め機能も似たような仕組みだ。ある客が興味を示したものと、べつの客が過去に興味を示したものという共通点を使うのだ。2ちゃんねるに似た掲示板サイトを頻繁に使っていた「カーボボタット」氏は、アマゾンで野球のバットを買うと、その後、〝あなたはこのウールの目出し帽に興味がありますよね？〟と心そそられる商品を勧められることになった。それも、このアルゴリズムの仕業だ[11]。

フィルタリング：重要なものを選びだす

アルゴリズムは重要な事柄に焦点を当てるために、ときにはいくつかの情報を排除する。雑音と信号を分けるのだ。文字どおりそうすることもある。Ｓｉｒｉ、アレクサ、コルタナなどに使われている音声認識アルゴリズムは、言葉の解読に取りかかる前に、背後の雑音から声を拾いあげる。あるいは、比喩的にそういうことをする場合もある。フェイスブックやツイッターでは、個々の関心に応じて記事をふるいにかけて、フィードに表示する。

大半のアルゴリズムはこの四つを組み合わせて作られる。たとえば、タクシーの相乗りサービスのアプリは、同じ方向へ向かう客同士を結びつける。乗車地と行き先をもとに、ルートを選択して、同じ方向へ向かう別の客を探しだし、相乗りグループを決めるのだ。同時に、できるだけ効率的に車を動かせるように、最短ルートを優先させる[12]。

アルゴリズムはそういうことをやってのける。だが、どうしたら、そんなことができるのだろう？　事実上無限にある選択肢から、適切なものを選びだすとは。その方法は主に二種類。次のようなものだ。

ルールに基づいたアルゴリズム

ひとつはルールに基づいたアプローチだ。指示は人間が単刀直入かつ明確に出す。この手のアルゴリズムは、ケーキのレシピにしたがっているようなものだ。手順その一、これをする。手順その二、一が終わったらこうする。だからといって、こういったアルゴリズムが単純なことしかできないわけではない。その気になれば、ひじょうに有効なプログラムをいくらでも作れる。

機械学習アルゴリズム

もうひとつは、動物の学習方法によく似ている。犬にお手を教える場面を思い浮かべてほしい。そういうときには、詳しいマニュアルを作って、そこに書かれていることを犬に話して聞かせたりはしない。犬を訓練するには、犬に何をさせたいのかを頭の中で思い描き、犬が言うことを聞いたら、何かしら褒美を与えればいい。正しい行動を印象づけ、正しくない行動を無視して、どうすればいいのかを犬が理解するまで、根気よく繰り返すのだ。このアルゴリズムは機械学習アルゴリズムと呼ばれていて、広い意味での人工知能（ＡＩ）だ。人間はコンピュータにデータを読み込ませ、ゴールを示して、コンピュータが正しい方向に進んでいるときにフィードバックを与える。あとは何もせず、目的に到達する最善の方法をコンピュータに見つけさせる。

どちらのアルゴリズムにも一長一短がある。ルールに基づいたアルゴリズムは、人間が指示を出すから、理解しやすい。理論上は、誰でもそのアルゴリズムの中身を調べて、結論にいたるまでの流れを追える。[13]とはいえ、それは欠点でもある。ルールに基づいたアルゴリズムは、人間が指示のしかたを知っている問題にしか使えない。

一方、機械学習アルゴリズムは、人間が明確に指示できない事柄に巧みに対処する。絵に描かれているものを認識して、人が話す言葉を理解して、ある言語から別の言語に翻訳する。ルールに基づいたアルゴリズムが苦手とすることをやってのけるのだ。ただし、問題の解決方法をコンピュータが自力で見つけるので、解決までの道筋が人間には理解できないこともある。天才プログラマーでも、そのアルゴリズムの内部は謎だらけということもめずらしくない。

たとえば、画像認識。日本の研究チームは、アルゴリズムのものの見方が、人のものの見方とはまるでちがうのを発見した。人は一枚の絵を見て、そこに描かれているのが花瓶のようにも、ふたつの顔のようにも見えたら、目の錯覚だと考える（巻末の参考文献を参照[14]）。だが、コンピュータはちがう。上の車の写真の前輪部分を一画素変更しただけで、機械学習のアルゴリズムは写真に写っているのが車ではなく、犬だと判断した[15]。

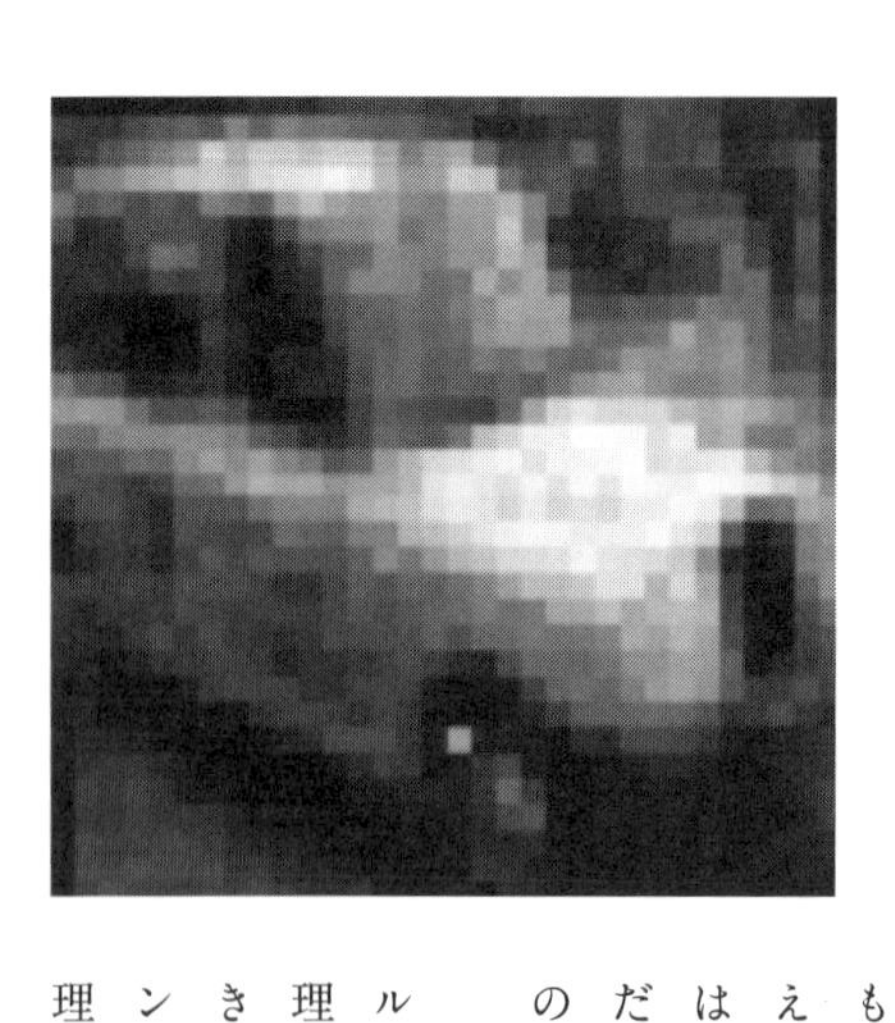

ある意味で、人からの明確な指図なしで機能するアルゴリズムは、大失敗のレシピのようなものだ。人が理解できないものを、どうやって人がコントロールできるのか？　人と同じような知覚を持つ頭脳明晰なコンピュータが、人を超えたらどうなるのか？　人には理解できず、コントロールもできないＡＩが、人に刃

向かうことはないと言い切れるのか?

それは大いに興味をそそられるテーマで、AIの脅威を描いた本は山ほどある。今、本書を読んでいる人の中に、そういう話を期待している人がいるとしたら、先に断わっておかなければならない。本書はその手の本ではない。ここ数年でAIは飛躍的に進歩したが、今のところ、その〝知能(インテリジェンス)〟はかなり限定的だ。人工知能に革命が起きたというより、これまでのコンピュータ統計学の延長線上にある大きな進歩程度だ。そんなふうに言ってしまうと、喜ぶのは統計学者ぐらいのものだが、それが現状にもっとも近い表現だ。

というわけで、今のところ、AIの反乱を心配するのは、火星に人が増えすぎたらどうしようと心配するようなものだ(*)。いつかコンピュータの知能が人間の知能を追い越す日が来るかもしれないが、それは遠い未来の話。はっきり言えば、現時点ではハリネズミ程度の知能のAIを作るレベルにもない。実際、線虫の知能にも達していないのだ(**)。

AIにまつわるさまざまな噂話には、事欠かない。そのせいで、それよりはるかに急を要する問題や、はるかに興味深い話にスポットライトが当たらなくなっている。少しのあいだ、全

*この表現は、コンピュータ科学者で機械学習の先駆者アンドリュー・ンの二〇一五年の発言にヒントを得た。Tech Events, 'GPU Technology Conference 2015 day 3: What's Next in Deep Learning', YouTube, 20 Nov. 2015, https://www.youtube.com/watch?v=qP9TOX8T-kI

**線虫の脳の再現はまさに、国際的な科学プロジェクト〈オープンワーム〉が目指すところだ。そのプロジェクトでは、シー・エレガンスという線虫の脳内にある三〇二のニューロン・ネットワークを、人工的に再現しようとしている。ちなみに、人間には約一〇〇〇億のニューロンがある。オープンワームのサイト:http://openworm.org/

能の人工知能を持つ機械のことは忘れて、はるか遠い未来から、今このときに目を向けてみよう。自らの意思で判断して、その判断が優先されるアルゴリズムは現に存在している。そういったアルゴリズムが刑期を決め、がん患者の治療方針を決め、自動車事故の際にどうするべきかということも決めている。さまざまな場面で、人に代わって、人生を左右する選択をおこなっているのだ。

果たして、そこまで大きな権限を与えても大丈夫なほど、アルゴリズムの判断は正確なのだろうか？

機械の言うことを鵜呑みにする

二〇〇九年三月二二日日曜日。その日、ロバート・ジョーンズにはツキがなかった。車を運転して数人の友人を訪ねた帰り道、ジョーンズはウエスト・ヨークシャーのトッドモーデンというのどかな田舎町を通りかかった。そのとき、運転しているＢＭＷの給油ランプが点灯していることに気づいた。一〇キロ以内にガソリンスタンドがなければ、お手上げだ。切羽詰まった状況だった。それでも、カーナビが近道を見つけてくれた。ジョーンズはカーナビにしたがって、谷沿いの狭く曲がりくねった道に入った。

カーナビの指示どおりに進んでいくと、道はどんどん狭くなり、傾斜もきつくなった。数キロ進んだあたりで、車はおろか、馬で通るのも苦労するほどの泥道になった。それでもジョーンズは慌てなかった。仕事で週に八〇〇〇キロもの距離を車で移動していて、運転には自信があったのだ。それにくわえて、〝衛星ナビゲーションシステムを信じられないわけがなかった[16]〟。

まもなく、その谷をたまたま見あげた人たちは、崖の上から突きでているBMWの鼻先を目にすることになった。崖の上には頼りない木製の柵があり、そのおかげでジョーンズの車はかろうじて、三〇メートル下の谷底に落ちずに済んだのだった。

結局、ジョーンズがその場に乗り捨てた車は、一台のトラクターと三台の四輪バイクを使って、どうにか回収された。その年の後半、危険運転で裁判所に出廷したジョーンズは、カーナビの指示にしたがうのをやめようとは思わなかったと証言した。裁判のあとで、新聞記者に次のように話した。「カーナビでは、あの狭い道はれっきとした道路ということになっていた。だから、信じたんだ。まさか崖から落ちそうになるなんて、誰も思わない[17]」

本当にそうだろうか？　ジョーンズが思わなかっただけでなく、〝誰も思わない〟のだろうか？

この一件は教訓になる。ジョーンズはもしかしたらなんとなくおかしいと感じていたのかもしれない。だが、車の窓の外に見える切り立った崖などの目から入ってくる情報を無視して、アルゴリズムを実際よりもはるかに賢いと思いこんだ。それはジョーンズに限ったことではない。なんといっても、一二年ほど前にカスパロフも同じ罠にかかったのだ。そして、ここまで目立つ出来事ではないとしても、ことの重大さとしては同じぐらいの過ちを、多くの人が無意識のうちに犯している。

二〇一五年におこなわれたある研究は、グーグルのような検索エンジンが、人のものの見方に対して及ぼす影響を調べたものだった[18]。人は検索エンジンが示した結果を鵜呑みにせずに、理性的に判断できるのか？　あるいは、何も考えずにそっくりそのまま受け入れて、（精神的な意味で）崖から転げ落ちてしまうのか？　――それを調べるための研究だった。

その研究は、インドでの選挙の直前に実施された。心理学者ロバート・エプスタイン率いる研究チームは、インド国内の浮動票の有権者二一五〇人を対象に、特別に用意した「カドゥードゥル」なる検索エンジンを使って、候補者について調べさせた。

カドゥードゥルの検索結果は操作されていた。被験者は知らないうちにいくつかのグループに分けられ、各グループは少しずつ異なる検索結果を見せられた。特定の候補者が有利になる検索結果だ。あるグループがその検索エンジンを使うと、トップページに表示されるのはひとりの候補者に好意的なことが書かれたサイトだけで、他の候補者に好意的なサイトを表示させるには、何度もスクロールしなければならなかった。トップページに表示される候補者は、グループごとにちがっていた。

被験者は当然、検索結果のトップページの一番上に出てきたサイトに、じっくり目を通した。〝死体を隠すのにうってつけの場所は、グーグルの検索結果の二ページ目だ〟――そんな有名な冗談があるが、まさにそのとおりだ。被験者はみな、検索結果の下のほうに表示されたサイトにはほとんど目もくれなかった。それはいたしかたないとしても、検索結果の順位が被験者の気持ちに及ぼす影響の大きさには、その研究のリーダーのエプスタインでさえ驚かされた。偏った検索結果をほんの数分間見ただけで、検索結果の一ページ目に表示された候補者に投票する割合が一二％増えたのだ。

二〇一五年、『サイエンス』誌のインタビューで、エプスタインは次のように話した。[19]「人は検索エンジンが正しい選択をすると思っている。〝たしかに、偏っているのはわかっている。

でも、それは……検索エンジンがきちんと機能しているということだ〟と」。さらに、現代人は検索エンジンのようなアルゴリズムからたくさんの情報を得ていながら、それでも自分の頭で考えてきちんと判断していると思いこむ。エプスタインの論文には、〝人は操作されていることに気づかないと、新たな考え方を自ら選択したものだと思いこむ傾向にある〟と書かれている。[20]

もちろん、数あるアルゴリズムの中でカドゥードゥルだけが、個人の政治的見解をさりげなく操作しているわけではない。これに関しては2章「データとアルゴリズム」で詳しく解説するが、ここでは、多くの人がアルゴリズムが示すものを正しいと感じてしまうのを覚えておいてほしい。アルゴリズムがつねに人より正しい判断を下すと、多くの人が考えるようになっている。[21]さらに、アルゴリズムに対して先入観を抱いていることにも、気づけなくなっている。

さまざまな場面で、アルゴリズムは便利な威力を発揮してくれる。簡単に責任を転嫁できて、自分の頭で考えなくても近道を示してくれる。グーグル検索をして、つねに二ページ目も開いて、検索結果すべてにきちんと目を通す人が、どれだけいるだろう？　格安航空券予約サイトに掲載されているのが、本当に最安値なのかどうか、航空会社のサイトをまわってチェックする人が、どれだけいるだろう？　カーナビが薦めてくるのが最短ルートなのかどうか、地図と定規を持ちだして調べる人が、どれだけいるだろう？　少なくとも私はそんなことはしない。それだけはたしかだ。

だが、きちんと区別しなければならないことがある。日常生活に役立つアルゴリズムをあてにすることと、本質を理解せずにアルゴリズムを闇雲に信じることは別の話だ。

人工知能と愚か者が出会うとき

二〇一二年、アイダホ州の障害者は医療費補助が打ち切られるのを知った。[22] それまでその制度の対象だった障害者に対して、アイダホ州がなんの前触れもなく補助金を三〇%カットして、[23] 多くの障害者が医療費を払えなくなった。それはアイダホ州の議会の決定ではなく、州の保険福祉局が導入した〝予算管理ツール〟が決めたことだった。そのソフトウェアが、各々の障害者への給付金額を自動的に計算したのだ。[24]

問題は、その予算管理ツールが下した決定が、どう考えても不合理だったことだ。少なくとも客観的に見れば誰でも、そのツールが弾きだした数字はまるで筋が通っていないとわかる。一部の受給者は給付金が増えたが、その他の受給者は大幅に減らされて、医療施設を受診することさえ困難になった。[25]

減額の理由もわからず、州に抗議する術もなく、アイダホ州の障害者は米国自由人権協会（ACLU）に助けを求めた。そうして、その一件はアイダホ州担当の法務部長リチャード・エピンクが担当することになった。[26] 二〇一七年、エピンクはブログに次のように書いている。〝この件は州に確認すれば済む話だと思っていた。なぜ、給付金がこれほど大幅に減らされたのか？　と〟[27]。ところが実際には、四年という月日と四〇〇〇人の原告による集団訴訟を経て、ようやく真相が明らかになった。[28]

エピンク率いるチームはまず、アルゴリズムの計算の仕組みの詳しい説明を求めたが、教えられないと撥ねつけられた。使用しているソフトウェアの中身は〝企業秘密〟で、口外できないとのことだった。[29] 幸いにも、この件を担当した判事はその主張を認めず、州民に多大な影響を及ぼす予算管理ツールは引き渡されて、その内部が明らかになった。それは高度なＡＩでもなければ、複雑な数理モデルでもなく、ただの表計算ソフト「エクセル」のスプレッドシートだった。[30]

そのスプレッドシートは過去の事例をもとに計算する仕組みだったが、使われたデータにはバグやまちがいが山ほどあり、大半が使いものにならなかった。[31] おまけに、ＡＣＬＵの研究チームが方程式を確認したところ、〝数式そのものの根本的な統計上の欠陥〟が見つかった。その予算管理ツールは多くの受給者に対して、呆れるほどでたらめな決定を下していた。アルゴリズムと呼ぶことさえはばかられる代物だが、いずれにしても、あまりにもお粗末で、最終的に、裁判で違憲の判決が下った。[32]

この一件には、ふたつの人的ミスがある。ひとつは誰かが表計算ソフトを利用して、ろくでもないシステムを作ったこと。もうひとつは、周囲の人々が愚かにもそのシステムを信頼したことだ。実のところ、その〝アルゴリズム〟は人間が作った見かけだおしのコンピュータでしかなかった。それなのになぜ、州の役人はそんな粗悪品を必死に守ろうとしたのだろう？

それについて、エピンクは次のように語った。

コンピュータが弾きだす回答に対して、誰もが抱いている先入観のせいだ。人はコンピュータが出した答えに疑問を抱かない。何かを提示してくれるコンピュータは、たとえば、いくつかのデータを見て、答えを教えてくれる統計学者がすぐそばにいるようなものだ。人はその答えを鵜呑みにする。〝ちょっと待て、それで本当に大丈夫なのか？〟と疑問を抱くことはない。[33]

数式を分解して、その精度を確かめるのは、私の大好きな暇つぶしだが、普通はそんなことに時間を費やす人はまずいない。それでも、エピンクの指摘には重みがある。アルゴリズムの内部でどんなことがおこなわれているのかを考えもせずに、アルゴリズムが出す答えを、そっくりそのまま受け入れてしまう人があまりにも多すぎる。

私は数学者として長年、データとアルゴリズムを相手にしてきた。そうして、アルゴリズムが信頼できるかどうか客観的に判断するには、そのアルゴリズムがどのように機能しているのかを調べるしかないと思っている。アルゴリズムは摩訶不思議な手品によく似ている。最初はまぎれもなく本物に見えるが、種を知ったとたんに、不思議でもなんでもなくなる。一皮めくれば、笑ってしまうほど単純だったり、びっくりするほど無茶苦茶だったりする。このあとの章で、代表的なアルゴリズムを取りあげて、裏でどんなことがおこなわれているのか、種明かしをするつもりだ。手品はできるようにならなくても、種はおわかりいただけるはずだ。

とはいえ、頑固な数学愛好家でも、アルゴリズムの魔術を闇雲に信じてしまうことがある。たとえば有名な格安旅行サイトやグーグルの検索結果のように、正しいかどうかをなかなか確かめられない場合もある。あるいは、アイダホ州の予算管理ツールや、これから本書で取りあげるアルゴリズムのように、〝企業秘密〟という場合もある。さもなければ、一部の機械学習技術のように、アルゴリズム内の論理プロセスをたどるのが不可能な場合もある。

完璧ではないとわかっている未知のアルゴリズムを、頼らなければならないこともある。コンピュータの判断と人の判断を天秤にかけなければならないこともある。そして、コンピュータの計算より自分の直感を信じることにしたとしても、最後までその意志を貫くには、それ相応の勇気が必要だ。

コンピュータの言うことを無視する

ソ連の軍人スタニスラフ・ペトロフは、自国の領空を守る核攻撃早期警戒システムを監視していた。ペトロフの任務は、アメリカからの攻撃をコンピュータが感知したら、即座に上官に報告することだった[34]。

ペトロフがその任務に就いていた一九八三年の九月二六日。深夜一二時をまわったとき、警報が鳴り響いた。誰もが恐れていた緊急事態だ。ソ連の領土に向けて発射された敵のミサイルを、ソ連の衛星が感知したのだ。ときはまさに、米ソ冷戦のまっただ中で、いつ空からの攻撃があっても不思議ではなかった。だが、何かがペトロフを押しとどめた。アルゴリズムを信じていいものか確信が持てなかった。コンピュータが検知したミサイルはわずか五発で、アメリカによる一斉攻撃にしては、どう考えても少なすぎた[35]。

ペトロフは椅子に座ったまま凍りついた。すべては自分の決断にかかっている。上官に報告すれば、核兵器の応酬となる世界大戦が勃発するのはほぼまちがいない。それでも報告するべきか。あるいは、軍の服務規程を無視して、しばらく様子を見るか……。報告が遅れれば遅れるほど、反撃のチャンスが失われるのはよくわかっていた。

ペトロフが様子を見ることにしたのは、全人類にとって幸運だったとしか言いようがない。警報がコンピュータの誤作動なのかどうか、ペトロフには知るよしもなかったが、永遠とも思える二三分間が過ぎても、ソ連の大地に核ミサイルが撃ち込まれることはなかった。それでようやく、ペトロフは自分の判断が正しかったと確信した。アルゴリズムがミスを犯したのだ。

もしそのシステムが、ペトロフのような人間の判断を介さず全権を委ねられていたら、世界の歴史は今とはまったくちがうものになっていたはずだ。ソ連は報復措置としてミサイルを撃ち、それをきっかけに全面的な核戦争に突入していたにちがいない。この出来事からも、一連のプロセスの中で人間の果たす役割がいかに重要かがよくわかる。最終的な決断を下す前に、アルゴリズムの提案を人が吟味して、拒めるようにしておくのが、ミスを回避するための唯一の方法なのだ。

何はともあれ、決断の重みを感じられるのは人間だけだ。緊急事態をクレムリンに伝えるようにプログラムされたアルゴリズムは、伝えるという決断によって起きる無数の問題については微塵も考えない。だが、ペトロフはちがった。「もし自分がまちがいを犯したら、そのまちがいを正せる者は誰もいないと、よくわかっていた[36]」

だが、そこにもやはり問題がある。それは、人間の決断もつねに正しいとはかぎらないことだ。ペトロフのように、アルゴリズムを無視して正しい判断をすることもある。だが、直感にしたがわないほうがいい場合も多い。

もうひとつの生死にかかわる例を見てみよう。そもそも人間がアルゴリズムを無視して、過ちを犯すことはめったにないが、それでも、まさにそんな出来事がイギリス最大のテーマパークで起きた。アルトン・タワーズ遊園地のスマイラーというジェットコースターでの、悲惨な大事故だ(37)。

二〇一五年六月、ふたりの技師が呼ばれて、故障したジェットコースターを修理した。修理を終えて、人を乗せずにジェットコースターを試運転すると、すべてが順調だった。ただひとつ、その車両が戻ってこないことに誰も気づいていなかった。どういうわけか、その車両は急傾斜のコースを逆走して、停止した。

技師すらそれに気づかず、ジェットコースターの係員は長い列を作っている客をできるだけたくさん乗せようと、車両を一台つけくわえた。制御室から〝異常なし〟と合図が送られてくると、待ちわびた客を車両に座らせて、安全ベルトを締めさせ、ジェットコースターを動かした。試運転用の空の車両が、コースの途中で立ち往生しているとは夢にも思わずに。

幸いにも、ジェットコースターの設計者はその手の不測の事態に備えていて、危険防止のアルゴリズムが正しく作動した。衝突を回避するために、大勢の客を乗せた車両はひとつめの傾斜の頂点で急停止して、制御室では警報が鳴り響いた。だが、ふたりの技師は修理を終えたばかりの遊具に問題があるはずがないと思いこんでいて、自動警報システムの誤作動だと考えた。

アルゴリズムを無視するのは簡単なことではない。ふたりの意見が一致して、ふたりで同時にひとつのボタンを押して、ジェットコースターを再スタートさせなければならなかった。ふたりの技師がそのとおりにすると、満席のジェットコースターは動き出し、急降下して、立ち往生している空の車両に突っ込んだ。その結果は惨憺たるものだった。多くの乗客が大怪我をして、一〇代の女性ふたりが脚を失った。

ペトロフの警報とジェットコースター事故という、生死にかかわる出来事は、奥深い問題を浮き彫りにする。人の判断とアルゴリズムの判断。どちらを優先させればいいのか?

人と機械の権力闘争

どちらの判断を優先させるかという問題は、何十年も前に端を発する。一九五四年、ミネソタ大学の臨床心理学者ポール・ミールは、『臨床的予測対統計的予測』を出版した。その本が片方の意見に偏った内容だったことから、多くの人の怒りを買った。[38]

その本には、学生の成績から親の精神状態まで、さまざまな事柄に関して、人とアルゴリズムの予測能力の比較結果が書かれていた。そこから導きだされた結論は、どれほど単純なアルゴリズムでも、ほぼすべてにおいて人の予測より勝っているというものだった。

その後の半世紀でいくつもの研究がおこなわれると、ミールの研究結果が正しかったと裏づけられた。病気の診断、売り上げ予測、自殺の予知、仕事に対する満足度など、数学的な予測作業であれば、どんなときでもアルゴリズムに頼ったほうがいい。兵役の適合診断から、予測される学習能力まで、さまざまな事柄の分析にアルゴリズムは役に立つ。[39] アルゴリズムも完璧ではないが、人間がアルゴリズムの言うことを聞かないと、ミスを犯す確率が高くなる(*)。

それは意外でもなんでもないかもしれない。人は予測をするためだけに生まれてきたのではないのだ。私たちがスーパーマーケットへ行くのは、買ったものの合計金額を暗算ですばやく計算できるレジ係を見つけるためではない。私たちには、自分の代わりに計算してくれる(極めて単純な)アルゴリズムがある。また、たいていは、そういうことは機械に任せておいたほうがうまくいく。飛行機のパイロットがよく口にする冗談がある。最良のフライト・チームには三つの要素があるというのだ。それは、パイロットとコンピュータと犬だ。コンピュータが飛行機を飛ばし、パイロットが犬に餌をやる。犬の役目はコンピュータに触ろうとする人間に噛みつくことだ。

けれど、人間と機械の関係には矛盾もある。人は理解できないものを信じてしまいがちだが、アルゴリズムがミスを犯すとわかったとたんに態度を変える。アルゴリズムを完全に無視して、まちがいだらけの自分の判断に頼ろうとするのだ。専門家が〝アルゴリズム嫌悪〟と呼ぶ現象で、人間は自分がより大きな判断ミスを犯したとしても、アルゴリズムのミスのほうを許せない。

それは実験でもよく目にする現象で[40]、たいていの人はなんとなく気づいているはずだ。私も乗換案内アプリを使っているときに、目的地への到着時間が予想より長く表示されるたびに、アプリより自分の予想のほうが正しいと思う（だが、たいていはアプリのほうが正しい）。さらには、iPhoneを使っている人なら誰でも、ハンディな喋るアシスタントが最新の科学技術の結晶なのをすっかり忘れて、一度や二度はSiriを間抜け呼ばわりしたことがあるはずだ。

＊人よりアルゴリズムの判断のほうが正確だが、稀に興味深い例外もある。一九五〇年代後半から六〇年代にかけておこなわれた〝同性愛者診断〟の一部がそれだ（断わっておくが、〝同性愛者診断〟という表現は当時の研究者が用いたもので、私が考案したものではない）。その研究では、アルゴリズムの判断よりも、人間の判断のほうがはるかに勝っていた。データや数式では解明できない何かを、人は生まれながらに持っているのかもしれない。

私も携帯可能なカーナビ・アプリを使いはじめた頃、渋滞にはまると、アプリが教えてくれる道を行くより、Uターンして引き返したほうが早いに決まっていると思ったものだった（実際にはそうではないことのほうが圧倒的に多かった）。けれど、今はそのアプリに頼りきりで、どこへ行こうと何も考えずにアプリの指示にしたがっている。BMWを運転していたロバート・ジョーンズと同じだが、アプリを信用しきって、崖に突っ込むことはないと思いたい。

人は物事を黒か白かで判断しがちだ。アルゴリズムを全能の神か、あるいは、役立たずのがらくたかのどちらかに決めつけてしまう。けれど、このハイテク時代では、そういう考え方は危険だ。テクノロジーを最大限に活用するなら、もう少し客観的になる必要がある。チェスの名人カスパロフの失敗を教訓にして、人間の欠点を認め、直感を疑い、身近なアルゴリズムに対する自身の姿勢をつねにチェックする。一方で、アルゴリズムの本質を見極め、これまで以上にアルゴリズムをきちんと精査して、本当にしたがっても良いのかと自問する。それが、能力に見合った権限をアルゴリズムに与えているかどうかを判断する唯一の方法だ。

とはいえ、そういったことはどれも、口で言うのは簡単だが、実行するのはむずかしい。アルゴリズムがこれほど人に対して直接的な影響を及ぼすようになっているのに、身近なアルゴリズムの持つ力とその影響が及ぶ範囲について、私たちは指をくわえて見ているしかない。

そういった傾向が顕著に見られるアルゴリズムとして、データ――現代社会でもっとも役立つもの――を扱うアルゴリズムがある。それはネットの世界でこっそり人のあとをつけて、個人情報をかき集め、プライバシーを侵害し、人の性質を勝手に推測して、人の行動にさりげなく影響を及ぼしている。その信頼度、権威、影響力の三つを見誤れば、社会が一変するような事態を招きかねない。

Target

Micro-
manipulation

DATA

Data Broker

Cambridge
Analytica

2章

データとアルゴリズム

買物データから「おすすめ」広告が表示されるのはもう日常だ。スーパーで始まった個人情報分析は、ネット閲覧履歴やSNSのデータから人の行動を操るところまで来ている。アルゴリズムはデータで人を支配するのか二〇〇四年、大学生のマーク・ザッカーバーグは〈フェイスブック〉を立ち上げ、その直後に友達とインスタントメッセージで話をした。

ザッカーバーグ：ああ、ハーバード大学の学生の情報が必要なら
ザッカーバーグ：僕に訊いてくれ
ザッカーバーグ：四〇〇〇以上のメールアドレスに写真に住所……
友人：なんだって？　いったいどうして、そんなことができたんだ？
ザッカーバーグ：みんな、喜んで教えてくれたんだよ
ザッカーバーグ：理由はわからないけど
ザッカーバーグ：みんなぼくを信じてるんだ
ザッカーバーグ：ちょろいもんだ[1]

二〇一八年、フェイスブックはスキャンダルを起こした。すると、その会社のプライバシーに対する傲慢な姿勢を暗示するものとして、この会話は幾度となくやり玉に挙げられた。私個

人としては、調子に乗った一九歳の若者の発言として、大目に見てあげても良い気がするのだが……。とはいえ、私もザッカーバーグはまちがっていると思う。みんなはただ単にザッカーバーグに個人情報を教えたわけではない。取引の一部として教えたのだ。その見返りに、友達や家族と自由につながれるアルゴリズムへのアクセス権を得た。自分の人生を他の人とシェアできる場所を手に入れた。巨大なインターネットの世界で、個人的なネットワークを手に入れたのだ。人それぞれ感じ方は異なるが、当時の私にとって、それは公平な取引に思えた。

だが、その考え方にも問題はある。その取引の長期的な影響について、誰もがつねに意識しているわけではないことだ。私たちが差しだした個人情報で何ができるのか、あるいは、その情報が賢いアルゴリズムに送りこまれたら、どれほどの価値が生まれるのか。多くの人はそういうことをほとんど知らない。そういった情報が手頃な値段で買えることも、ほとんど知られていない。

ちりも積もれば山となる

個人情報の価値にいち早く気づいたのはスーパーマーケットだ。客の気を引くための闘い――購買意欲を刺激して、常連客になってもらうべく、少しでも客の好みに合わせるという僅差の勝負――をつねに繰り広げているその業界では、わずかな改善策の積み重ねが大きな利益につながることもある。一九九三年にイギリスのスーパーマーケットのテスコがおこなった画期的な試みの裏には、そんな事情があった。

小売業向けに顧客分析をおこなうダンハンビー社のエドウィナ・ダンとクライヴ・ハンビー

という夫婦チームの指導のもと、テスコはまず、一部の店舗でポイントカードを発行した。クレジットカードと同じサイズのプラスティック製のカードで、客は会計時にそのカードを提示する。そのからくりはひじょうにシンプルだ。カードを提示して会計を済ますと、そのたびにポイントが溜まり、客は次回以降の買い物でポイントを使える。一方、テスコには販売記録が残り、その記録と客の名が結びつく[2]。

初代のポイントカードでは、収集できるデータは限られていた。記録として残るのは、客の名前と住所、支払い金額と購入日時だけで、購入品の詳細はわからなかった。それでも、わずかなデータから、ダンとハンビーはこの上なく貴重な情報を得た。

売り上げに大きく貢献しているのが、一部の常連客だとわかった。また、客の郵便番号に目を通すと、家からどの程度の距離であれば店にやってくるのかということもわかった。さらに、ライバル店の客が多い地域とテスコの客が多い地域も判明した。また、毎日やってくる客と、週末だけやってくる客がいることもわかった。

そういった情報をもとに、客の購買意欲を刺激する方法を考案した。ポイントカードの会員にクーポン券を郵送したのだ。それまで店で多くのお金を落としてくれたお得意様には、三～三〇ポンドのクーポン券を、購入額がさほど多くない客には、一～一〇ポンドのクーポン券を送った。効果は絶大だった。クーポン券を握りしめて店にやってきた客は、カートに商品を次々に放りこみ、クーポン券の約七〇%が使われた。さらに、ポイントカードを持っている客の購入金額は、持っていない客に比べて、四%多かった。

一九九四年一一月二二日、クライヴ・ハンビーはテスコの役員会で、ポイントカードの効果を発表した。データ、反応率、顧客満足度、売上高を提示するハンビーの話に、役員会のメンバーは無言で耳を傾けた。発表が終わり、最初に言葉を発したのは議長だった。「何よりも驚いたのは、顧客に関して私が三〇年かけて知ったことより、きみのほうがよく知っていることだ[3]」

ポイントカードを全店舗で採用すると、それが最大のライバル店セインズベリーズを引き離すきっかけになり、テスコはイギリス最大のスーパーマーケットへと成長した。やがて、ポイントカードからさらに詳しいデータを収集して、それまで以上に客の購買傾向を正確に把握した。

ネットショッピングの黎明期に、〝私のお気に入り〟という機能を取り入れたのもテスコだ。その機能によって、客がテスコのサイトにログインすると、ポイントカードを使って買ったすべての商品が目立つ場所に表示される。ポイントカード同様、その機能も大成功だった。客は無数のページを見ることなく、ほしい商品をすばやく見つけられるのだ。売り上げは上がり、客も満足した。

だが、良いことばかりではなかった。その機能を採用してまもなく、ひとりの女性から自分のデータがまちがっていると苦情が入った。その女性はテスコのネットショッピングを使っていて、〝私のお気に入り〟としてコンドームが表示されることに気づいたのだ。それは夫のせいではないと女性は言った。夫はコンドームを使わないのだから、と。テスコの担当者がデータを確認すると、その女性の買い物履歴に問題の商品が見つかった。だが、夫婦関係が壊れないように、テスコは賢く対処した。「データが破損していた」と謝罪して、問題の商品をその女性の〝お気に入り〟から削除した。

クライヴ・ハンビーが書いた本には、それがテスコという企業の暗黙の方針になったと記されている。何か行きすぎたことがあれば、謝罪して、問題のデータを削除するのだ。グーグルの元ＣＥＯエリック・シュミットも、グーグル時代に同様の方針を採用し、架空の〝気味の悪い一線〟を意識して、物事を判断していると語った。「気味の悪い一線にかぎりなく近づいたとしても、それを超えることはないというのがグーグルのポリシーだ[4]」

だが、多くのデータが集められれば、どんな個人的な事柄が知られても不思議はない。客は店で食品を買っているつもりでも、実は個人的な事柄を提供している。定期的に買っている品物を詳しく見れば、その人の人となりがよくわかる。コンドームの件のように、本人には知りようのないことまでわかってしまうこともある。だが、多くの場合、データの奥底に隠れているのは、企業の利益に結びつくいくつもの小さなヒントだ。

「ターゲット」戦略

二〇〇二年、ターゲットというアメリカのディスカウントストアは、データ内の特殊なパターンを探しはじめた[5]。ターゲットは牛乳からバナナ、可愛いおもちゃ、ガーデンテーブルまで、ありとあらゆる商品を扱っている。二〇〇〇年代になると、多くの小売店同様、クレジットカードの番号を使い、客と購入品を紐付けて、反応を調べ、客の買いそうな商品を分析しはじめた。

アメリカ人なら誰もが知っている出来事だが、ターゲットがアメリカ中から不評を買ったことがある。出産準備のためにベビー用品を買う女性客は、その前に無香性のボディーローションの購入率が一気に増える――ターゲットはそのことに気づいた。それはデータ内に潜む合図のようなものだった。妊娠中期に入った女性は、妊娠線を気にして、肌をケアするために保湿剤を買うのだ。それが、その後の購入品の大きなヒントになる。さらに時の流れをさかのぼると、そういった女性客は、カルシウムや亜鉛など、さまざまなビタミン剤やサプリメントを大量に買い込んでいた。時を前に進めると、特大パックの脱脂綿を購入し、その購入日から、出産予定日もほぼ見当がついた[6]。

近々母親になる女性は、小売店にとって理想の客だ。妊娠中にお得意様になってもらえば、出産後もその店の商品を使いつづける可能性が極めて高い。なんと言っても、買い物中にお腹がすいたと泣きだす赤ん坊をなだめすかさなければならないときにこそ、買い物のルーティーンが決まるのだ。それゆえに、この手の予測は極めて重要で、ターゲットは女性を惹きつけることで、他店の一歩先を行ったのだ。

そこまでわかれば、あとは簡単だ。ターゲットは妊娠しそうな女性客を点数で表わすアルゴリズムを採用した。点数が一定の基準を超えると、その女性客に自動的にクーポン券が送られる。おむつ、ローション、赤ちゃんのお尻拭きなど、女性客が必要としそうな商品のクーポン券だ。

滑り出しは好調だった。ところが、そのシステムを使いはじめて一年が過ぎた頃、ミネアポリスのターゲットに、一〇代の娘を持つ父親が怒鳴り込んできた。その男性の娘に妊婦用のクーポン券が送られてきたことから、ターゲットは一〇代の妊娠を助長していると、男性は腹を立てていた。店長は何度も謝って、数日後には男性の家に電話をかけて、ターゲットは深く反省していると繰り返し伝えた。ところが、その後、父親がターゲットに謝罪したという記事が、『ニューヨーク・タイムズ』に載った。

「娘と話をした」と父親は店長に言った。「すると、自分の家の中でどんなことが起きているのかまったく知らずにいたことに気づいた。娘は八月に出産する」

私としては、妊娠したことを娘から知らされる前に、親に知らせてしまうアルゴリズムは、〝気味の悪い一線〟を大きく超えているように思えてならない。けれど、その程度のことでは、ターゲットはそのアルゴリズムを破棄する気にはならなかった。

ターゲットの幹部はこんなふうに言う。「妊娠している女性は監視されているような気分にならないかぎり、クーポン券を使う。彼女たちは近隣住民全員におむつやベビーベッドのクーポン券が送られていると思っている。女性を怯えさせなければ、万事うまくいくのだ」

というわけで、ターゲットはいまだに舞台裏で妊娠予測マシーンを使いつづけている。もちろん、他の多くの店でも似たようなことがおこなわれている。ただひとつ、それまでとちがうのは、妊娠関連のクーポン券と一緒に、その他の商品のクーポン券も送っていることだ。だから、客は自分が標的にされているとは夢にも思わない。ベビーベッドとワイングラスのクーポン券なら、なんの脈絡もないように思える。あるいは、ベビー服のクーポン券と香水のクーポン券が一緒に送られてきても。

これはターゲットに限ったことではない。個人のデータから何が推測できるのか？　そういう話題がメディアで大きく取りあげられることは滅多にないが、そういったアルゴリズムが存在するのはたしかだ。企業の表向きの顔の裏に、アルゴリズムは潜んでいる。一年ほど前、保険会社のデータ管理責任者から話を聞いた。その手の会社は、スーパーマーケットのポイントカードによる買い物習慣の詳細なデータにアクセスしているとのことだった。そのデータを分析すると、料理をする家庭では住宅保険が請求されることはあまりなく、ゆえに、保険会社にとって優良客になると判明した。どういうことなのかおおよその見当はつく。時間と労力とお金を費やして料理を一から作る人たちと、家の中で子供にサッカーをさせる人たちは、たしかにちがっているはずだ。けれど、誰が家で料理をするのか、どうしてわかるのだろう？　カートに入っているいくつかの商品は、保険請求率の低さと結びついている。意外かもしれないが、責任感があって家を大切にしているかどうかは、生のフェンネルを買うかどうかでわかるのだ。

人がよく買うものからそんな予測ができるなら、さらに大量のデータを手に入れたら、どれだけのことが予測できるか想像してみてほしい。インターネットの閲覧履歴があれば、その人について多くの予測が立てられるのはまちがいない。

個人情報無法地帯

パランティア・テクノロジーズは、シリコンバレーのスタートアップの中で大成功をおさめた会社のひとつだ。ペイパルの創業者ピーター・ティールが二〇〇三年に設立した会社で、評価額はなんと二〇〇億ドルと言われている。(7) その評価額はツイッターとほぼ同じだが、大半の人はその会社の名すら聞いたことがないはずだ。それでも、たぶんパランティアはあなたのことを知っている。

パランティアはデータブローカーと呼ばれる新種の企業のひとつだ。データブローカーは個人情報を買い集め、それを売ったり、分配したりして利益を得ている。その手の会社は他にも、アクシオム、コアロジック、データロジックス、イービューローなどたくさんある。そういった企業はあなたと直接やりとりすることはないが、つねにあなたの行動を監視して、分析している。(8)

ネットショップでの買い物やニュースレターの定期購読、どこかのサイトへの登録、新車の問い合わせ、保証書への記入、新しい家の購入、選挙人登録などをするたびに、あなたはさまざまなデータを手渡すことになる。そうやって集められた個人情報をデータブローカーが買い取っている。これまでに、不動産業者にどんな土地を探しているか相談したことがあるだろうか？　あるいは、保険比較サイトでいくつもの項目に入力したことがあるだろうか？　そういった情報もみな、データブローカーに買い取られている。場合によっては、インターネットの閲覧履歴すべてが、ひとまとめに買い取られることもある。(9)

そうやって手に入れたデータを結びつけるのが、データブローカーの仕事だ。データブローカーは買い取った細切れの情報をつなぎ合わせて、あなたに関する詳細な情報ファイルを作る。デジタルな世界でのあなたのプロフィールだ。データブローカーのデータベースのどこかに、ＩＤナンバーつきのあなたのデジタルファイルがあり、ＩＤを知っていれば、あなたもそれを見られるかもしれない。だが、ＩＤを教えてもらえることはまずない。そこにはあなたに関するありとあらゆる事柄がおさめられている。氏名、生年月日、宗教、休暇の過ごし方、クレジットカードの使用状況、資産、体重、身長、支持政党、ギャンブル依存度、身体的障害、服用薬、妊娠中絶の有無、両親の離婚歴、薬物やアルコールの依存歴、性的暴行、銃規制への見解、予想される性的嗜好、騙されやすさ。無数のカテゴリーとファイルの中に、無数の詳細な個人情報がおさめられ、どこかにある秘密のサーバーに蓄えられている。それは現代人ほぼ全員に言えることだ[10]。

ターゲットがおこなっている妊娠予測のように、そういった情報の多くは予測で成り立っている。テクノロジー雑誌『ワイアード』を定期購読している人は、最新のテクノロジーに興味があると予測できる。銃のライセンスを持っていれば、ハンティングに興味があると予測できる。データブローカーはつねに、高性能かつシンプルなアルゴリズムを使って、入手したデータを補強している。まさにスーパーマーケットがやっていることと同じだが、規模ははるかに大きい。

そこにはメリットもたくさんある。データブローカーは各人の人となりを理解して、それを使って、詐欺師が顧客になりすますのを防いでいる。また、各人の好みを熟知することで、その人がネットの世界を覗いているときに表示される広告を、可能なかぎり個々の興味と必要に即したものにしている。傷害事件専門の弁護士事務所の広告や、債務返済保障保険の広告を毎日見せられるよりは、そのほうがはるかに楽しいのはまちがいない。また、広告のメッセージが的確な客に届くので、小さな会社が販売しているすばらしい商品を新たな見込み客に提示できて、全体的に広告費も抑えられる。それは誰にとっても良いことだ。

だが、すでに不安を抱いている人もいるとは思うが、個人の特徴を事細かに分類すれば、さまざまな問題が持ちあがる。それについてはあとで解説することにして、まずは、インターネットの世界で何かをクリックしたときに表われるオンライン広告の仕組みと、データブローカーが果たす役割について、少し知っておいていただきたい。

たとえば、高級な旅行会社を経営しているとする。会社の名は仮に〝フライ・トラベル〟としておこう。これまでの何年かで、フライ・トラベルのサイトを訪れた人たちが会員登録してくれて、顧客のメールアドレスは入手できた。そこで、各々の客の休暇の過ごし方などをもっと詳しく知りたければ、登録者のメールアドレスをデータブローカーに送ればいい。データブローカーは自社のデータベースとフライ・トラベルの顧客リストを照合し、関連する情報をリストにつけくわえて、送り返してくれる。ある意味で、集計表に新たな項目がつけくわえられるようなものだ。その後、たとえば南の島でのバカンスが好きな客がフライ・トラベルのサイトを開くと、お勧めのハワイ旅行が表示されるようになる。

もうひとつ、フライ・トラベルのサイトに余分なスペースがあるなら、そのスペースを他社に売って広告を表示させられる。その場合もやはり、データブローカーに連絡して、顧客リストを渡すことになる。データブローカーはフライ・トラベルのサイトに広告を出しそうな会社を探す。そうして、たとえば、日焼け止めを売っている会社が見つかったとしよう。日焼け止めの会社がターゲットにしている客がフライ・トラベルの客の中にいることを示すために、データブローカーはフライ・トラベルの客の特徴の一部を、日焼け止め会社に見せる。もしかしたらそれは、赤毛の人（訳注：赤毛の人は日に焼けるとそばかすができやすい）の割合かもしれない。あるいは、日焼け止め会社のほうが顧客リストをデータブローカーに渡して、両社の客にどの程度の共通点があるか分析してもらう。そうして、日焼け止め会社が合意すれば、フライ・トラベルのサイトにその会社の広告が掲載されて、データブローカーとフライ・トラベルの両方が利益を得る。

そういった集客方法の基本的な考え方は、小売業者がやってきたことと大差ない。だが、次に紹介する三番目の例は、少し不快かもしれない。さて、フライ・トラベルが新たな客を取りこもうとしているとしよう。ターゲットは六五歳以上の男女で、南の島が好きで、経済的に余裕があり、できれば、新たに取り扱うことになったカリブ海の豪華クルーズ旅行に参加しそうな人たちだ。そこで、さっそくデータブローカーに連絡して、その会社のデータベースから、ターゲットとなりそうな人のリストを作ってもらう。

そのリストにあなたが載っているとしよう。データブローカーはさすがに、あなたの名前まではフライ・トラベルに教えない。だが、あなたが日常的に使っているサイトを突き止める。データブローカーはあなたのお気に入りのサイトのどれかと関わりを持っている。それはソーシャルメディアかもしれないし、ニュースサイトかもしれない。そんなことは何も知らないあなたが、お気に入りのサイトにログインすると同時に、データブローカーのところに、あなたがそこにいるという通知が届く。すると、データブローカーは、あなたのパソコンにクッキーと呼ばれる小さな印のようなものをつける。クッキー(＊)はインターネット上のシグナルのよ

＊クッキーは広告のためだけにあるのではない。ウェブサイトであなたがログインしているか――秘密の情報を送信しても安全かどうか――ということや、そのサイトを訪れるのが二回目以上で――たとえば航空会社のサイトであれば、価格をつり上げるきっかけを作ったかとか、ネットのファッション店の割引コードをメールで送ったかなど――をチェックするためにも使われている。

うなもので、あなたがフライ・トラベルのカリブ海クルーズの広告にふさわしい人物だという合図になる。そうして、あなたが望もうが望むまいが、どのサイトを覗いてもその広告が表示されるようになる。

そこで問題が起きる。あなたは広告を見たくないかもしれない。まあ、カリブ海クルーズの写真を何枚も見せられるぐらいなら、大した迷惑ではないかもしれないが、広告の中にはそれよりはるかに不快なものもある。

ハイディ・ウォーターハウスはようやく妊娠したものの、流産して、[11] お腹の中の赤ちゃんの成長を毎週知らせてくるメール——胎児がどのフルーツと同じ大きさなのかを知らせてくるメール——を解除した。出産を心待ちにしながら登録したサイトすべてを解除して、ほしいものリストも削除した。それでも、二〇一八年のインターネット開発者の会議でハイディが訴えたとおり、何をしても、妊娠関連のネット広告から逃れられなかった。もう母親でもなく、赤ちゃんもいないのに、妊婦だった頃の自分がネットの世界を勝手に一人歩きしていた。「それがどういうことなのか、そのシステムを作った人は考えもしなかった」とハイディは言った。

配慮に欠けていただけなのか、はたまた、意図的にそんなふうに設計されたのかはわからない。だが、いずれにしてもそのシステムによって、人は餌食にされてしまうかもしれない。給料日までの少額融資を専門にする高利貸しはそのシステムを利用して、信用格付けの低い人たちを狙うかもしれない。ギャンブル・サイトを頻繁に覗いている人に、賭け事の広告を表示できる。さらに、この種の個人情報データのせいで、不利益なことが起きるかもしれない。たとえば、バイクに乗るのが好きな人が危険を伴う趣味を持っていると見なされたり、ノンシュガーのお菓子を食べている人が糖尿病と見なされたりして、保険に入れなくなるかもしれない。

二〇一五年の研究では、グーグルで高報酬の上級管理職の広告が表示されるのは、男性のほうが圧倒的に多く、女性ははるかに少ないという結果だった。[12]また、ハーバード大学のアフリカ系アメリカ人の教授は、自分の名前をグーグルで検索すると、前科のある人に向けた広告が表示されることに気づいた。そのせいで、求職活動の際に、警察とトラブルを起こしたことは一度もないという証拠を提出しなければならなかった。それをきっかけに、その教授は人種によって表示される広告のちがいについて研究しはじめた。すると、〝白人っぽい名前〟を検索したときに比べて、〝黒人っぽい名前〟を検索すると、〝逮捕〟という言葉が使われた広告――〝あなたは逮捕されたことがありますか？〟など――が表示される回数がかなり多くなるのがわかった。[13]

そういうことをしているのは、データブローカーだけではない。その点ではグーグルやフェイスブック、インスタグラムやツイッターのやり方も大差ない。インターネット界の巨大企業は、顧客を囲い込むことで利益を得ているわけではなく、マイクロターゲティング（訳注：個人情報を細かく分析し、好みや行動パターンを把握して、効果的な戦略を構築する手法）をもとにビジネスを展開している。そういった企業は広告を配信する巨大なシステムのようなもので、アクセスしてくる無数のユーザーが、サイト内をクリックしてまわり、広告がついた投稿を読んだり、動画を観たり、写真を眺めたりすることで利益を上げている。つまり、インターネットを少し使っただけで、その情報を裏でアルゴリズムが吸いあげているのだ。本人が知らないうちに情報が蓄えられ、その情報は基本的に公開されることはない。何よりも個人的な情報が商品なのだ。

残念ながら、多くの国では、そういったことから人を守る法律はない。データブローカーはほぼ野放し状態で、政府――特にアメリカ政府――はその力を抑えこむチャンスを何度も見逃してきた。たとえば、二〇一七年三月、アメリカ合衆国上院では、データブローカーが個人のインターネットサイトの閲覧履歴を本人の同意なしに販売することを禁ずる規則の投票がおこなわれたが、結局、承認されなかった。その種の規則は二〇一六年一〇月に、連邦通信委員会によって承認されていたが、その年の暮れに政権が交代して、連邦通信委員会の過半数を共和党員が占めたせいで、可決しなかった[14]。

果たして、個人のプライバシーにどんな影響が及ぶのだろう？　それに関して、ドイツのジャーナリストのスヴィア・エカートと、データ・サイエンティストのアンドレアス・ディウスがおこなった調査について、お話ししておきたい[15]。

エカートの研究チームは、データブローカーを装い、ドイツ国民の三〇〇〇万人分のインターネット閲覧データを購入した（個人のインターネット閲覧履歴は簡単に手に入る。イギリスやアメリカでは、その種のデータを山ほど蓄えて、販売している会社が無数にある。ただし、ドイツ国民だけに特化したデータを探すのは、大変だったにちがいない）。データそのものは、覗き見されるとは知りもせずにユーザーが自らダウンロードしたグーグル・クロームの拡張機能（プラグイン）によって集められたものだった（＊）。

インターネットの閲覧履歴のリストは膨大だった。一カ月間に、無数の人がネットでおこなったことすべての記録だ。すべての検索、すべての閲覧サイト、すべてのクリック。どれも合法的に売りに出されていた。

エカートの研究チームにとって、唯一の問題はネット閲覧データが匿名だったことだ。閲覧履歴が売りに出された人にとっては朗報かもしれない。とんでもなく恥ずかしい思いをせずに済んだと、ほっとしている人もいるだろう。ところが、そうとも言い切れない。二〇一七年、世界最大級の情報セキュリティー会議に付随して、デフコンと呼ばれるハッカー大会が開かれた。その大会でエカートの研究チームが披露したとおり、巨大なデータベース内の匿名のネット閲覧履歴から個人を特定するのは、驚くほど簡単だ。

たとえば、URLの中に個人の身元の手がかりがある場合もある。ドイツのビジネス特化型SNSシン・コムのサイトを訪れた人は誰でもそうなる。そのサイトで自分のプロフィール写真をクリックすると、以下のようなアドレスのページが開く。

www.xing.com/profile/Hannah_Fry?sc_omxb_p

そこにはすでに名前が表示され、名前のあとに続く文字列は、そのユーザーがログインして、自分のプロフィールを見ていることを表わしている。ゆえに、研究チームはその人が自身のプロフィールを見ているとわかる。ツイッターもほぼそれと同じだ。本人のツイッターのアナリ

＊その拡張機能は、皮肉にも〝ウェブ・オブ・トラスト（訳注：信頼網という意味）〟と呼ばれていて、覗き見のことも含めて利用規約にすべてはっきり書かれていた。

ティクス・ページをチェックすると、研究チームはその人物が誰なのかを突き止められた。データの中にすぐに使える識別子がなくても、研究チームには秘策があった。引用リツイートや、ユーチューブでプレイリストを公開するなど、リンクを利用して投稿すると、つまり、本名に紐付いたデータの足跡を残すと、意図せず正体を現わしたことになる。研究チームは単純なアルゴリズムを使って、匿名の誰かと本人を照合した。[16] ＵＲＬのリストをフィルタリングして、ネットにリンクが投稿された日時にそのサイトを訪れた者を見つけたのだ。そんなふうにして、研究チームはデータベース内の全員の氏名を突き止めて、最終的に、数百万のドイツ人の一カ月分の完璧なネット閲覧履歴を手に入れた。

その三〇〇万人の中には、社会的に重要なポストに就いている人もいた。ある政治家は薬物療法をネットで検索していた。ある警察官は機密の訴訟書類をコピペして、グーグル翻訳にかけていた。コピペした文章はすべて、そのＵＲＬに残っていて、研究者もそれを読めた。ある裁判官のネット閲覧履歴からは、特定の分野のサイトを毎日見ていることがわかった。たとえば、二〇一六年八月のある日の八分間で、次のようなサイトを閲覧していた。

18.22：http://www.tubegalore.com/video/amature-pov-ex-wife-inleather-pants-gets-creampie42945.html
18.23：http://www.xxkingtube.com/video/pov_wifey_on_sex_stool_with_beaded_thong_gets_creampie_4814.html
18.24：http://de.xhamster.com/movies/924590/office_lady_in_pants_rubbing_riding_best_of_

anlife.html
18.27：http://www.tubegalore.com/young_tube/5762-1/page0
18.30：http://www.keezmovies.com/video/sexy-dominatrix-milks-him-dry-1007114?utm_sources

こういった日課のポルノ・サイト閲覧の他に、その裁判官は赤ん坊の名前やベビーカー、産科病院も頻繁に検索していた。彼の妻が出産予定だったことは、研究チームにも容易に想像がついた。

とはいえ、これだけははっきり言っておきたい——その裁判官は違法なことは何もしていない。大半の人がそう思うはずだ。それでも、裁判官を強請ろうとか、裁判官の家族に恥をかかせてやろうと考える者にとっては、この情報は大いに利用価値がある。

これは〝気味の悪い一線〟を大きく超えた場所に、私たちが迷い込みそうになっている証拠だ。誰にも言わないような個人的な事柄が、本人が知らないうちに集められ、やがて、それはその人を操るために使われる。それはまさに、イギリスの選挙コンサルティング会社ケンブリッジ・アナリティカで起きたことだった。

ケンブリッジ・アナリティカ事件

ケンブリッジ・アナリティカの事件はすでにご存じかもしれない。

一九八〇年代以降、心理学者は人の性格を評価するために、五つの特性を用いてきた。開放性、勤勉性、外向性、協調性、神経症的傾向だ。その五つの特性それぞれに、点数をつけて評価する。人の性格を知る際に、広く使われている便利な方法だ。

二〇一二年、ケンブリッジ・アナリティカという コンサルティング会社が設立される一年前のこと、ケンブリッジ大学とスタンフォード大学の研究チームは、五つの性格特性とフェイスブックの〝いいね〟の関係を調べた。[17] まずは、クイズ形式の設問を作り、それをフェイスブックで公開して、人の真の性格とネット上の性格の共通点を調べた。そのクイズをダウンロードした人たちは、同意の上でふたつのデータを提供することになった。それまでにフェイスブックで〝いいね〟を押した数と、クイズの結果、つまり、真の性格の点数だ。

何に〝いいね〟をしたかということと性格に関係があるのは、不思議でもなんでもない。翌年、研究グループが論文で発表したとおり、[18] サルバドール・ダリや瞑想、TEDトークが好きな人は、開放性の点数が高かった。一方で、パーティーやダンス、リアリティー番組の派手で明るくて感情的な登場人物が好きな人は、どちらかといえば外向的だった。調査は成功した。〝いいね〟と性格に関係があることが裏づけられ、研究チームはフェイスブックの〝いいね〟をもとに、人の性格を予想するアルゴリズムを作った。

二〇一四年に二回目の研究がおこなわれる頃には、[19] 研究チームは、ある人のフェイスブックのページから三〇〇個の〝いいね〟を集めて、アルゴリズムにかければ、その人の性格を配偶者より正確に判断できると断言した。

さて、それから数年が経ち、ケンブリッジ大学の計量心理学センターは、ツイッターのフィードから人の性格を予測するアルゴリズムを作った。研究グループのサイトでは、そのアルゴリズムを使って誰でも性格診断ができる。私も試すことにして、そのサイトで自分のツイッターの履歴をアップロードした。同時に、結果を比較するために、一般的な質問票形式の性格診断もおこなった。ツイッターをもとにアルゴリズムが予測する性格診断では、五つの特性のうち三つが本来の性格と一致した。ツイッターのプロフィールをもとにした性格診断結果と比べた場合、私の本来の性格は外向的で、神経症的傾向が強いらしい(＊)。

この研究はそもそも、それを広告にどのように利用するかということに端を発していた。そこで、二〇一七年、[20] その研究チームは個々の性格に合わせた広告を表示する実験をおこなった。フェイスブックを使って、外向的な人には(実際には大勢の人に見られているけれど)〝誰にも見られていないかのように踊る〟というキャッチコピーで化粧品の広告を表示した。一方、内向的な人には〝美は叫ばない〟というキャッチコピーで、鏡の前に立って微笑んでいる少女の映像を表示した。

また、開放性の点数が高い人にはクロスワードパズルの広告を表示した。キャッチコピーは〝アリストテレス？　セーシェル？　無限のクロスワードパズルは創造力を解き放ち、イマジネーションを刺激する〟だ。開放性の点数が低い人にもクロスワードパズルの広告を見せたが、キャッチコピーは〝大好きな趣味に没頭しよう！　世代を超えて、多くの人が挑んできたクロスワードパズルに〟というものだった。その結果は、個々の性格を考慮せずに同じ広告を表示させたときに比べて、クリック率が四〇%、購入率が五〇%増えた。広告主にしてみれば、かなり魅力的な数字だ。

＊その結果を考えると、私は人にどう思われるか心配せずに済むことだけをツイートしているようだ。

研究チームは論文を発表して、企業はそのやり方を実践した。そういった企業のひとつが、トランプの選挙活動のコンサルティングをおこなっていたケンブリッジ・アナリティカと言われている。

ここで、少し時間をさかのぼってみよう。ケンブリッジ・アナリティカが、架空の豪華な旅行会社フライ・トラベルと同じ手法を使っていたのはほぼまちがいない。全員に同じ広告を表示させるのではなく、興味を持ちそうな人を選びだして、ターゲットにするやり方だ。たとえば、アメリカ製のフォードの車を買う人の多くが共和党支持者だとわかると、実際に共和党に投票するかどうかはともかく、フォードの車が好きな人を選んで、愛国心を煽るようなアメリカ的な広告を表示させ、その人たちの気持ちが共和党支持に傾くかどうか様子を見た。ある意味でそのやり方は、立候補者が地元の無党派層の家を一軒一軒訪ね歩くのと大差ない。さらに言えば、オバマとクリントンが選挙期間中にインターネットでおこなったこととも大差ない。欧米の国々の大きな政党はみな、大規模な分析をして、有権者に対してマイクロターゲティングをおこなっている。

だが、『チャンネル4・ニュース』が報じた暴露映像が本物なら、ケンブリッジ・アナリティカは個人情報を利用して、感情に訴える政治的メッセージを有権者に向けて発信していたことになる。たとえば、神経症的傾向が強いシングルマザーに対して、家にいても襲撃されるかもしれないと不安を煽り、銃の必要性を訴える人たちの言葉に耳を傾けさせた。広告の世界ではそういった手法があたりまえになっていることを思えば、政治活動で使われていても不思議はない。

だが、それにくわえて、ケンブリッジ・アナリティカは広告も作って、それをあたかもニュースのように見せかけたと非難されている。内部告発者が『ガーディアン』紙に話したところによると、その選挙運動のあいだで特に有効だった広告は、〝クリントン財団の一〇の不都合な真実〟と名づけられた対話形式の映像だった。[21] さらに、別の内部告発者は、ケンブリッジ・アナリティカによって仕込まれた〝記事〟の大半は明らかな嘘だったと話した。[22]

そういったことが仮に真実だったとしよう。ケンブリッジ・アナリティカが性格的な特性をもとに人を選別して、フェイスブックで扇情的な嘘のニュースを流したとして、果たして、それは効果があったのだろうか？

データで人を操る

政治的なターゲット広告に対する考え方には、ずれがある。大半の人は、自分は物事をきちんと考えられるから、そう簡単には騙されないと思っている。それでいて、自分以外の人――特に政治的な信念が異なる人たち――は簡単に騙されると思っている。もしかしたら真実はその中間あたりにあるのかもしれない。

フェイスブックの投稿には、人の気持ちを変える力があるのを忘れないでほしい。二〇一三年にフェイスブックは物議を醸すような実験をおこなった。六八万九〇〇三人の利用者に対して、前もって知らせることも、同意を求めることもせずに、人の感情を操って、気分が変わるような投稿をニュースフィードに流すという実験だ。[23] まずは、肯定的な言葉を含んだ友人の投稿をニュースフィードに表示しないようにした。次に、否定的な言葉を含む友人の投稿をニュースフィードに表示しないようにした。そうして、何も知らない利用者がそれぞれのケースでどのように反応するかを観察した。否定的な言葉が使われていない投稿をたくさん見せられると、ユーザーは肯定的な投稿をおこなうようになった。一方で、肯定的な言葉が使われている投稿が表示されないと、ユーザーは否定的な言葉を使って投稿するようになった。それはどういうことかといえば、そう簡単には心を操られないと思っていても、実際にはそうではないというわけだ。

同じように、1章で取りあげたエプスタインの実験でも、検索結果として表示されるサイトの順序を変えるだけで、選挙で誰に投票するか決めていなかった人の気持ちが特定の候補者に傾いた。さらに、学術的な研究チームがおこなったアルゴリズム――ケンブリッジ・アナリティカが別の目的で使ったアルゴリズム――の実験からも、人の性格的な特性に合わせた広告のほうが有効だとわかっている。

つまり、そういった方法が買い物はもちろん、選挙の投票にも大きな影響を及ぼすのはまちがいない。とはいえ、最終的な結論を出す前に、もうひとつ知っておいてほしいことがある。

これまでに挙げた例はすべて事実だが、その影響はごく少ない。フェイスブックの実験では、否定的な投稿が表示されなかったユーザーのほうが、肯定的な投稿をしたが、その差は〇・一%以下だ。

ターゲット広告も、内向的な人の性格に合わせた広告を表示させたほうが、商品が売れたが、その差はごくわずかだ。全員に同じ広告を表示した場合、一〇〇〇人中三一人が広告をクリックし、ターゲット広告では一〇〇〇人中三五人だった。学術論文の冒頭には五〇%増と書かれているが、実際にはクリック率が一〇〇〇人中一一人から一六人に増えたということだ。

効果があるのはまちがいない。だが、ターゲット広告のメッセージを、冷静な人々が鵜呑みにすることはない。人はそう簡単には操られない。そういったメッセージを送ってくる人たちが考えているよりも、人は広告を無視したり、プロパガンダに自分なりの解釈をくわえたりするものなのだ。要するに、事細かに分析したデータを利用して巧妙に宣伝したとしても、それが人に及ぼす影響はごくわずかだ。

それでも、選挙となれば、わずかな影響が大きな差として表われることもある。何十億人もの人がいて、その中の一〇〇〇分の一が影響を受けただけでも、事態が一変しかねない。ジャーナリストのジェイミー・バートレットが『スペクテイター』紙に書いたとおり、二〇一六年の大統領選挙でトランプはペンシルヴァニア州では六〇〇〇万票中四万四〇〇〇票差、ウィスコンシン州では二万二〇〇〇票差、ミシガン州では一万一〇〇〇票差で勝利した。一％以下の差が明暗を分けたのだ(24)。

実際、アメリカの大統領選挙で使われたターゲット広告にどのぐらいの影響力があったのかはわからない。真実がすべて明らかになったとしても、時間をさかのぼって、蜘蛛の糸のように複雑に絡みあう原因と結果を解明して、有権者ひとりひとりがどんな理由で誰に投票するかを決めたのかまではわからない。過ぎてしまったことはどうしようもない。問題はこれからどうするかだ。

格付けされる人々

インターネットというシステムが、ひじょうに便利なのはまちがいない。世界中の人が、手軽に、そして、瞬時にグローバル通信網にアクセスできるのだ。指先ひとつで数限りない人類の叡智や、世界各地の最新情報が手に入り、優れたソフトウェアとテクノロジーが自由に使える。だが、それもこれも、広告主が金を払って、民間企業が作ったものだ。私たちもその取引の環に入っている。私たちは無料のテクノロジーと引き替えに個人情報を渡して、企業はその個人情報を使って、利益を上げる。単純な取引だが、そこには資本主義のもっとも良い部分と悪い部分が混在する。

その取引に満足する人もいるだろう。それはそれでかまわない。だが、その前に、個人情報が集められることの危険性を知っておくのは大切だ。そういった情報によって、社会がどうなっていくのかをきちんと考えたほうがいい。プライバシーの問題だけでなく、もしかしたら民主主義を根底から覆すことになりかねない。そこには暗黒の未来を思わせる問題がある。縦横無尽につながった無数のデータを管理するアプリケーションは、ネットフリックスの人気ＳＦドラマ『ブラック・ミラー』でお馴染みだが、それは現実の世界にも存在する。芝麻（ジーマ）信用（セサミ・クレジット）——中国政府が利用していると噂される個人信用評価システムだ。

データブローカーが保有している個人情報が採点される——それはそんなシステムである。あらゆる事柄に点数がつけられるのだ。クレジットカードの利用履歴、携帯電話番号、住所。そのぐらいならまだ想像できるが、それだけではない。日常的な行動、ＳＮＳへの投稿、使用したタクシー配車アプリからの情報、出会い系サイトの記録など、すべてに点数がつく。その点数を合計すると、三五〇から九五〇点までのどこかになる。

芝麻信用の〝複雑〟な採点アルゴリズムの詳細は機密事項だ。だが、その会社の技術部門の責任者リー・インユンは、北京を拠点とするメディア『財新伝媒』のインタビューで、採点システムの一部を明かした。「たとえば、毎日一〇時間テレビゲームをしている人は、怠惰と見なされるかもしれない。おむつを頻繁に買う人は、小さな子供を持つ親と予想され、それゆえに責任感があると見なされるかもしれない[25]」

あなたが中国人ならその点数はひじょうに重要だ。合計が六〇〇点を超えていれば、特別なクレジットカードが持てる。六六六点を超えれば、クレジットカードの限度額が引きあげられる。六五〇点を超えれば、前金なしで車を借りられて、北京空港でＶＩＰ専用レーンが使える。七五〇点を超えれば、ヨーロッパへのビザが優先的に取得できる[26]。

その個人評価システムが強制的でなければ、おもしろいかもしれない。だが、二〇二〇年にそのシステムはすべての国民に適用され、点数が低い場合はさまざまな面で不便を感じることになった。中国政府の公式な文書には、そのシステムに違反した場合の刑罰が記されている。〝海外渡航、不動産購入、観光や休暇での航空機を使った旅行、高級ホテルの宿泊の制限〟などだ。さらに、〝信頼を著しく損ねた〟場合は、〝民間金融機関のローン、保険購入などのサービスが制限される[27]〟。信頼できる者には褒美が与えられ、信頼を損ねれば罰せられるのだ。オランダのライデン大学のファン・フォレンホーフェン研究所で、中国の法律と政治を研究しているロジェ・クレーマスは、芝麻信用を「問題だらけの国家的ポイント制度」と言った[28]。

私としては、芝麻信用には賛同できないが、未来はお先真っ暗だと言うつもりもない。どこかに希望の光はある。不気味な未来が迫っているように思えるかもしれないが、ゆっくりと流れが変わりつつあるのも感じられる。これまで、データ分析にかかわる人の多くは、個人情報が営利目的で利用されていることに気づいていて、それに反対してきた。それでも、ケンブリッジ・アナリティカの事件が起きるまでは、そういった問題が国際的なトップニュースとして繰り返し報道されることはなかった。二〇一八年初頭、ケンブリッジ・アナリティカのスキャンダルが報じられると、多くの人がアルゴリズムによって自分のデータが密かに集められていると知り、そういったアルゴリズムを取り締まる法律や規制がなくては、自分たちの生活が脅かされかねないと気づいた。

その結果、規制の流れが起きた。ＥＵ加盟国では一般データ保護規則（GDPR）が制定され、データブローカーの行為の大半が違法となり、データブローカーは明確な目的なしに個人の情報を保管できなくなった。本人の承諾なしには、個人情報をもとにした予測ができなくなったのだ。さらに、ある目的のために集めた個人情報を、秘密裏に別の目的のために使うことも許されない。だからといって、そういう行為が完全になくなるとも言い切れない。なぜなら、人はインターネットのサイトで何かをクリックするときに、いちいち利用規約を気にしたりしないからだ。知らず知らずのうちに、規約に同意している場合もある。さらに、データ分析とデータ転送の大半は、目に見えないところでおこなわれていて、違法行為を発見するのも、取り締まるのもむずかしい。そういった問題がこの先どうなっていくのか、きちんと見守っていく必要がある。

規制ができたヨーロッパで暮らす人たちは幸運だが、もちろん、アメリカでも規制を求める声は高まっている。連邦取引委員会が二〇一四年にデータブローカーによる不正行為をまとめた報告書を公開し、それを機に、消費者の権利を尊重する方向へ向かいはじめた。アップル社はウェブブラウザのサファリに、インテリジェント・トラッキング・プリベンション（ITP）というトラッキング防止機能を搭載した。同じくウェブブラウザのファイアフォックスにも、同様の機能がくわえられた。フェイスブックはデータブローカーとの関係を絶った。アルゼンチン、ブラジル、韓国をはじめとする多くの国で、ヨーロッパの規則に似た法律が施行された。ヨーロッパが一歩先を行っているのはまちがいないが、世界の流れは正しい方向へ向かっている。

データが現代の黄金だとしたら、私たちはゴールドラッシュに沸く西部開拓時代に生きているようなものだ。それでも、この混沌とした状況はまもなく終わると、私は信じている。

とはいえ、〝ただより高いものはない〟という言葉は肝に銘じておこう。法整備がようやく追いついて、企業の利益と社会的な利益が拮抗する中で、プライバシーに関して錯覚に陥らないよう注意しなければならない。アルゴリズム、特に無料のアルゴリズムを利用するときにはかならず、その裏に何が隠されているのかしっかり考えるようにする。なぜ、このアプリは無料で使えるのか？　このアルゴリズムの真の目的は？　個人情報を差しだしてまで、このアプリを使いたいのか？　やめておいたほうがいいのではないか？

インターネット以外の世界でも同じことが言える。現代社会でのアルゴリズムの予測範囲は、さまざまな事柄に広がっている。データとアルゴリズムは買い物の習慣を予測するだけでなく、人から自由を奪いかねない。

JUSTICE

Decision Tree

Random Forest

False Positive

False Negative

3章

正義とアルゴリズム

人間の裁判官の判断には驚くほど一貫性がない。一方アルゴリズムは判決こそ下せないが、人間よりはるかに正確に再犯確率を予測する。だがそこには統計の性質による意外な罠も。機械は公正な裁判に貢献できるのか?

夏の日曜の夜のブリクストンでは、浮かれ騒ぐ酔っぱらいを見かけるのはめずらしいことではない。これから取りあげる話の舞台が、そのブリクストンだ。ロンドン南部に位置するブリクストンは夜遊びのメッカとして有名だ。その夜も、ミュージック・フェスティバルが終わり、通りは楽しそうに家路に向かう人々や、陽気に騒ぐ人たちであふれていた。だが、午後一一時半になると、雰囲気が一転した。近くの公営住宅で喧嘩がはじまり、駆けつけた警察も仲裁できず、喧嘩はあっというまにブリクストンの中心街へと広がって、無数の若者がくわわった。

それは二〇一一年八月のことだった。その前夜、ロンドン北部のトッテナムで、マーク・ダガンという若者が警察官に射殺され、抗議運動が起こった。はじめは平和的だった抗議運動が、最後は暴力的になった。つまり、二晩続けて、ロンドンのふたつの地域がカオスと化したのだ。しかも、二晩目は惨憺たるものだった。狭い地域でおこなわれていたデモが、広範囲に広がって、法も秩序も崩壊し、無差別の略奪がはじまった。

暴動の夜、二三歳の電気工学の学生ニコラス・ロビンソンは、週末のデートを終えて、いつものようにブリクストンをぶらぶらと歩きながら、家へ向かっていた。[1]だが、そのときすでに、見慣れた通りの光景は一変していた。車がひっくり返され、窓が叩き割られて、いたるところで火の手が上がり、店は片っ端から略奪されていた。[2] 警察はどうにかして事態をおさめようとしていたが、略奪は止まらなかった。ドアや窓が破られた店の前には、車やバイクが横づけにされ、店の服や靴やパソコンやテレビが積み込まれていく。ブリクストンは完全な無法地帯だった。

略奪されてからっぽになった電器店から少し離れた通りで、ニコラス・ロビンソンは小さなスーパーマーケットの前を通りかかった。他の店と同じように、その店もひどい有様だった。窓もドアも壊れて、店の棚はすっかり荒らされていた。新品のパソコンを抱えた暴徒が、警察官に止められることもなく、次々に走り去っていく。そんな騒動のさなかに、喉の渇きを覚えたニコラスはスーパーマーケットに入ると、三ポンド五ペンスの水のボトルのパックを手に取った。店を出ようとすると、警察官がなだれ込んできた。ニコラスはすぐに自分がしたことに気づき、水のパックを置いて、走って逃げようとした。[3]

月曜日の夜になっても、暴動はおさまるどころか、激しくなるばかりだった。その夜も略奪者が通りを占拠した。[4] そんな略奪者のひとりが一八歳のリチャード・ジョンソンだった。テレビで見た略奪の様子に好奇心を刺激され、（どう考えても夏向きではない）目出し帽をつかむと、車に飛び乗って、地元のショッピングセンターへ向かった。顔を隠してゲーム機の店に駆けこむと、コンピュータゲームを抱えて、車に戻った。[5] リチャードにとっては折悪しく、車を停めたのは監視カメラのすぐそばだった。車のナンバーから、警察はあっさりと車の持ち主を突き止めて、録画された証拠をもとにリチャード・ジョンソンを起訴した。[6]

ニコラス・ロビンソンもリチャード・ジョンソンも、暴動のさなかの行為で逮捕された。どちらも窃盗罪で起訴され、どちらも裁判にかけられて、どちらも罪を認めた。だが、同じなのはそこまでだった。

最初に裁判にかけられたのはニコラス・ロビンソンだ。暴動から一週間もしないうちに、キャンバーウェル治安判事裁判所で裁判官の前に立たされた。ニコラスが盗んだボトル入りの水は高価なものではなかった。前科もなく、れっきとした学生で、裁判官に向かって反省の弁を述べた。にもかかわらず、判事はニコラスの行為があの夜にブリクストンが無法地帯と化す一助となったと言った。その結果、ニコラス・ロビンソンは六カ月の懲役刑に処され、傍聴席にいた家族も愕然とした[7]。

一方、ジョンソンの裁判は翌二〇一二年の一月に開かれた。最初から略奪するつもりで、目立たない服を着て、目出し帽をかぶっていったのも事実なら、ニコラスと同じように治安を悪化させる一助になったのも事実だ。にもかかわらず、ジョンソンは刑務所送りにはならなかった。執行猶予が与えられ、二〇〇時間の無償労働を命じられた[8]。

法廷の矛盾と難問

司法制度は完璧ではなく、そもそも完璧にはなりようがない。有罪判決を下し、処罰を決めるには、科学に頼れば済むわけではなく、また、裁判官ならつねに正しい判断ができるわけでもない。だからこそ、〝合理的な疑い〟や〝相当な理由〟といった専門用語が存在し、裁判には上訴がつきものなのだ。要するに、現在の司法制度は完璧ではないと、自ら認めているようなものだ。

それにしても、ニコラス・ロビンソンとリチャード・ジョンソンの例を見ても、そこまで判決が異なるのはどう考えても理にかなっていない。あれほど〝不公平〟な判決が下された理由は、多くの要素が複雑に絡みあっていて、はっきりとはわからない。それでも、裁判官はおおむね公平に判断していると、多くの人は信じている。たとえば、双子がまったく同じ罪を犯したら、どちらにも同じ判決が下される、と。だが、本当にそうだろうか？

一九七〇年代、アメリカの研究チームがこの問題の答えを探った。[9] といっても、実際に双子の犯罪者で試したわけではない（それは非現実的で、倫理的にも望ましくないからだ）。架空の訴訟をいくつか設定し、バージニア州の地方裁判所の四七人の裁判官に対して、それぞれの訴訟をどう扱うか個別に尋ねた。その研究で使われた裁判のひとつは次のようなものだ。もしあなたが裁判官だったらどうするだろう？

一八歳の女性の被告は、大麻所持で、恋人や七人の知り合いとともに逮捕された。吸引後と吸引前の相当量の大麻が証拠として押収されたが、そのすべてが女性の所持品から発見されたわけではなかった。女性は初犯で、中流階級の家庭で育った真面目な学生で、反抗的でもなく、今回の件について言い訳もしなかった。

それぞれの裁判官の判断は信じられないほどちがっていた。四七人の裁判官のうち、二九人が被告を無罪とし、一八人が有罪とした。有罪判決を下した裁判官のうち、八人は執行猶予が妥当とし、四人は罰金刑、三人は執行猶予と罰金、三人は被告人を刑務所に送るべきだと判断した。

つまり、これとまったく同じ事件が起きたら、被告人が無罪放免になるか、刑務所行きになるかは、どの裁判官にあたるかにかかっている。

法廷では平等に裁かれると信じている人にとって、衝撃的な事実だ。だが、それ以上に衝撃的だったのは、裁判官ひとりひとりの見解が異なっていたばかりか、ひとりの裁判官が下す判決も矛盾することだ。

比較的最近おこなわれた実験では、イギリスの八一人の裁判官に複数の架空の被告人を保釈するかどうかを尋ねた[10]。架空の事件とその被告人には、架空の背景と架空の前科が設定されていた。バージニア州での実験同様、提示した四一件の裁判で、裁判官全員の意見が一致したものはひとつもなかった[11]。ただし、この実験では、各々の裁判官に提示した四一の事件のうち、七件はまったく同じ内容の事件だった。二度目に提示する際には、被告人の氏名を変えて、同じ事件であることが裁判官にわからないようにした。意地の悪いやり方だが、真実を暴くにはもってこいだ。大半の裁判官は同じ事件に対して同じ判決を下せなかった。まるで無作為に保釈を認めたかのように、同じ二件の事件に下した判決が大きく異なった裁判官もいた[12]。

他の研究でも同様の結果が出ている。裁判官が独断で判決を下すときほど、矛盾が大きくなる。裁判官に裁量の自由を与えると、判決は運任せになりかねないというわけだ。

もちろん、そういったことは簡単に解決できる。裁判官が下す判決が矛盾しないようにするには、自由に判断できる余地をなくせばいい。同じ犯罪で起訴された被告人全員が、同じ刑に処されれば矛盾はなくなるかもしれない。少なくとも、保釈と判決に関してはそうなるはずだ。

実際、いくつかの国はすでにその方向へ進んでいる。アメリカ全体とオーストラリアの一部では、規定的な量刑システムが採用されている。[13] だが、それには大きな犠牲が伴う。正確ではあったとしても、別の意味での公平性が失われてしまうのだ。

たとえば、二人の被告人がいたとしよう。どちらもスーパーマーケットで商品を盗んで、起訴された。ひとりは生活に困っているわけでもないのに、万引きを繰り返していた。もうひとりは失業したばかりで、生活が苦しくて、家族に食べさせるために商品を盗み、その行為を心から悔いている。情状酌量の余地をなくして、同じ罪を犯した者を同じ刑に処するなら、一部の被告人にとってはあまりにも厳しい判決になって、更生のチャンスが失われかねない。

いずれにしても、ひじょうにむずかしい問題なのはまちがいない。裁判官のためにそういった制度を用いるにしても、個々の判決と一貫性のバランスが取れていなければならない。たとえばアメリカの連邦法では刑の長さが厳密に決まっているが、スコットランドでは裁判官の完全なる自由裁量に基づいている。そして、大半の国はその中間あたりに位置する制度を採用して、この難題に対処している。[14] 西洋諸国では、量刑に関して上限が定められている国（アイルランドなど）、下限が定められている国（カナダなど）、上限と下限の両方が定められている国（イングランドとウェールズなど）が一般的で、[15] その範囲内で裁判官が判決を下す。

だが、いずれの制度も完璧ではない。相反する一貫性、相容れない公平性がつねに混在するのだ。だが、矛盾だらけの複雑な状況だからこそ、アルゴリズムが真価を発揮する。判決にいたる過程にアルゴリズムを組み入れれば、一貫していて、なおかつ、個々に即した量刑が下せる。無理にどちらかを選ぶ必要はない。

正義の方程式

有罪か無罪かは、アルゴリズムには決められない。被告側の主張と検察の主張を比較検討できないからだ。証拠を分析することも、被告人が本当に反省しているかどうかも判断できない。だから、現時点でアルゴリズムが裁判官の代わりになるわけではない。それでも、驚くべきことに、アルゴリズムはデータを駆使して、再犯の可能性を予測できる。多くの裁判官が、被告人がふたたび罪を犯すかどうかを判断基準にしていることからも、アルゴリズムのその能力は大いに役に立つ。

データとアルゴリズムはほぼ一世紀にわたって、司法制度で使われてきた。初めて使われたのは、一九二〇年代のアメリカだ。当時のアメリカの司法制度では、有罪とされた犯罪者にはおおむね最長刑期の量刑が下り、その後、一定の刑期を経て、仮釈放の対象になった(＊)。そんな事情から、無数の囚人が早めに釈放された。その結果、きちんと更生する者もいれば、そうではない者もいた。だが、意外にも、それが完璧な実験材料になった。仮釈放中の人が犯罪に手を染めるかどうかを予測できるのかという実験だ。

カナダ人のエンター・アーネスト・W・バージェスは、シカゴ大学の社会学者で、予測の研究に余念がなく、さまざまな社会現象を定量化していった。長年にわたる研究で、定年退職の影響から幸せな結婚まで、あらゆることを予測し、一九二八年、世界で初めて、直感ではなく計算をもとに犯罪のリスクを予測するツールを完成させた。

バージェスはイリノイ州の三つの刑務所の、三〇〇〇人の囚人から集めたさまざまなデータを駆使して、仮釈放の条件に違反する可能性が極めて高い囚人に関する二一の要素を突き止めた。その要素には、犯罪の種類や服役期間の他に、社会的な立場も含まれていた。社会的立場のカテゴリーを〝浮浪者〟〝酔っぱらい〟〝穀つぶし〟〝田舎者〟〝移民〟などとしたのは、二〇世紀初頭だから許されたことだ[16]。

バージェスは各囚人の二一の要素を0か1で採点した。合計点数が高い（一六～二一点）囚人は再犯の可能性がほぼなく、合計点数が低い（四点以下）囚人は仮釈放の条件を破ると予測した。

やがて、すべての囚人が仮釈放されて、その気になればふたたび犯罪に手を染められる状態になった。バージェスにとっては、自身の予測が正しいかどうかを確かめるチャンスがやってきたわけだ。基本中の基本とも言える分析方法を用いたにもかかわらず、予測は驚くべき精度だった。再犯のリスクが低い囚人の九八%が、仮釈放期間を何事もなく過ごした。一方、再犯の可能性が高い囚人の三分の二は、ふたたび罪を犯した[17]。粗削りな統計分析でも、多くの専門家より正しく予測できたのだ。

だが、バージェスの研究は批判された。疑り深い部外者が、特定の場所の特定の時期での再犯予測に使われた要素が、まったく別の状況でも本当に通用するのかと疑問を呈したのだ（た

＊〝仮釈放（パロール）〟という言葉の語源はフランス語のparole（パローレ）で、〝声や口に出された言葉〟を意味する。一七〇〇年代、囚人が二度とふたたび罪を犯さないと口に出して約束してはじめて、釈放されたことから、現在の意味で使われるようになった。https://www.etymonline.com/word/parole.

しかにその意見にも一理ある。〝田舎者〟という要素が現代の都会での再犯予測に役立つとは思えない)。また、学者仲間からも、入手したデータの関連性を精査せず、ただ闇雲にデータを使っただけだと批判された[18]。さらに、点数のつけ方も疑問視された。その方法は諸要素から読みとれる単なる見解でしかない、と。にもかかわらず、予測は驚くほど正確で、一九三五年にはイリノイ州の刑務所で採用され、仮釈放委員会の判断にも一役買った[19]。その後、二〇世紀末には、バージェス方式から派生した予測方法が、世界中で使われるようになった[20]。

現在、裁判で使われている最先端の再犯リスク評価アルゴリズムは、バージェスが考案した方法よりはるかに精度が高い。そういったアルゴリズムは仮釈放の判断だけでなく、個々の囚人と社会復帰支援プログラムの組み合わせ、保釈の決定、また、最近では裁判官が下す判決にも役立てられている。とはいえ、基本原理は昔から変わっていない。年齢、犯罪歴、犯罪の重大性など、被告人に関する情報をもとに、釈放した場合の再犯率を予測する。

具体的にどのように予測しているのだろう? 大まかに言えば、最新の高性能アルゴリズムはランダムフォレストと呼ばれる技術を採用している。本質的には驚くほど単純な方法で、決定木（けっていぎ）と呼ばれるグラフだ。

みんなに訊いてみよう

決定木は、学生時代に習った人もいるはずだ。数学の教師はものごとの「構造の観測」をするために、決定木をよく用いる。コインを何回も投げたり、サイコロを何回もふった結果を記録していくようなものだ。完成した決定木はフローチャートとしても使えて、状況に応じて何

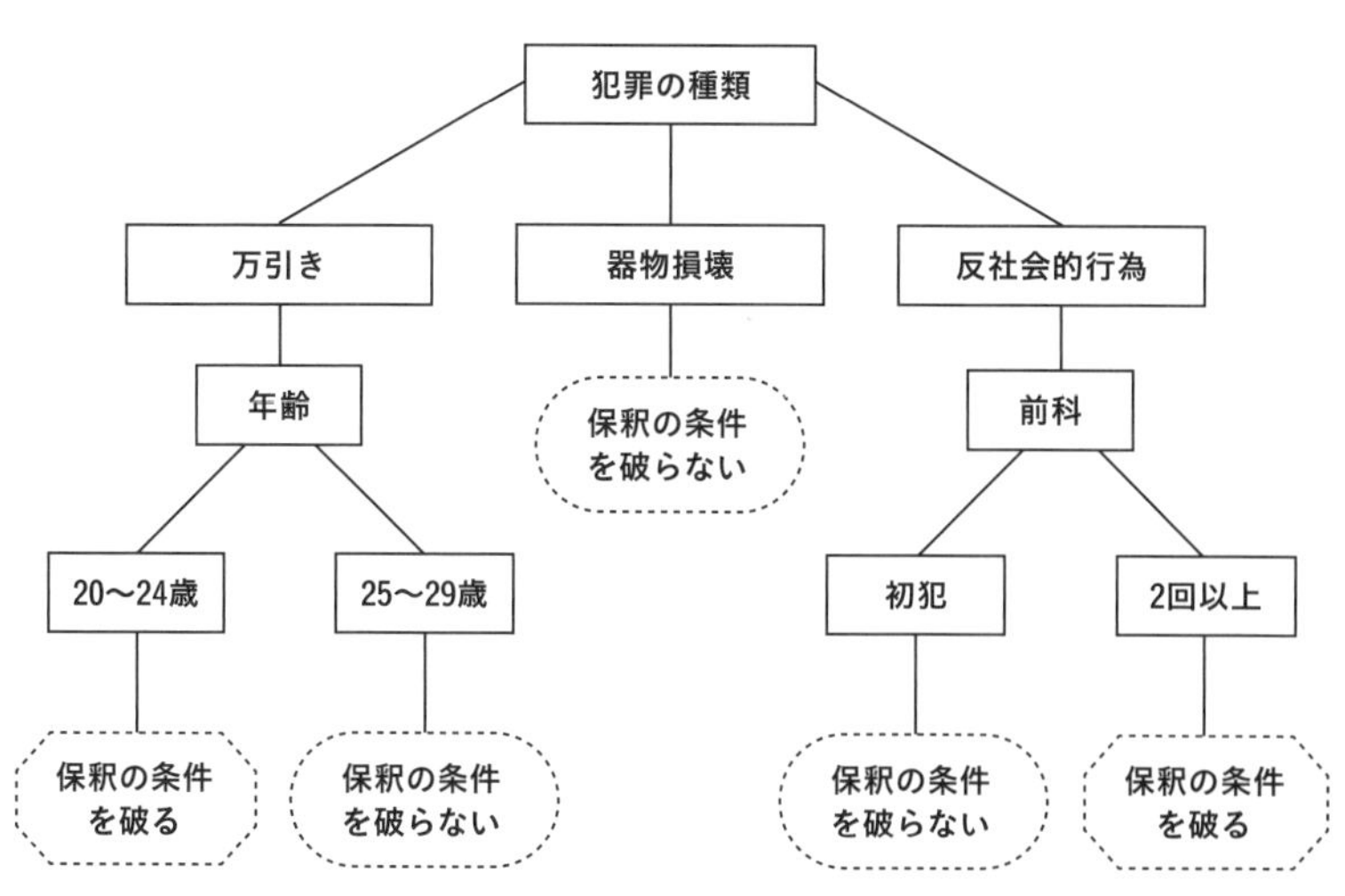

をするか、いや、この場合は何が起きるのかをひとつひとつ判断していく。

たとえば、ある被告人の保釈を認めるかどうかを決めるとしよう。仮釈放のときと同様、決定は単純に計算をもとにする。罪状は無関係だ。必要なのは予測だけ。果たして、拘置所から出されたら、その被告は保釈の条件を破るだろうか？

予測には、過去の被告人から得たデータを使う。保釈された者の中には逃亡した者もいれば、ふたたび罪を犯した者もいる。逆に、そういうことをしなかった者もいる。そのデータを使えば、手描きでも上の図のようなシンプルな決定木が作れる。これまでの被告人の特徴をもとに、フローチャートを作るのだ。そうして完成した決定木は、新たな被告人の行動予測に使える。被告の特徴に応じて、枝をたどっていくだけで、結果にたどりつく。過去の被告人のパターンに即してさえいれば、正しい予測ができるのだ。

とはいえ、私たちが学校で作ったような決定木では、使いものにならないこともある。あたりまえだが、新たな被告人全員が過去の被告人のパターンにあてはまるわけではない。となると、ひとつの決定木だけでは正確に予測できなくなる。ここでの説明に使っているのが、単純な決定木だからそうなるわけではない。過去の莫大なデータを使って、巨大で複雑なフローチャートを作ったとしても、たったひとつの決定木では当てずっぽうの予測と大差ない。

だが、ふたつ以上の決定木を作れば、状況は一変する。すべてのデータをいっぺんに使うのではなく、分けて使うのだ。それは「アンサンブル」と呼ばれる方法で、まずは、無作為に選んだデータをもとに小さな決定木をいくつも作る。そうして、新たな被告人に対して、すべての決定木をたどって、保釈しても大丈夫かどうかを調べる。すべての決定木の結果が一致するとはかぎらず、また、決定木だけでは確実な予測ができない場合もあるが、結果の平均を出すだけで、予測の精度は数段上がる。

これは、『クイズ$ミリオネア』の〝観客に訊く（オーディエンス）〟になんとなく似ている。大勢の見知らぬ人たちのほうが、あなたが知っているいちばん賢い人より正しい選択をすることもあるのだ（そのクイズ番組の救済措置〝ライフライン〟のひとつが〝オーディエンス〟で、その正解率は九一%。同じく〝友達に電話で訊く（テレフォン）〟の正解率は六五%だ[21]）。多くの人が答えればまちがいは打ち消される。その結果、たったひとりの答えより正解率が高くなる。

いくつもの決定木を組み合わせた「ランダムフォレスト」にも同じことが言える。アルゴリズムの予測とはデータから学習したパターンにもとづくものだ。ということはランダムフォレストはある種の機械学習アルゴリズムであり、広い意味で言えば人工知能となる（〝機械学習〟

という言葉は1章「影響力とアルゴリズム」に出てきた。このあともそういったアルゴリズムにいくつも出会うことになる。だがここでは、とっつきにくいそのアルゴリズムも、実際には学校の授業で作ったフローチャートに数学的な操作をいくらかつけくわえただけだということを知っておいてもらえれば充分だ)。今現在、ランダムフォレストが無数のアプリケーション内で大活躍しているのはまちがいない。ネットフリックスでは個々の視聴者がこれまでに視聴した番組をもとに好みの予測に使われ[22]、エアビーアンドビーでは不正口座の検知に[23]、医療では病気の診断に使われている(病気の診断については次章で詳しく解説する)。

犯罪者の分析に関しては、人間による分析に比べて、ふたつの大きな利点がある。ひとつは、同じ状況であればアルゴリズムはつねに同じ答えを提示することだ。個々の妥当性は犠牲になるが、一貫性はある。さらに、もうひとつの大きな利点は、アルゴリズムのほうがはるかに正確に予測できることだ。

人間vsアルゴリズム

二〇一七年、ある研究グループが、機械の予測と複数の裁判官の判決がどのぐらい一致するかを調べた[24]。

研究チームはまず、二〇〇八～二〇一三年のニューヨーク州でのすべての逮捕者の記録を入手した。その五年間で、七五万人が保釈聴聞会にかけられており、その大量のデータを利用して、アルゴリズムの予測と人間の裁判官の判決をひとつずつつきあわせた。

調査対象となった期間、ニューヨーク州の裁判所ではアルゴリズムを使用していなかったが、研究チームはいくつもの決定木を作って、保釈条件を破りそうな被告人を正確に予測できるかどうか確かめたのだった。逮捕歴、犯罪の種類といった被告人のデータをあてはめると、保釈条件を破るか否か予測ができた。

実際には、四〇万八二八三人の被告人が裁判にかけられる前に釈放された。そういった被告人は、逃げようが、別の犯罪に手を染めようが事実上自由で、それがアルゴリズムの予測と人間の判断の正確さをチェックするための材料になった。また、その後、裁判所に姿を現わさなかった被告（一五・二％）や、保釈中に罪を犯して再逮捕された被告（二五・八％）も正確にわかった。

大きな痛手だったのは、裁判官によってハイリスクと判断された被告人は、保釈請求が認められず、ゆえに、そういったケースでは、裁判官の判断が正しかったのかどうか確かめられなかったことだ。そのせいで事態は少し複雑になった。つまり、裁判官の全判断の正確性を表わす、客観的で具体的な数値は得られなかったのだ。被告人がどのように行動したのか〝正解〟がわからなくては、アルゴリズムの総合的な精度もわからない。代わりに、刑務所に入れられた被告人がもし保釈されていたらどうなっていたかについて、根拠に基づいた予測を立てて[25]、回り道する形で人間と機械を比較するしかない。

だが、ひとつ確実に言えることがわかった。裁判官の判断と機械の予測は一致しなかった。その研究によれば、アルゴリズムが真の悪人と予測した被告人の多くは、裁判官から再犯の可能性が低いと判断されていた。アルゴリズムが再犯の恐れがひじょうに高いと予測した被告人の約半数が、裁判官によって保釈されていたのだ。

果たして、どちらが正しかったのか？　データによると、アルゴリズムが再犯リスクが高いと予測した被告人は、実際に保釈の条件を守らなかった。そういった被告人の約五六％が裁判所の呼び出しに応じず、六二・七％が保釈中に新たな犯罪に手を染めた。中にはレイプや殺人といった重罪を犯した者もいた。アルゴリズムはそれを見抜いていたのだ。

どんな方法を用いたとしても、裁判官よりアルゴリズムのほうがはるかにすぐれていると、研究チームは結論づけた。もちろん、数字もそれを裏づけている。刑務所に送る犯罪者を減らしたいなら、アルゴリズムが役に立つ。アルゴリズムを使えば、犯罪率を上げることなく、刑務所送りになる被告人を四一・八％減らせる。あるいは、保釈が認められる被告人の現在の割合に満足しているなら、それもまたいいだろう。アルゴリズムを使えば、保釈に値する者を的確に選びだせて、保釈中に姿をくらます者が二四・七％減る。

これは机上の空論ではない。ロードアイランド州では裁判でこの種のアルゴリズムを使うようになって八年が経つが、その間に囚人数が一七％減り、再犯率も六％減少した。刑務所に入れておく必要のない者が増え、なおかつ、犯罪は減ったわけだ。また、イギリスでは囚人ひとりにつき年間三万ポンドが費やされている[26]。アメリカの厳重警備の刑務所にかかる年間の経費は、ハーバード大学の学費とほぼ同じだ[27]。それを考えると、税金も大幅に節約できて、いいことずくめと言えるだろう。

いや、本当にそうだろうか？

ダース・ベイダーは誰だ？

人が未来にどんなことをするのか、完璧に予測できるアルゴリズムはない。人はこの上なく複雑で、不合理で衝動的な生き物だから、未来の行動を正確に予測できるわけがない。ある程度までは予想できたとしても、それでもやはりまちがうことはある。問題は、再犯リスクをまちがって予測された人の身に、どんなことが起きるかだ。

アルゴリズムが犯すミスには二種類ある。それについて、ペンシルベニア大学の犯罪学と統計学の教授で、常習的な犯罪予測の先駆者でもあるリチャード・バークは、次のように説明してくれた。

「いい人と悪い人がいた場合、アルゴリズムはこんなふうに考える。〝誰がダース・ベイダーで、誰がルーク・スカイウォーカーなのか？〟」

ダース・ベイダーを釈放するのは「見逃し（偽陰性）」と呼ばれるエラーだ。本当は再犯リスクが高いのに低いと判断することだ。逆に、ルーク・スカイウォーカーを刑務所に入れるのは、「誤検知（偽陽性）」と呼ばれるエラーだ。本当は再犯リスクが低いのに高リスクであると誤って判定することだ。

見逃しと誤検知というふたつのエラーは、犯罪予測だけに限ったものではない。本書には、そういった誤りの例が幾つも登場する。分類を目的にしたアルゴリズムにはつきもののエラーなのだ。

バークが作ったアルゴリズムは、ある人が殺人を犯すか否かを七五％の精度で予測できる。

かなり優秀だ。[28] 人の気持ちがどれほど変わりやすいものかを考えれば、そのアルゴリズムの精度はひじょうに高い。とはいえ、七五％は正しいとしても、一見、ダース・ベイダーのように見えるという理由で、釈放されないルーク・スカイウォーカーは大勢いる。

アルゴリズムに釈放するか否かを判断させるとき以上に、刑罰の決定で被告人にまちがったレッテルを貼ることのほうが、影響は深刻だ。比較的、最近の例を見てみよう。アメリカのいくつかの州では、裁判官が刑期を決める際に、再犯リスクの評価を参照できるようになった。それで激しい論争が起きたのも不思議ではない。罪を犯した人を早く釈放するか否かを予測で決めるのと、どのぐらいのあいだ刑務所に入れておくかを予測で決めるのは、そもそも別物だ。

刑期の長さを決めるには、被告人の再犯リスク予想（これに関してはアルゴリズムが役に立つ）だけでなく、さまざまな要素を考慮しなければならない。裁判官は被告人が他者に及ぼす悪影響、量刑判決による他の犯罪者への抑止力、被害者への報復、被告人の社会復帰の機会を考慮する。量刑判決というのは、さまざまな事柄のバランスを取らなければならず、アルゴリズムに頼りすぎてはならないと、多くの人が考えるのも当然だ。ゆえに、ポール・ジリーのような事件が注目される。[29]

ジリーは芝刈り機を盗んで、有罪判決を受けた。二〇一三年二月、ウィスコンシン州バロン郡の裁判所で、ベイブラー判事の前に立ったジリーは、自分の弁護団が司法取引に同意したのを知っていた。この一件では、長い刑期は必要ないと双方の意見が一致していた。ジリーは裁判官が同意書にサインするだけで終わるはずだと確信して、裁判に臨んだのだった。

だが、ウィスコンシン州の裁判官はＣＯＭＰＡＳという再犯リスク評価アルゴリズムを使っていた。1章「影響力とアルゴリズム」に出てきたアイダホ州の予算管理ツールと同じように、COMPASの予想方法も企業秘密だ。とはいえ、前者の予測方法は最終的に明らかになったが、COMPASの中身は今も公開されていない。わかっているのは、被告人へのアンケートをもとに予測を立てていることだ。アンケートには次のような項目がある。〝空腹であれば、盗んでもかまわない：そう思う・そうは思わない〟〝両親と暮らしていて、その後両親が離婚をした経験がある場合、そのときあなたは何歳だったか[30]〟。そのアルゴリズムは、被告人が二年以内にふたたび犯罪に手を染めるか否かを予測するためのもので、予測精度は約七〇％だ[31]。つまり、おおよそ三人にひとりの被告人の予測を誤ることになる。にもかかわらず、量刑判決で、裁判官はアルゴリズムの予測を参考にしていた。

ジリーの再犯リスク予想の評価は良くなかった。将来の凶悪犯罪に関して高リスク、総合的な再犯率は中リスクと評価されていた。「再犯リスク予想の評価はかなり悪い」とベイブラー判事は裁判で言った。

ベイブラー判事はアルゴリズムの評価を優先させ、司法取引を認めず、ジリーに重い量刑を科した。郡刑務所での一年間の懲役より重い、州刑務所での二年間の懲役だった。

ジリーが本当に再犯リスク評価どおりの人物なのかどうかはなんとも言えない。だが、他の要素を考慮せずに、精度七〇％のアルゴリズムに頼るのは、安易としか言いようがない。

ジリーの裁判は大きく報道されたが、同じような問題は他にも起きている。二〇〇三年、一九歳のクリストファー・ドリュー・ブルックスは、一四歳の少女と合意の上で性行為に及び、バージニア州の裁判所で法定強姦の罪で有罪判決を受けた。当初、量刑ガイドラインでは七〜

一六カ月の刑期となっていた。だが、ブルックスの再犯リスク予想の評価(これはCOMPASによるものではない)が加味され、刑期の上限が二四カ月に増えた。その結果、裁判官はブルックスに一八カ月の懲役を科した。[32]

この裁判での問題点は、使用されたアルゴリズムが再犯リスクを計算するための要素のひとつに、年齢を使っていたことだ。若くして――これは被害者の年齢に近いということでもあるが――性犯罪で有罪判決を受けたことが、評価のマイナス要因になった。もしもブルックスが三六歳だったら――つまり少女より二二歳年上だったら――アルゴリズムは被告人を刑務所に送る必要はないと判断したはずだ。[33]

人が自分の判断より、コンピュータの判断を信じるのは、今に始まったことではなく、これからもそれは続くだろう。問題は、そういったことに人がどう対処するかだ。ウィスコンシン州の最高裁判所は独自の見解を表明した。「巡回裁判所が被告人をCOMPASの再犯リスク評価で判断する際には、慎重な姿勢で臨まなければならない[34]」というものだ。だが、リチャード・バークはそれでは甘いと言う。「裁判所はミスを避けることを重視している。選挙で選ばれた裁判官は特にそうだ。アルゴリズムは、責任を逃れつつ、裁判官の仕事を減らす手段になっている[35]」

問題はそれだけではない。アルゴリズムがある被告人の再犯リスクが高いと評価し、その結果、裁判官がその被告に懲役刑を科せば、アルゴリズムの予測が正しいのかどうかは誰にもわからない。もう一度、ジリーの件を考えてみよう。もしジリーが釈放されていたら、凶悪犯罪に手を染めることになったのかもしれないし、そうはならなかったのかもしれない。再犯リスクが高いというレッテルを貼られ、州刑務所に送られたせいで、司法取引が認められて釈放された場合の人生とはまるで異なる道を歩まされたのかもしれない。アルゴリズムの予測が正しかったのかどうかを証明する術もなければ、再犯リスク予想の評価を信じた裁判官が正しかったのかどうかを知る術もない。ジリーが本当にダース・ベイダーだったのか、実はルーク・スカイウォーカーだったのかは謎のままだ。

これは一筋縄ではいかない問題だ。裁判でアルゴリズムを使う際に、良識を持ってきちんと判断してもらうには、どうすればいいのか？　たとえそれができたとしても、再犯予測にはもうひとつ問題がある。それはとりわけ、多くの人の意見が分かれる問題だ。

偏見を持つコンピュータ

ジリーの判決をいち早く報じたニュースサイト『プロパブリカ』は二〇一六年、二〇一三〜一四年のフロリダ州の被告人七〇〇〇人以上に対して、COMPASのアルゴリズムの予測が当たっていたかどうか調査した[36]。どの被告人がふたたび犯罪に手を染めたのかを確かめて、COMPASの予測の精度をチェックしたのだ。同時に、黒人と白人の被告の再犯リスク予想に差があるかどうかも調べた。

そのアルゴリズムの予測のもととなる要素に、人種は含まれていないことになっていた。にもかかわらず、結果的に被告人が平等に扱われていないことに、多くのジャーナリストが気づいていた。アルゴリズムのミスの割合は、被告人が黒人でも白人でもほぼ変わらなかったが、人種によってミスの種類がちがっていた。

たとえば、初犯で、その後、二度と犯罪に荷担しない被告人がいるとする。つまり、ルーク・スカイウォーカーだ。ところが、その被告人が白人ではなく黒人である場合、アルゴリズムによって再犯リスクが高いと誤った判断を下される確率は二倍になる。アルゴリズムの誤検知エラーは黒人が圧倒的に多かった。逆に、二年以内にふたたび犯罪に手を染める被告人――つまりダース・ベイダー――が白人だった場合、黒人に比べると、再犯リスク予想が二倍も低く評価される。アルゴリズムの見逃しエラーは、白人が圧倒的に多かった。

『プロパブリカ』によるこの分析は、アメリカ以外の国々でも激しい怒りを買った。人を裁くのに、根拠が明確でない予測を用いるべきではないと、批判的な記事がいくつも書かれた。ひとりの人間の未来に計り知れない影響を及ぼす決定に、偏見によってミスを犯すアルゴリズムを使うとは何ごとかと、非難の声が上がったのだ。そういった批判には一理ある。誰が罪人を裁こうと、全員が公平に扱われるべきだ。その調査で、アルゴリズムの好感度が上がることはなかった。

だが、ここでは、〝不完全なアルゴリズム〟の排除を求める風潮から、少し距離を取ってみよう。裁判でのアルゴリズムの使用をいっさい禁止する前に、考えなければならないことがある。果たして、偏見のないアルゴリズムとはどんなものなのか？

多くの人は、人種に関係なく、公平かつ正確な予測をするアルゴリズムを望むはずだ。また、全員が同じ判断基準で再犯リスクを予測されるべきだという意見も、理にかなっている。罪を重ねそうな被告人を選別する際に、アルゴリズムはどんな人種（あるいはその他の条件）に対しても、公平に正確に予測するべきだ。さらに、『プロパブリカ』が指摘したように、アルゴリズムは人種に関係なく誰に対しても、同じ種類のミスを同じ確率で犯すべきだ。

　この四つはどれも非常識な意見には思えない。それでもやはり問題がある。残念ながら、ある種の公平は数学的に他の公平と両立不可能なのだ。

　説明しよう。たとえば、通りを歩いている人を無作為に呼び止め、アルゴリズムを使って、その人が殺人を犯すかどうかを予測したとしよう。現時点で、殺人を犯す人の大半は男性（世界的に、殺人者の九六％が男性[37]）なので、殺人者発見アルゴリズムが正確に機能すれば、リスクが高いと評価されるのは、女性より男性のほうが圧倒的に多くなる。

　その殺人者発見アルゴリズムの予測精度が七五％だとしよう。となると、アルゴリズムによってリスクが高いと評価された人の四人のうち三人が、真のダース・ベイダーということになる。

　相当な数の通行人を呼び止めて、最終的に一〇〇人が未来の殺人者と予測されたとする。そこに殺人に関する統計をあてはめると、一〇〇人のうち九六人が男性で、四人が女性になる。図では男性を黒い丸で、女性を灰色の丸で示した。

　アルゴリズムの予測精度は、性別に関係なく七五％なので、女性の四分の一と男性の四分の一が実はルーク・スカイウォーカー、つまり、実際には殺人を犯さないのに、殺人リスクが高いと誤って予測されたことになる。

次の図を見れば一目瞭然、まちがった予測をされるのは女性より男性のほうが多くなる。それは、女性に比べて男性のほうが殺人を犯すという事実のせいだ。

これは犯罪そのものやアルゴリズムとは関係なく、単なる数学的な必然性だ。結果が偏るのは、現実が偏っているからだ。殺人を犯すのは男性のほうが多いから、殺人を犯す可能性が高いと誤った予測をされるのも、男性のほうが多くなる（＊）。

犯罪の種類ごとに犯人の割合が同じでないかぎり、公平かつ正確に予測できて、なおかつ、誤検知と見逃しというミスも同じ割合になるような評価基準を作るのは、数学的に不可能だ。

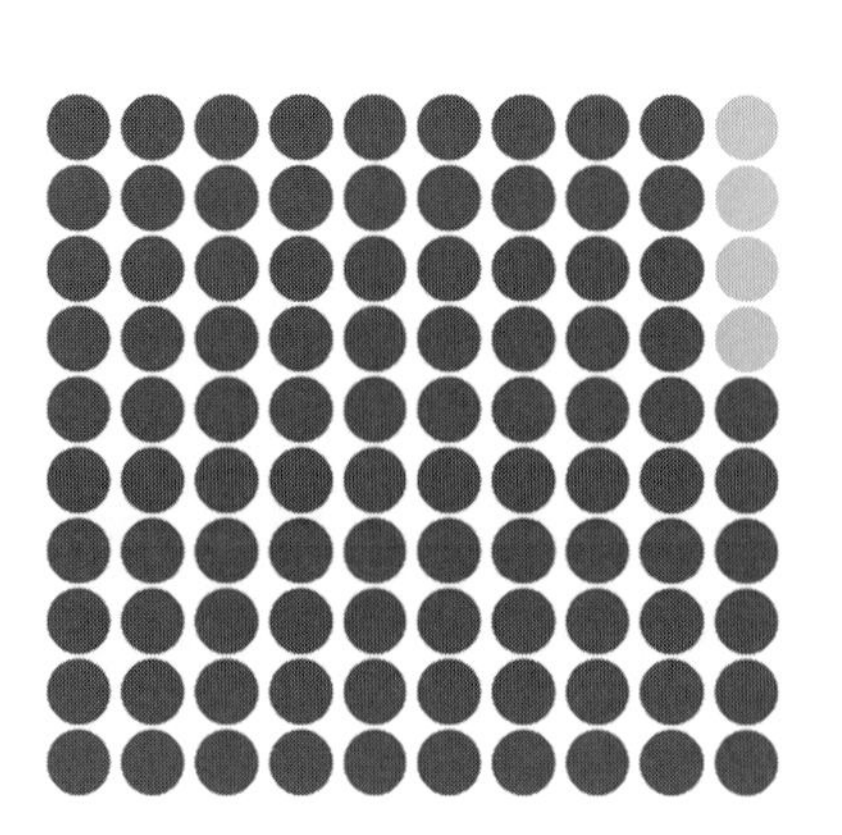

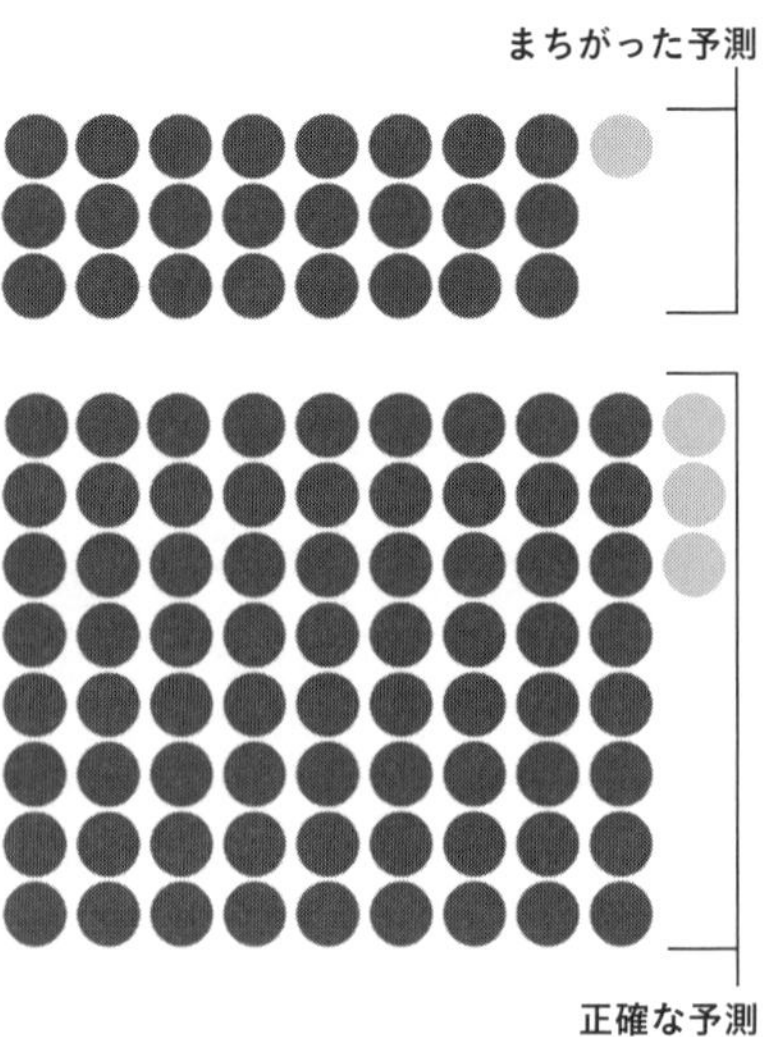

言うまでもなく、アフリカ系アメリカ人は長いあいだ偏見にさらされ、不当に扱われてきた。そのせいで、多くが経済的には下位に位置し、犯罪統計の世界では上位を占めてきた。さらに、特にアメリカでは、ある種の犯罪に関しては、黒人であるというだけで警察に目をつけられることが、研究でも明らかになっている。たとえば、大麻の使用の割合は黒人も白人も変わらないが、逮捕率はアフリカ系アメリカ人が八倍に上る。[38] 理由はなんであれ、アメリカでは人種によって逮捕率が異なるという悲しい現実がある。また、白人に比べると、黒人は再逮捕される確率も高い。裁判で使われるアルゴリズムは、肌の色で人を判断することはないが、アメリカ社会に根強く残る不公平性から生じた現実を、判断基準のひとつにしているのはまちがいない。

すべての人種が同じ割合で逮捕されないかぎり、こういった偏りは数学的に避けて通れないのだ。

『プロパブリカ』の記事はその問題をさらに掘りさげた。アルゴリズムが過去の不公平性をそのまま引き継ぐ可能性があることも、きちんと分析した。その点でも、COMPASのアルゴリズムを見過ごすわけにはいかない。個人情報を分析して利益を得ている企業はみな、たとえ法的義務がなくても、道徳的に欠陥や危険性について真実を公表するべきだ。それなのに、COMPASを作ったイクイバレント（前ノースポイント）社は、知的財産権を盾に、アルゴリズムの仕組みを公表していない。[39]

となれば、どうすればいいのか？　この種のアルゴリズムそのものは、過去の偏見を引きずりつづけるようにはできていない。すべては、人がアルゴリズムに与える情報しだいだ。（リチャード・バークが言うところの）〝鈍感な経験主義者〟に成り下がり、今ある数字をそのまま使うか、あるいは、不公平な社会を正すために、数字に手をくわえるか、どちらにするかは人の手にかかっている。

グーグルの画像検索で〝数学教師〟と検索してみてほしい。その結果は意外でもなんでもなく、数字や記号が書かれた黒板の前に立っている白人の中年男性の写真がずらりと並ぶはずだ。

＊こういった結果になるのは、予測のもととなる要素として性別を使用したときだけではない。ひとつのグループよりもあるグループに関連がある要素（被告人の凶悪犯罪歴など）をもとに予測する以上、この種の不公平性は避けられない。

私が検索したときには、検索上位二〇の画像の中で、女性の写真は一枚だけだった。悲しいことに、それは現実そのものだ。数学教師の約九四％が男性なのだ[40]。だが、検索結果が正しいとしても、現実を映す鏡としてつねにそれをそのまま受け入れる必要はない。その鏡に映っているのが、長年の偏見によって生まれた現実だとしたら、なおさらおとなしくしたがうことはない。グーグルはその気になれば、バランスを重んじて、女性や白人以外の数学教師の写真が上位に表示されるよう、アルゴリズムを調整できる。現実の社会ではなく、理想とする社会を映しだせるのだ。

裁判にも同じことが言える。アルゴリズムにこんなふうに尋ねてみよう――もし社会が完全に公平だったら、あるグループに属する人たちの再犯リスクの割合はどのぐらいになるのか？と。その割合をすぐに用いることもできる。あるいは、今すぐにすべての偏見を排除するのは適切でないのなら、ゆっくりと時間をかけて、公平な社会へ向かっていくようにアルゴリズムを調整すればいい。

また、再犯リスクが高いとされた被告人についても、これまでとは異なる対処方法がある。保釈に関して、アルゴリズムの予測のカギとなる要素は、被告人が今後、裁判所の呼び出しにきちんと応じるかどうかで、基本的に、再犯リスクが高いと評価された被告人は保釈されない。だが、アルゴリズムは被告人が裁判所の呼び出しに応じない理由も予測できる。家から裁判所までの交通手段は？　子供の面倒を見てくれる人がいないせいで、呼び出しに応じられないのでは？　不公平を助長するのではなく、解消するようにアルゴリズムをプログラムできるのではないか？

そういった問題は、企業の役員室ではなく、開かれた議論の場や、政治の場で解決するべきだ。幸いにも、アルゴリズムにかかわる業界全体に力が及ぶ規制機関を作ろうという動きがある。その機関は、薬品などを取り締まるアメリカ食品医薬品局のように、アルゴリズムの正確性、一貫性、目に見えない偏見を調査して、人に対してアルゴリズムを使用することを許可、または、拒否する権限を持つ。だが、そういった機関ができるまでは、『プロパブリカ』のような組織が、アルゴリズムの責任を問いつづけることがひじょうに重要だ。偏見がある以上、アルゴリズムの使用を全面的に禁止するべきだという意見はつねにある。だが、全面的に禁止したら、どうなるのかをしっかり考えなければならない。

人は公平な判断が苦手

ひじょうに重要な問題について考えてみよう。もしアルゴリズムの使用を禁じたら、司法制度はどうなるのだろう？　裁判官の欠点は一貫性のなさだけではない。

法律では、人種、性別、階級が、裁判官の下す判断に影響を与えてはならないことになっている。だが、どれほど裁判官が偏見を持たないようにしていても、現実には差別の痕跡があちこちに見られる。アメリカでおこなわれた複数の研究によると、白人に比べて、黒人の被告人は概して懲役期間が長く[41]、保釈が認められず[42]、死刑を課される確率が高く[43]、実際に死刑が執行される確率も高い[44]。また別の調査によると、同じ罪を犯した場合、女性に比べて男性のほうが厳しく罰せられる[45]。さらに、収入と教育レベルが低い被告人は刑期が長くなる[46]。

アルゴリズム同様、明らかな先入観から偏見だらけの結果が生じるわけではない。歴史は繰り返すとはこのことかもしれない。社会的偏見や文化的偏見は、人が何かを判断するときにいつのまにか入り込む。

その原因を説明する前に、人間の直感に関するわかりやすい事実を知っておいてほしい。ここで、少し裁判から離れて、次の問題を考えてみよう。

バット一本とボール一個は、合計で一ポンド一〇ペンスだ。

バットはボールより一ポンド高い。

ボールはいくらか?

これは、ノーベル賞を受賞した経済学者で心理学者でもあるダニエル・カーネマンが、ベストセラーの著書『ファスト&スロー』[47]（村井章子訳・早川書房）に記した問題で、人が何かを考えるときに陥る大きな罠の一例だ。

じっくり考えれば、わりと簡単に正しい答えがわかる。だが、その前に、誤った答えがぱっと頭に浮かんでくる。そう、あなたの頭にも「一〇ペンス」という答えが浮かんできたはずだ（*）。

正しい答え（五ペンス）がわからなかったからといって、がっかりしないでほしい。裁判官に尋ねても、七一・八%はすぐには正しい答えを思いつかなかった。[48]最後は正解にたどり着いたとしても、最初の直感にしたがいたくなる気持ちを必死にこらえなければならないのだ。

直感と考え抜いた思考のせめぎあい——それが裁判官の下す判決に大きくかかわっている。

心理学者は、人の思考にはふたつのシステムがあるという。システム1は自動的で直感的だが、ミスしやすい。バットとボールの問題で一〇ペンスという答えがすぐに浮かんでくるのは、このシステムのせいだ。システム2は時間はかかるが、論理的で、分析的だ。だが、できれば機能しないで済まそうとする[49]。

何かをどうやって判断したのかと誰かに尋ねれば、システム2という答えが返ってくるはずだ。だが、ダニエル・カーネマンによれば、「システム2はたいてい、システム1によって生じた考えや感覚を裏づけるか、正当化するだけだ[50]」とのことだ。

これに関しては、裁判官も変わらない。何はともあれ、裁判官も人間で、他の人と同じように思いつきや好みからなかなか逃れられない。実のところ人の脳は、複雑で大きな問題に対して理性的で明確な評価を下すためだけに作られたわけではない。瞬時に反応して、すばやく連想をおこなう直感的なシステム1が機能しているあいだは、あらゆる要素を比較して、すべてを理路整然とまとめあげるのはまず無理だ。

たとえば保釈に関して、多くの人は裁判官が事件全体を総合的に考えていると思いこんでいる。あらゆる点を慎重に考慮して、判決を下すはずだ、と。だが、残念ながら、現実はそうではないことが証明されている。心理学者がおこなった実験で、裁判官は頭の中にあるチェックリストを確認しているに過ぎないという結果が出たのだ。過去の有罪判決、地域とのつながり、検察側の要求など、チェックリストの項目のいずれかに赤信号が灯ったら、その時点で裁判官

＊ボールが一〇ペンスだとすると、バットは一ポンド一〇ペンスになり、合計金額は一ポンド二〇ペンスになってしまう。

は保釈を却下する[51]。

問題なのは、そういったチェックリストに、人種や性別、教育レベルに関する項目が含まれていることだ。裁判官はむしろ直感に頼らざるを得ず、それゆえに、意図せず偏見を抱きつづけることになる。

それだけではない。ここまでの話は、公正で偏りのない判断を下すのを人がいかに苦手にしているかという事実の、ほんの一部でしかない。

高級な服が五〇％オフになっているならお買い得――（私も含めて）そう考える人は、〝アンカリング効果〟と呼ばれる現象を経験している。人はものの価値を正しく見極めるのが苦手で、唐突に値段を提示されるより、いくつかの値段を比較するほうが安心できる。商人は昔から、このアンカリング効果を利用してきた。品物を高く買ってもらうためだけでなく、たくさん買ってもらうためにもだ。たとえば、スーパーマーケットでよく見かける〝缶入りスープ・おひとりさま一二個まで〟という札。もしかしたら、ひとりのスープ好きの客が買い占めないように、そういう札がつけられていると思っている人がいるかもしれない。残念ながら、そうではない。その札は、今の自分には何個のスープが必要かという感覚を、軽く麻痺させるためにある。その札を見た客の脳には一二という数字が刷り込まれ、その数をもとに何缶買うか決めるようになる。一九九〇年代におこなわれたある研究では、その手の札を提示すると、ひとりの客が買う缶入りスープの数が、三・三個から七個に増えたという結果が出ている[52]。

もうおわかりだろうが、もちろん裁判官もアンカリング効果から逃れられない。被害者が請求している賠償金が高額であれば、裁判官が認める賠償金額も上がる傾向にあり[53]、検察が厳罰を求めれば、長い量刑が下される[54]。ある研究によると、実験用の裁判を開き、休廷中に記者が裁判官に電話をかけて、会話の途中で何気なく「この件で、三年の量刑は長すぎるか？　それとも、短すぎるか？」と訊いただけで、刑期の長さに大きな影響が出た[55]。さらに驚くのは、再審理の直前に、裁判官にサイコロを投げさせるだけで、判決が変わったことだ[56]。ベテラン裁判官でもこの種の影響からは逃れられない[57]。

さらにもうひとつ、数の比較によって起きる錯覚が、不公平な判決につながる。この心境の変化は誰もが経験しているはずだ。たとえばステレオのボリュームを一段階ずつ上げていくと、さほどうるさく聞こえない。値段が一ポンド二〇ペンスから二ポンド二〇ペンスに上がると、ずいぶん値上がりしたと感じるが、六七ポンドから六八ポンドになっても大差ないように思える。年を取るごとに時間が早く過ぎるように感じる。そういったことが起きるのは、人間の感覚が絶対値ではなく比較によるものだからだ。一年間をつねに同じ一定の長さとして知覚するのではなく、一年ごとを人生の中での小さな断片として経験する。時間、お金、音の大きさに関する感覚は、ウェーバーの法則と呼ばれるごくシンプルな数式に則っている。

手短に言えば、ウェーバーの法則とは、ひとつの刺激の中の知覚できる最小の差（丁度可知差異）は、最初の刺激の強さに比例するというものだ。当然、これも商売に利用されている。チョコレートの大きさを、客に気づかれずに、どのぐらい小さくできるかを業者はきちんと知っている。客の購買意欲を萎えさせることなく、商品の値段をどのぐらいまでつり上げられるのかも、心得ている。

裁判での問題点は、ウェーバーの法則によって、裁判官が決める刑期の長さに影響が出ることだ。刑罰が重くなればなるほど、量刑の差が広がることになる。ある犯罪が二〇年の刑期に値するものだとしたら、たとえば、三カ月延ばしても意味がないように思える。二〇年が二〇年三カ月になったところで、大差ないように感じられるのだ。だが、もちろん、何があろうと、三カ月の刑務所暮らしは三カ月の刑務所暮らしだ。にもかかわらず、裁判官は刑期を数カ月延ばすのではなく、ちがいが際立つ長さを選んでしまう。たとえば、二〇年を二五年にするといった具合に。[58]

実際に下された量刑と、ウェーバーの法則にあてはめた量刑を比較すれば、そういったことが現実に起きているのがわかる。二〇一七年におこなわれたある研究で、イギリスとオーストラリアの一〇万件以上の判決を調べたところ、有罪とされた被告人の九九%が、この法則にあてはまる刑罰を下されていた。[59]

研究の立案者マンディープ・ダミによると、「犯罪の種類には関係ない」とのことだ。「あるいは、どんなタイプの被告なのか、どちらの国で裁かれたのか、拘禁判決なのか非拘禁判決なのかということも関係ない」と言う。大いに関係があるのは数字――裁判官の頭にぱっと浮かんできて、それが妥当だと裁判官が感じた数字だけだ。

残念ながら、偏った判決は他にもある。娘がいる裁判官は女性に有利な判決を下す傾向にある。[60]ひいきのスポーツチームが負けると、裁判官は保釈を認めなくなる。さらに、ある有名な研究では、時刻も判決に影響を及ぼすとされている。[61]その研究は今でも繰り返しおこなわれていて、[62]影響の大きさについては意見が分かれるが、昼食の直前に法廷に立たされた被告人は不利になるという結果も得られている。また、一回目の研究では、多くの裁判官は休憩から戻った直後に保釈を認め、食事休憩に近づくと保釈を認めない場合が多いという結果が出た。

別の研究では、裁判官は立て続けに似たような判決を下すのを避けるという結果が出ている。ということは、あなたが被告人だとして、あなたの裁判の直前におこなわれた四つの裁判で保釈が認められていたら、あなたが保釈される確率は一気に下がる(63)。

何人かの研究者は、見ず知らずの人に対する見方は、自分が手にしている飲み物の温度によって変化すると言う。初対面の相手との会議の直前に、温かい飲み物を渡されると、相手のことを温かく、優しく、気遣いがあると感じられるらしい(64)。

こういったいくつもの例は、測定可能なものだけだ。他にも、法廷では実験できないさまざまな要素が、人の行動に目に見えない影響を及ぼしているのはまちがいない。

最終弁論

正直に言おう、裁判でアルゴリズムが使われていると知ったとき、私は反対した。アルゴリズムにはエラーがつきもので、そのエラーのせいで誰かが自由に生きる権利を奪われかねないのだ。そこまでの力を機械に与えてはいけないと思った。

それは私ひとりの意見ではない。裁判で不利な判決を下された人の大半が、そう感じている。研究者のマンディープ・ダミは、人の未来がかかった判決の下され方について、被告人自身がどう感じているかを話してくれた。「人間の裁判官のほうが多くのミスを犯すとわかっていても、被告人はアルゴリズムより人間を好む。人間味を求めているのだ」

ついでに、弁護士が感じていることも記しておこう。私が直接話を聞いたロンドンの被告側弁護士は、法廷での自分の役目は司法制度の曖昧さを利用することだと言った。アルゴリズムが採用されると、その手法は使えない。「判決の予測がつきやすくなると、弁護士の腕の見せ所が減る」

だが、私がマンディープ・ダミに、もし自分が被告人だったらどう考えるかと尋ねると、正反対の答えが返ってきた。

「自分の将来にかかわる決定に、直感が使われるなんて耐えられない。論理的なほうがいい。多くの人は裁判官の自由裁量を尊重したがる。まるでそれが侵してはならない神聖なものか何かのように。それが正しいことであるかのように。けれど、研究ではそうではないという結果が出ている。素晴らしくもなんともないのだ」

皆と同じように私も、裁判官の判断はできるだけ偏見をなくすべきだと思う。被告人がたまたま属しているグループではなく、個々の事実を判断材料にするべきだ。そういう意味でアルゴリズムは失格だ。けれど、アルゴリズムの欠陥をあげつらうばかりではいけない。欠陥のあるアルゴリズムか、非の打ち所のない理想の司法制度のいずれかを、選ばなければならないわけではないのだ。ならば、アルゴリズムを採用した裁判とアルゴリズム抜きの裁判を比較するのが公正というものだろう。

資料を読めば読むほど、多くの人と話をすればするほど、人は裁判官に期待しすぎていると思えてならなくなる。人は不公平から逃れられない。アルゴリズムのせいでひどい目に遭ったクリストファー・ドリュー・ブルックスのような例は無数にあるが、一方で、ニコラス・ロビンソンのように裁判官の判断が鈍っているケースも数限りなくある。たとえ完璧でなくてもアルゴリズムを使って、裁判官の欠点をおぎなうのが、未来への正しい第一歩と言えそうだ。少なくとも、きちんと調整された高性能なアルゴリズムなら、系統的バイアスや確率的誤差を排除してくれる。そもそも裁判官本人が自分がどのように判断しているのかを言葉で説明できない状況で、裁判官を総取り替えしたところでどうしようもない。

裁判で使うアルゴリズムを作るには、そもそも裁判がなんのためにあるのかをきちんと考えるべきだ。何もせずに、うまくいくようにただ祈るだけではどうにもならない。アルゴリズムに何をさせたいのかということ、そして、アルゴリズムにおぎなってもらいたい人間の欠点をはっきりさせるのだ。法廷での判決の下し方については、賛否両論あるはずだ。一朝一夕に解決できる事柄ではないが、最高のアルゴリズムを作れるかどうかはそこにかかっている。

裁判では各々の思惑が入り交じり、そのせいで事態が複雑になって、山積みの問題を解決できずにいる。それでも、徐々にアルゴリズムが浸透している領域もあり、そこでは矛盾した判決が減っている。アルゴリズムが客観的に、なおかつ建設的に社会に貢献しているのは、今やまぎれもない事実なのだ。

MEDICINE

4章

医療とアルゴリズム

スキャン画像から高精度でがん細胞を発見するアルゴリズムが開発された。あらゆる医療データベースを入力すれば、スーパー医療コンピュータも作れるのだろうか。さまざまな試みは始まっているが、難題はまだまだ多い

Sensitive

Specific

Neural Network

Deep Learning

二〇一五年、先駆的な研究チームががん診断の精度に関する新たな実験をおこなった。[1] 一六名の検査員にタッチスクリーン・モニターを与えて、乳房組織の画像を分類させたのだ。使用したサンプルは、検査用に採取した乳房組織を、薄く切って、血管と乳管がはっきりするように赤と紫と青で染めたものだった。検査員がすべきことは、画像内の細胞にがんが潜んでいないかどうか判断することだ。

短期間の訓練を経て、検査員は作業に取りかかり、すばらしい結果を出した。個別に作業をおこなって、サンプルの八五%を正しく評価した。

その後、研究チームは驚くべきことに気づいた。各々の検査員が下した診断を合わせると、精度は九九%にまで上がったのだ。

だが、この実験の真のすばらしさは、検査員の優秀さではない。検査員の正体だ。この勇気ある救命者は腫瘍学者ではない。病理学者でもない。看護師でもなければ、医学生ですらなく、ハトだった。

といっても、病理医の仕事は今のところ安泰だ。この実験をおこなった研究者も、医者をどこにでもいる普通のハトにすげ替えようと考えたわけではないはずだ。それでも、その実験から重要な事実が明らかになった。細胞群の中にまぎれているパターンを見つけるのは、人間だけが持つ能力ではなかったということだ。ハトにそれができるなら、アルゴリズムにできないわけがない。

パターンを見つける

近代医学の進歩は、データ内のパターンの発見によるところが大きい。約二五〇〇年前、古代ギリシアでヒポクラテスが医学校を設立して以来、人の健康を守るために、観察、実験、データ分析というたゆまぬ努力が繰り返されてきた。

ヒポクラテス以前の医学は魔術のようなものだった。体調不良は神か何かを怒らせたせいで、病気は人の体を支配する悪霊のせいだと信じられていた。ゆえに、治療師は呪文や歌や迷信に頼っていた。見ている分には楽しそうだが、瀕死の患者にとっては愉快な話ではない。

非科学的な迷信の世界から抜けだせたのは、ヒポクラテスひとりのおかげではなさそうだ(なんといっても、ヒポクラテスは娘を三〇メートルもある大きな竜にされてしまった経験の持ち主らしい)[2]。だが、医学の世界に革新的な治療方法をもたらしたのはまちがいない。病気の原因を突き止めるには、魔術ではなく、理にかなった調査をおこなうべきだとヒポクラテスは考えた。症例報告と観察を重視して、科学としての医学を確立し、〝現代医学の父〟と呼ばれるまでになった[3]。

ヒポクラテスとその弟子は、健康とは血液、粘液、黄胆汁、黒胆汁の調和であると考えた[4]。現代の医療とはちがうが、それでも彼らがデータから導きだした結論は、現代の医療に通じている[5]（〝痩せている患者に比べて、太っている患者のほうが早死にしやすい〟と言いだしたのはヒポクラテスとその弟子だ）。そこに時代を超えたテーマがある。科学的理解は多くの紆余曲折を経てきたが、パターンを見つけ、症状を分類して、観察結果を用いて患者の病気の今後の展開を予測することで医学が進歩してきたのはまちがいない。

医学史はそんな事例の連続だ。たとえば、天然痘には予防接種が効くと気づいたのは、一五世紀の中国の治療者だった。何百年にもわたる研究ののちに、その病気で命を落とす確率を一〇分の一に減らす方法を発見したのだ。それは軽症の天然痘患者を見つけだし、かさぶたを採取して、乾燥させ、粉砕し、健康な人の鼻に吹き込むという方法だった[6]。また、一九世紀の医学の黄金期には、本格的に医療に科学が用いられるようになり、医師はかならずデータ内のパターンを探すようになった。そういった医師のひとり、ハンガリー人のイグナーツ・センメルヴェイスは、一八四〇年代に産婦の死亡データの中に重大な事実が隠されていることに気づいた。多くの医師が立ち会う産室で出産した女性は、助産師が付き添う産室で出産した女性に比べて、産褥熱の発症率が五倍にのぼった。そのデータからは原因も読みとれた。医師は遺体を解剖した手を洗わないまま、産婦の処置をおこなったのだ[7]。

一五世紀の中国や一九世紀のヨーロッパの医師にとっての真実は、現代の世界各国の医師にとっても真実だ。病気の研究だけでなく、町医者の普段の治療にもまさに同じことが言える。この骨は折れているのか、いないのか？　この頭痛はただの頭痛なのか、それとも、何か大きな病気の前触れなのか？　抗生物質を数回分処方すれば、この腫れ物は治るのか？　そういったことはすべて、パターンを見つけて、分類して、予測できるかにかかっている。そして、それはアルゴリズムが大いに得意とする分野でもある。

もちろん医師の仕事には、この先もアルゴリズムでは代用がきかない多くの要素がある。たとえば共感だ。また、社会的にも精神的にも、ときには経済的にも患者を支える能力も必要だ。それでも、ある部分ではアルゴリズムが役に立つ。とりわけ、医学的なパターン認識――もっとも基本的な形の発見と分類と予測――では、アルゴリズムはずば抜けている。特に、病理学のような分野では大きな力を発揮する。

病理医は医者といっても、患者と顔を合わせることはほぼない。検査用の血液や組織は、病院から離れた検査機関に運ばれ、そこにいる病理医が調べて、検査結果を出す。診断の一端を担う病理医の技術、精度、信頼性は何よりも重要だ。がんかどうかの診断は、ほぼ病理医の肩にかかっている。病理医が生検材料を検査して、その結果、患者が化学療法や手術を受けるかどうか、さらには、それ以上に重大な事柄が決まることになる。だから、病理医には決してまちがってほしくない。

病理医は楽な稼業ではない。まず、大半の病理医は毎日、無数の生検材料を調べている。小さなスライド一枚一枚に、数万、ときには数十万の細胞がおさまっている。たとえるならば、最高難度の『ウォーリーをさがせ!』をやっているようなものだ。それぞれのサンプルをじっくり調べる。顕微鏡を覗きこみ、細胞という巨大な宇宙の中に隠れた小さな異常を見つけだすのだ。

ハーバード大学の病理学者アンディー・ベックは、「あり得ないほどむずかしい作業」と言っている[8]。ベックは、二〇一六年設立のパスＡＩという会社の共同創設者でもある。生検材料

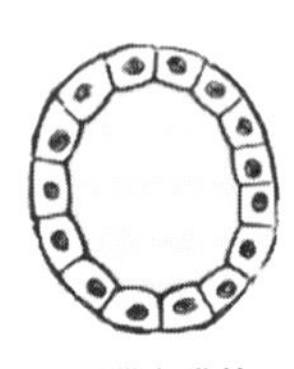
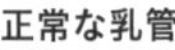

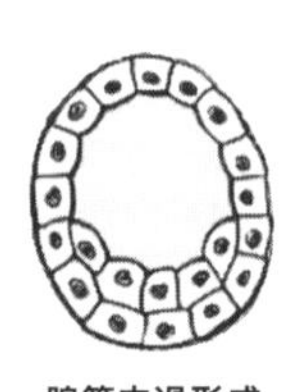

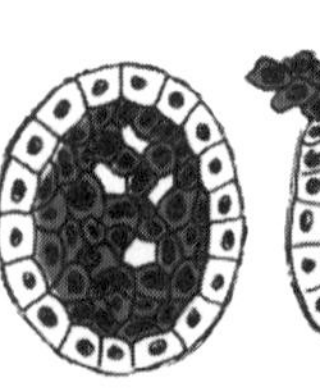

を分類するアルゴリズムを作る会社だ。「ひとりの病理医が一日に五枚のスライドを調べるだけでいいなら、完璧にこなせるはずだ。けれど、現実はそうではない」

たしかに現実はちがう。さらに、とんでもなく複雑な生物学のせいで、検査作業はますますむずかしくなっている。さてここで、ハトが乳がんを易々と見つけた話を思いだしてほしい。乳がんか否かは、イエスかノーで簡単に答えられるものではない。乳がんの生検材料は千差万別だ。正常な細胞が並んでいるサンプルもあれば、それとは逆に、浸潤性がんのように、がん細胞が乳管から周囲の組織に広がっているかなりたちの悪い腫瘍が見られるサンプルもある。そういった極端な例であれば、判断するのも簡単だ。ある研究によると、わかりやすい悪性のサンプルでは、病理医の診断の精度は九六%となっている。その正解率は、同じ作業をおこなったハトとほぼ同じだ[9]。

だが、完全に正常、または、極めて悪性といった極端なものではなく、もっと曖昧なものもある(上図を参照)。異型細胞群が見られ、なんとなく疑わしいが、心配するほどではない場合もある。あるいは、前がん状態が見られ、いずれがんになるかもしれないし、ならないかもしれない、そんな場合もある。あるいは、乳管の外までは広がっていないがん細胞（非浸潤性乳管がん）が認められるかもしれない。

サンプルがどれに分類されるかによって、治療方法が大きく変わってくる。無治療から乳腺切除まで、さまざまな方法を医師から提案されることになる。

問題は、曖昧なサンプルの判断が極めてむずかしいことだ。ひとつのサンプルを経験豊富な病理医数人が検査しても、診断が異なることもある。二〇一五年、病理医の診断がどのぐらいちがうものなのかを調べる実験がおこなわれた。異型が見られる細胞（中間あたりのカテゴリー）を含む七二の生検材料を用意して、一一五人の病理医に検査してもらうと、見解が一致したのは四八％だった[10]。

つまり、五分五分だ。コインを投げて表か裏かで決めるのと大差ない。表が出たら、本当は必要のない乳房切除手術を受けることになるかもしれない（アメリカではその手術に何十万ドルもの費用がかかる）。裏が出たら、初期の段階で治療するチャンスを逃すかもしれない。いずれにしても、患者への影響は大きい。

それほど重大な結果を招くのだから、検査結果は正確でなければ困る。さあ、そういった検査はアルゴリズムのほうがうまいのだろうか？

ニューラルネットワークの実力

つい最近までは、画像内のがん細胞はおろか、なんであれ画像内の何かを理解するアルゴリズムを作るのは困難と言われていた。人は写真を易々と理解する。そのために人がどんなことをやってのけているのかを正確に解説するのは、想像を絶するほどむずかしい。

なぜそれほどむずかしいのか？　それを理解するために、写真に犬が写っているか否かをコンピュータに教えるための指示書を書いている場面を想像してみてほしい。まずは、わかりきったことから書くはずだ。脚が四本ある、薄くぺらぺらした耳がある、毛皮に覆われている、などと。だが、座った犬の写真だとしたら？　あるいは、四本の脚がすべて見えていなかったらどうだろう？　尖った耳の犬だったら？　耳をそば立てていたら？　犬がカメラのほうを向いていなかったら？　それに、ふわふわの絨毯と犬の毛はどうちがうのか？　羊毛とのちがいは？　草とのちがいは？

その気になれば、犬の耳や毛や座っている姿勢すべてを網羅する指示書を作れるかもしれない。だが、となると複雑になりすぎて、犬とそれ以外の四本脚のふわふわした生き物を区別するどころか、アルゴリズムはまったく使いものにならなくなる。だから、他の方法を見つけなければならない。そこでカギになるのは、ルールに基づくものの捉え方をやめて、〝ニューラルネットワーク〟を使うことだ[11]。

ニューラルネットワークとは、調節用のつまみが無数についた巨大な数学的構造のようなものだ。そこに写真を入力すると、めぐりめぐって、写真に写っているものが予測される。犬なのか、犬ではないのかという予測だ。

できたてのニューラルネットワークはまったく役に立たない。はじめはなんの知識もないのだ。犬とはどんなものなのか、あるいは、どんなものが犬ではないのかまるでわからない。つまみはいっさい調節されていない。ゆえに、出てくる答えもめちゃくちゃだ。つまり、何もしなければ、写真を認識できない。だが、そこにさまざまな写真を入力し、つまみを調節して、徐々に学習させていく。

犬の写真を入力して、ニューラルネットワークが予測をおこなうたびに、数式に基づいてすべてのつまみが調節され、予測は少しずつ正確になっていく。そんなふうにして、写真を入力するたびに、まちがいは少しずつ調整されて、正解へと通じる道が完成し、不正解に通じる道は消えていく。一枚の犬の写真と別の犬の写真にはどんな類似点があるのかという情報が、ニューラルネットワーク内に行き渡る。何百何千という写真を入力すると、そういったことが繰り返されて、まちがいがかぎりなく減っていく。そうして最後には、写真を入力すると、そこに写っているのが犬なのか犬ではないのかを高確率で判断できるようになる。

ニューラルネットワークの驚くべき点は、アルゴリズムがどのようにして結論にたどりついたのか、それを操作している人間にもわからないことだ。人が犬の画像を見分けるときには、犬の特徴を拾いあげて、総合的に判断するが、ニューラルネットワークはそうではない。〝チワワらしさ〟や〝グレートデンらしさ〟をもとに判断するわけではなく、もっと抽象的なことを基準にする。人が見てもなんの意味もなさない境界線や、明暗のパターンを拾いあげるのだ（1章「影響力とアルゴリズム」で説明した画像認識を思い出してほしい）。その方法は人間には理解できず、操作している者にわかるのは、アルゴリズムが正しい答えを見つけたことだけだ。その答えにたどり着いた詳しい経緯については、ほぼわからない。

2章「データとアルゴリズム」で取りあげたランダムフォレスト同様、これも〝機械学習アルゴリズム〟だ。オペレーターが書くプログラムという領域を飛びだして、入力された画像から自ら学び取る。アルゴリズムが〝人工知能〟の一種と言われるのは、この学習能力があるからだ。また、無数の調節つまみが何層にもなった深層構造(ディープストラクチャー)なので、〝深層学習(ディープラーニング)〟と呼ばれている。

ニューラルネットワークは二〇世紀の半ばに誕生したが、つい最近までその能力を生かせる高性能のコンピュータが一般に出まわることはなかった。世界中から注目を集め、実用可能と考えられるようになったのは、二〇一二年にコンピュータ科学者のジェフリー・ヒントンとその学生ふたりが、新たな種類のニューラルネットワークによる画像認識をおこなったのがきっかけだ。[12] それが犬の画像の認識だった。そのチームが作った人工知能アルゴリズムは、ライバルを引き離し、それによってディープラーニングの時代が華々しく幕を開けたのだった。

人間には理解できない方法で画像を認識するアルゴリズムは、魔法使いか何かのように思えるかもしれない。だが、人の学習方法と共通点がないわけではない。たとえば、先頃、ある研究チームは写真に写ったオオカミとハスキー犬のちがいをアルゴリズムに学習させた。それから、そのつまみの調節方法を調べ、アルゴリズムが犬とはまるで関係ない手がかりを使って見分けていることを突き止めた。背景に雪が写っているかどうかを手がかりに判断していたのだ。雪があればオオカミ。なければハスキー犬。[13]

その論文が発表されてまもなく、私はケンブリッジ大学の数学教授フランク・ケリーと話をした。すると、孫とのやりとりを聞かされた。ケリーは四歳の孫と一緒に歩いているときに、ハスキー犬とすれちがった。すると孫はオオカミに似ている犬だと言った。なぜオオカミではないとわかったのかとケリーが尋ねると、こんな返事がかえってきた。「だって、リードがついてるから」

AIと人の同盟

高性能な乳がん検査アルゴリズムに不可欠なものはふたつある。ひとつは〝感度〟――問題のある組織を見逃さず、はっきりと教えてくれること。もうひとつは〝特異度〟――正常な組織をがん細胞とまちがえないことだ。

感度と特異度は、3章「正義とアルゴリズム」で取りあげた〝見逃し〟と〝誤検知〟(あるいは、〝ダース・ベイダー〟と〝ルーク・スカイウォーカー〟)によく似ている。医療の現場では、健康な患者が乳がんと診断されるのが誤検知で、腫瘍のある患者が問題なしとされるのが見逃しだ。特異度が高い検査では誤検知はほぼなく、逆に、感度が高い検査では見逃しはほぼなくなる。再犯の予測にしろ、乳がんの診断にしろ、可能なかぎり誤検知と見逃しはないほうがいい。

多くの場合、アルゴリズムの精度を上げるには、感度と特異度のどちらかを優先させなければならない。片方を優先させれば、もう一方が失われる。たとえば、見逃しを完全になくそうとすると、アルゴリズムは少しでも疑わしい乳房細胞すべてを選びだす。感度は一〇〇%で、目標は達成される。ところが、そうなると、多くの人が不必要な治療を強いられかねない。逆に、誤検知を完全になくそうとすると、アルゴリズムは全員を健康であると判断する。特異度は一〇〇%。すばらしい！　だが、腫瘍がある患者は完全に無視されることになる。

不思議なことに、病理医がおこなう検査で特異度が問題になることはほぼない。がんではない細胞をがんと見誤ることはほぼないのだ。だが、感度に関してはそうはいかない。残念ながら、小さな腫瘍はよく見落とされる。明らかに悪性の腫瘍であってもだ。

近年、そういった人間の弱点に目が向けられて、それに対抗するアルゴリズムが作られている。世界中のコンピュータ・チームが、病理医に真っ向勝負を挑んだ。それはCAMELYON16というコンテストで、四〇〇枚の生検材料の中の腫瘍をすべて見つけだすというものだった。簡単に見つかるように、両極端の生検材料が使われた。まぎれもなく正常な組織か、浸潤性乳がんのいずれかだ。時間制限はなく、病理医は好きなだけじっくりと生検材料を眺められた。予想どおり、病埋医はほぼすべて正解（正解率九六％）[14]で、誤検知はひとつもなかった。だが、組織内に隠れた小さながん細胞をいくつも見落として、三〇時間かけても七三％しか見つけられなかった。

それは小さすぎることが原因ではなかった。明らかな異常が目の前にあっても、あっさり見落とすものなのだ。二〇一三年、ハーバード大学の研究者は数枚の胸部CTスキャン画像の一枚に、ゴリラの絵を描き足して、何も知らない二四人の専門家にがんの兆候をチェックさせた。視線追跡装置によると、ほぼ全員がゴリラの部分に視線を向けたにもかかわらず、八三％はゴリラに気づかなかった。[15]さあ、あなたはゴリラを見つけられるだろうか？[16]（次頁写真）

アルゴリズムにはそれとは正反対の問題がある。正常な細胞を異常な細胞であると判断したがるのだ。たとえば、CAMELYON16コンテストに参加したもっとも高性能なニューラルネットワークは、なんと九二・四％の腫瘍を発見したが、[17]その過程で、正常な細胞を異常ありと判断して、生検材料一枚につき八個の誤検知というミスを犯した。これほど特異度が低いということは、最新鋭のアルゴリズムには〝全員を乳がん〟と見なす傾向があるということで、

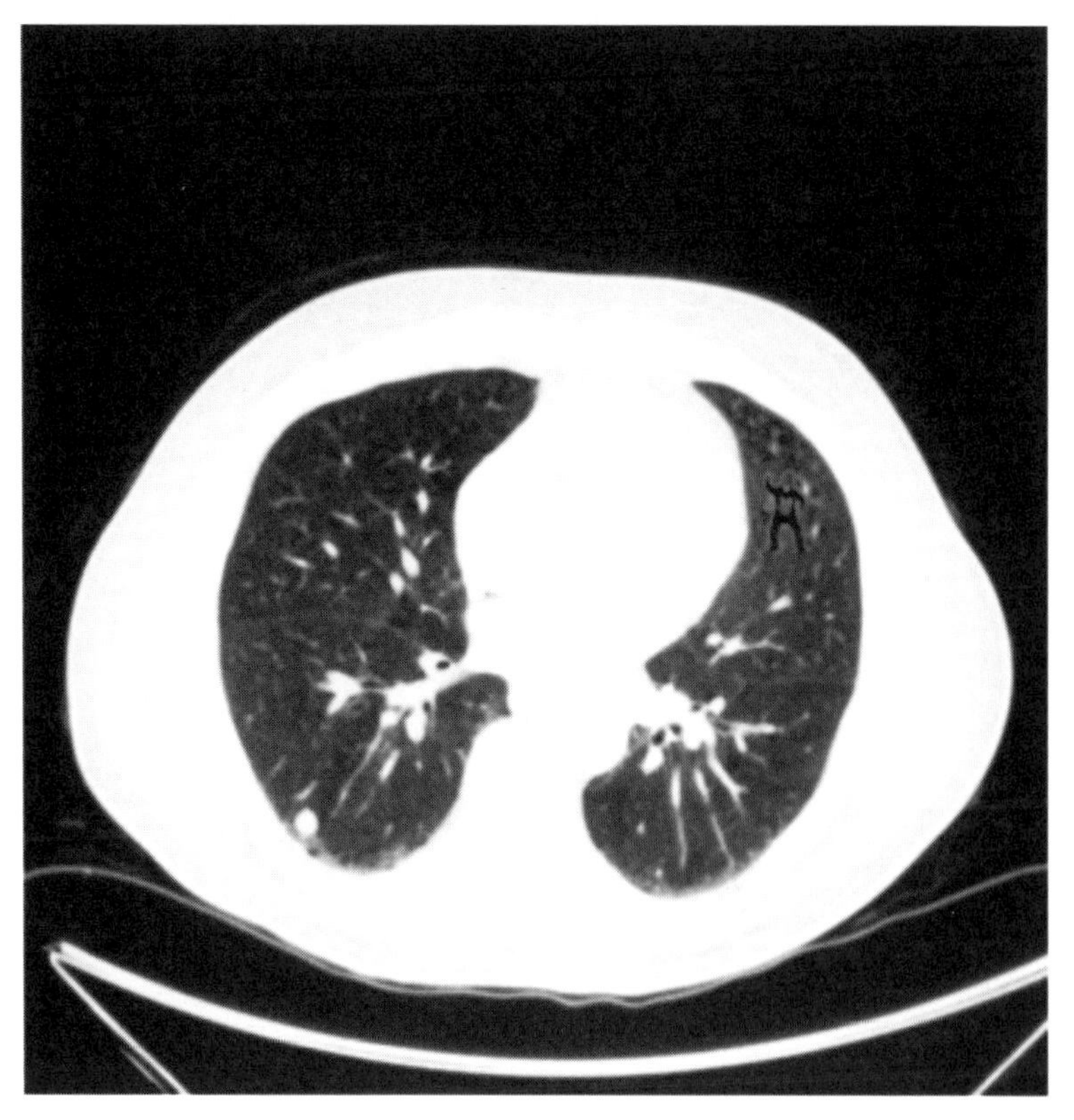

これではアルゴリズムだけに診断を任せるわけにはいかない。
幸いにも、現代の診断はアルゴリズムに頼り切りではない。人と機械それぞれの長所を生かそうとしている。アルゴリズムは生検材料内の膨大な数の細胞をくまなく調べ、異常が見られる部分に印をつけていく。そこからは病理医の出番だ。アルゴリズムががんではない細胞に印をつけたとしても心配はいらない。人間の

専門家がしっかり見直して、正常な細胞を異常なしとする。こんなふうに、まずはアルゴリズムに選別させて、その後、人が引き継ぐことで、時間の節約になり、さらには、診断の精度も九九・五%まで上げられる[18]。

すでにおわかりのとおり、病理医は悪性の腫瘍をきちんと診断してきた。むずかしいのは、がんなのかがんではないのか、なんとも言えない曖昧な腫瘍だ。その点でもアルゴリズムは役に立つのだろうか？ その答えは（おそらく）イエスだ。といっても、病理医のように微妙なカテゴリーに分けて診断を下すわけではない。データの隅に隠れている異常を発見できるアルゴリズムなら、もっと洗練された方法を使うはずだ。何かしら、人間の医師にはできない方法を。

修道女の語彙力が認知症を予見する？

一九八六年、ケンタッキー大学の疫学者デヴィッド・スノウドンは、六七八人の修道女を説得して、その脳を提供してもらうことにした。全員がノートルダム教育修道女会の修道女で、アルツハイマー病の原因を突き止めようとしているスノウドンの研究に賛同したのだった。

実験が始まった当時、修道女は七五歳から一〇三歳で、毎年、記憶力テストを受けることになった。そうして、亡くなると、脳を提供した。アルツハイマー病を発症しているか否かにかかわらず、スノウドンのチームが脳を取りだして、病気の研究に役立てることを許可したのだ[19]。

献身的な修道女のおかげで、すばらしいデータが集まった。修道女は子供を持たず、煙草も吸わず、酒もほとんど飲まなかったことから、アルツハイマー病の原因と考えられている外的要因をほぼ排除できた。さらに、全員が同じような生活を送り、同じような医療や社会的支援を受けていたことから、そっくりそのまま条件のそろった実験データになった。

研究開始から数年が経った頃、研究チームは修道女たちが貴重な資料を残していることに気づいた。彼女たちは若い頃、修道女になるにあたって、手書きの作文を修道女会に提出するよう求められていた。作文を書いた当時の平均年齢は二二歳。認知症にかかるとしても、その兆候が表われるより何十年も前の出来事だ。だが、研究チームは修道女たちの若い頃の手書きの文章に、遠い未来にその身に起きることのヒントを発見した。

作文に使われている言葉の複雑さを分析したところ、若かりし頃の修道女の言葉の使い方と、年老いてからの認知症の発生率に関係があることがわかったのだ。

たとえば、以下の文章は、最後まですぐれた認知能力を維持していた修道女が書いたものだ。

一九二一年に八年生を終えると、マンケイトでどうしても修道女になりたいと思いました。でも、両親にそのことを話して、許してもらう勇気がなく、代わりにシスター・アグレダに話してもらうと、両親はすぐに承諾してくれました。

晩年になって、記憶力が衰えていった修道女が書いた文章は次のようなものだ。

私は学校を卒業すると、郵便局で働きました。

関連は明らかで、研究者は作文を読んだだけで、その修道女が認知症になるかどうか予測できた。アルツハイマー病を発症した修道女の九〇％は、若い頃の〝言語能力が低かった〟。一方、年を取っても認知能力が衰えなかった修道女のうち、作文の〝語彙能力が低かった〟のは、わずか一三％だった[20]。

この研究のすばらしい点のひとつは、人間の体にはまだ解明されていないことがたくさんあると明らかになったことだ。作文とアルツハイマー病に関連があるのはわかったが、その原因まではわからない。しっかりとした教育を受ければ、認知能力が衰えないのか？ それとも、アルツハイマー病を発症する人は、そもそも単純な言葉を好むのか？ いずれにしても、アルツハイマー病が何十年も前から脳の中に潜んでいるのは、まちがいなさそうだ。

もちろんそれ以上に重要なのは、病気の症状が表われるよりはるか前の資料の片隅に、その病気の予兆が隠れているかもしれないことだ。未来の高性能な医療用アルゴリズムなら、そういったデータを掘り起こせるはずだ。いつの日か、医師より先にアルゴリズムががんの予兆を見つけてくれるかもしれない。

発見だけでなく予測が重要

一九七〇年代後半、デンマークのリーベ郡の病理学者チームが、遺体の両乳房切除手術をおこなった。亡くなった女性は二二歳から八九歳。八三人のうち六人の死因は浸潤性乳がんだった。切除した乳房を四つに切り分け、組織を薄く切りとって病理検査をおこなうと、当然、六人のサンプルにはその病気の明らかな特徴が見られた。ところが、意外にも、心臓病や交通事故など、乳がん以外の原因で亡くなった七七人のうち、約四分の一の女性に乳がんの前兆が見られた。

乳がんの症状がまったく見られなかった一四人の乳管や乳腺内に、非浸潤性のがん細胞があったのだ。もし生きていたら、悪性の乳がんと診断される細胞だ。三人には異型細胞が見られ、それもまた検査で異常ありとされる。また、ひとりには浸潤性乳がんが発見された[21]。

意外な数字に思えるかもしれないが、たまたまそうだったというわけではない。他の研究でも似たような結果が出ている。女性のおおよそ九%には、乳房に気づいていない腫瘍があり[22]、それは実際に乳がんと診断される女性の約一〇倍にのぼるとのことだ[23]。

これはいったいどういうことなのか？　多くの女性が静かに進行する病に蝕まれているのか？　モントリオールのマギル大学の革新的な外科研修医ジョナサン・カネフスキーは、そうではないと言う。少なくとも、そうとはかぎらないらしい。がんがあるからといって、かならずしも問題が起きるわけではないのだ。

がん細胞があったとしても、免疫システムがそれを変異した細胞と見なして、攻撃し、排除する。そうすれば、そのがん細胞が増殖して命を脅かすことはない。けれど、免疫システムはときどき勘違いをする。そうなると体はがん細胞を助けて、増殖させてしまう。すると、がんが人を殺しかねない[24]。

すべての腫瘍が同じ道をたどるわけではない。体によって排除される腫瘍もあれば、その人が死ぬまでじっとおとなしくしている腫瘍もある。そして、悪性のがんになるものもある。問題は、どの腫瘍がどうなるのかを知る術がないことだ。

だからこそ、良性と極めて悪性な腫瘍のあいだに位置する曖昧な腫瘍が、大きな問題なのだ。医師の診断には限界があり、検査でなんとなく疑わしいものが見つかったとしても、それは患者の今現在の組織の状態を表わしているに過ぎない。それが将来どうなるのかという点では、あまり役に立たない。患者がいちばん気にしているのはそこだというのに。

そのせいで、多くの人は念のために治療しておこうと考える。たとえば、粘膜内がんだ。がん細胞が増殖していて、不安ではあるが、周囲の組織までは広がっていない。深刻な状況のように思えるが、〝粘膜内〟にとどまっているがんの中で、命を脅かすものになるのは約一〇分の一だけだ。にもかかわらず、アメリカでは、この診断を受けた女性の四分の一が、乳腺切除の手術を受ける。身体的にも精神的にも、人生を一変させるような重大な手術だ[25]。

乳がんの検査結果を詳しく見れば見るほど、女性が受ける影響も大きくなる。そこまで厳密な検査をしなければ、無害な腫瘍に気づかずに、幸せな人生を送れることもある。イギリスのある独立調査委員会は、今後二〇年間で、マンモグラフィ検査を受けた女性の一万人中四三人が乳がんによる死亡を防げると予測した。また、医学情報誌『ニューイングランド・ジャーナル・オブ・メディスン』に載ったある研究では、マンモグラフィ検査を受けた女性の一〇万人中三〇人は生死にかかわる腫瘍を発見できるとのことだ[26]。だが、統計方法にもよるが、約三〜四倍の女性が過剰診断を受けて、命を脅かす心配のない腫瘍を治療することになる[27]。

異常はきちんと発見できるが、その異常がどう進んでいくかはきちんと予測できないという状況だと、過剰診断と過剰治療の問題はなかなか解決しない。だからといって、あきらめることはない。修道女が書いた文章のように、何年も先の未来の健康にまつわる小さな手がかりが、その人の過去と現在のデータの中にあるはずだ。その手がかりを引きだすのは、ニューラルネットワークにうってつけの作業だ。

ある異常が別の異常よりなぜ危険なのか？　医師は長いことそれを突き止められずにいた。だが、そこで、人からの指示がいらないアルゴリズムが本領を発揮する。転移する腫瘍のサンプルと、転移しない腫瘍のサンプルをたくさん集めて、ニューラルネットワークに学習させれば、未来の健康に関する隠れた手がかりと原因が見つかるかもしれない。ジョナサン・カネフスキーも「転移する腫瘍としない腫瘍それぞれの特徴を、アルゴリズムが見つけだせるかどうかにかかっている」と言っている[28]。

そういうアルゴリズムがあれば、生検材料をカテゴリーにあてはめるのはほとんど意味がなくなる。原因や状況に頭を悩ますことなく、重要なことだけを考えられる。治療が必要なのか、必要ではないのかということに。

幸いにも、そういったアルゴリズムはすでに開発されつつある。この章の最初のほうで紹介したハーバード大学の病理学者アンディー・ベックが設立した会社パスＡＩでは、生検材料を分類するアルゴリズムを作っている。そのアルゴリズムにオランダの患者のサンプルを精査させると、がん細胞そのものではなく、その細胞に近接した組織内の別の異常によって、患者の生存率をもっとも正しく予測できることがわかった[29]。これは大きな進歩だ。アルゴリズムが正しい予測につながるパターンを発見して、研究を前進させてくれるのはまちがいない。

さらに、利用できるデータはすでに大量にある。世界中でマンモグラフィ検査がおこなわれているのだから、体のどの部位より乳房組織の画像は数多くあるにちがいない。私は病理学者ではないが、話を聞いた専門家は口をそろえて、曖昧な腫瘍ががんになるかどうかを正確に予測できるようになる日は近いと言っている。この本が文庫版になる頃には、どこかの誰かが世界を一変させるようなこの試みを現実のものにしているかもしれない。

デジタル診断

この発想は乳がん以外にも使える。アンディー・ベックとその仲間が作るニューラルネットワークは、どんなものにも対応できる。犬でも、帽子でも、チーズでも、なんでも分類してくれるのだ。正しいのかまちがっているのかを教えさえすれば、学習する。この種のアルゴリズムはいまや実際に使えるところまで精度が上がり、さまざまな医療分野で活躍している。

たとえば「グーグル・ブレイン」研究チームは、予防可能な失明の最大の原因を発見するアルゴリズムを作りあげた。それは糖尿病性網膜症で、目の網膜内の血管に障害が起きる。その病気にかかっていることがわかれば注射で視力を保てるが、発見が遅れると、失明することもある。インドでは多くの人が専門医の診察を受けられず、糖尿病性網膜症にかかった人の四五%が、病気が発見される前に、程度の差はあれ視力を失っている。グーグル・ブレインのチームがインドの医師と共同で作ったアルゴリズムは、眼科医と同じぐらい正確にその病気を診断する。また、心疾患[30]、肺気腫[31]、脳卒中[32]、悪性黒色腫（メラノーマ）[33]を発見するアルゴリズムもある。さらに、結腸内視鏡検査時にポリープを診断できるアルゴリズムもある。

簡単に言えば、病気の部分を撮影して、そこにラベルを貼れれば、それを発見するアルゴリズムが作れる。最終的には、医師より正確に、なおかつ、すばやく診断ができるようになる。とはいえ、それよりもっと複雑な医療データはどうなのだろう？　アルゴリズムはさらに進化して、専門的で細分化された作業までこなせるようになるのだろうか？　たとえば、医師が書き殴ったメモの意味まで検索できるのか？　あるいは、患者が口で説明する痛みの度合いから、何がしかの手がかりを拾いあげられるのか？

SFの世界のように、診察室で機械が患者の症状を聞いて、病歴を分析するようになるのだろうか？　最先端の医学研究に精通した機械が作られるのだろうか？　正確な診断を下し、個々の患者に適切な治療を施す機械ができるのか？

つまり、IBMが開発したワトソンのようなコンピュータを作れるのだろうか？

初歩だよ、ワトソン君

二〇〇四年、チャールズ・リケルはニューヨークのレストランで同僚とステーキを食べていた。食事をしていると、まわりの客が次々に席を立って、ダイニングルームを出ていった。なにごとだろうと、リケルが客のあとを追うと、大勢の客がバーカウンターのテレビに群がっていた。全員が人気クイズ番組『ジェパディ！』を食い入るように観ていた。その日は、ジェパディの絶対王者ケン・ジェニングスの六カ月間の連勝記録がかかっていて、誰もがそれを見逃すまいとしていたのだ(34)。

チャールズ・リケルはIBMのリサーチマネージャーだった。IBMのチェス専用スーパーコンピュータ〝ディープ・ブルー〟がガルリ・カスパロフに勝利してから数年が過ぎ、その間、上層部からは大企業の名にふさわしい新たなチャレンジをするようにせかされていた。ニューヨークのレストランで、ジェパディのチャンピオンに釘付けになっている大勢の客を眺めながら、リケルの頭にアイディアが浮かんできた。そのチャンピオンを打ち負かすコンピュータを作ろう。

だが、コトはそう簡単にはいかなかった。リケルがレストランでひらめいて、〝ワトソン〟と名づけられることになったコンピュータは、完成までに七年を要した。そうしてついに、ジェパディの特別番組でケン・ジェニングスと対戦すると、その絶対王者に圧勝した。ワトソンを作る過程で、ＩＢＭは世界初の多機能診断装置に着手したが、その話は置いておくことにして、ここでは、ジェパディで勝利し、医療診断アルゴリズムの基盤にもなったワトソンの裏にある、重要な考え方のいくつかを見てみよう。

念のために説明すると、『ジェパディ！』はアメリカの国民的クイズ番組で、問題は一般知識を問うものだが、質問形式は普通のクイズとは逆だ。まず答えとなる文章が出題され、出場者はそれに即した質問文を答えることになる。たとえば、〝相反する意味を持つ言葉〟というカテゴリーには次のような設問がある。

しっかりと留めるためのもの。あるいは、熱や圧力で不意に曲がる、ゆがむ、よじれる。

答えは「〝バックル（buckle）〟の意味は？」だ。とはいえ、アルゴリズムはいくつかの層をくぐり抜けて、正解にたどりつくことを学習しなければならない。まず、設問の意味を理解できるだけの言葉を知っている必要がある。また、〝しっかり〟〝留めるためのもの〟〝曲がる〟〝ゆがむ〟〝よじれる〟という言葉が、設問内の独立した要素であるのを理解しなければならない。それ自体が、アルゴリズムにとってはとてつもない難題だ。

だが、それは最初の一歩にすぎない。次に、ワトソンはそれぞれのヒントにあてはまる有力な候補を見つけることになる。〝留めるためのもの〟にはさまざまなものがある。〝留め金〟〝ボタン〟〝ピン〟〝紐〟、もちろん〝バックル〟も。ワトソンはそれぞれの可能性を考慮して、ほかのヒントにあてはまるかどうかを検討する。〝ピン〟は〝曲がる〟にも〝ゆがむ〟にもあてはまらず、一方で、〝バックル〟はあてはまるから、それが答えである確率が高くなる。そんなふうにして、最終的に設問内のすべてのヒントと結びついた答えを選んで、自信を持ってクイズに答えるのだ。

ジェパディへの挑戦は、病気の診断に比べれば大したことがないように思えるかもしれない。だが、理屈はほぼ同じだ。たとえば、病院に行って、どういうわけか体重が落ちて、胃が痛み、軽い胸焼けもすると医者に訴えたとしよう。クイズに答えるときと同じように、やるべきことは症状（ヒント）から診断を下す（答えを見つける）ことだ。症状（ヒント）をひとつひとつあてはめていくと、ある答えの確率が高くなる。その方法を、医者は鑑別診断と呼び、数学者はベイズ推定と呼ぶ（＊）。

クイズ王ワトソンを誕生させることには見事成功したが、その後、医療の天才ワトソンを生

＊ベイズ推定については5章「車とアルゴリズム」で詳しく述べる。

みだすのはそう簡単にはいかなかった。にもかかわらず、ＩＢＭは医療分野へ進出するにあたり、壮大な計画を発表した。全世界に向けて、ワトソンの最終的な目標は〝がんの撲滅〟だと公言すると、[35]有名俳優ジョン・ハムをＣＭに起用して、「人類が創造したもっとも強力なツールのひとつ」と宣言した。

まさに、誰もが夢見る未来。医療のユートピアだ。ただし、すでにご存じかもしれないが、ワトソンには宣伝文句ほどの実力はない。

まず、テキサス大学ＭＤアンダーソンがんセンターとの鳴り物入りの契約は、二〇一六年に打ち切られた。噂によると、その新技術に六二〇〇万ドルもの資金を投じて、[36]四年間試用を続けたが、ワトソンにできたのは厳重に管理されたパイロットテストまでだった。二〇一七年九月後半に健康情報サイト『ＳＴＡＴ』がおこなった調査では、ワトソンは〝異なる形態のがんを覚えるという基本的な段階をまだクリアしていない〟とのことだった。[37]

残念でならない。

だが、残念なことばかりではない。日本では、医者にもわからなかったある女性の病気に関して、ワトソンはめずらしいタイプの白血病であると診断を下した。[38]さらに、ワトソンの分析によって、運動ニューロン疾患である筋萎縮性側索硬化症（ALS）が五つの遺伝子と関連していることがわかった。[39]だが、全体的には、ＩＢＭのマーケティング部の熱い言葉に、ワトソンは追いついていない。

この種のアルゴリズムを作ろうとしている人たちには、同情せずにいられない。病気を診断する機械を作るのも、個々の患者に合わせた治療計画を作るのも、理論的には可能で、目標としてもすばらしい。だが、実現させるのはとんでもなくむずかしい。ジェパディでクイズに答えることよりもはるかに困難で、画像内のがん細胞を見つけることとも比べものにならないほどむずかしい。

万能の診断用アルゴリズムは、画像内のがんを見つけるアルゴリズムを一歩進めただけのように思えるかもしれない。だが、画像内のがんを見つけるアルゴリズムは、問題を起こす可能性のある細胞を実際に調べられる。一方で、診断用アルゴリズムは根本的な問題から何歩か離れた情報しか手に入らない。患者の脚がしびれているのは、筋肉の痙攣が原因で、筋肉が痙攣しているのは神経が圧迫されているからで、神経が圧迫されているのは重い荷物を持ちあげたせいかもしれない。あるいは、血便が出るのは痔のせいで、痔の原因は便秘で、便秘の原因は偏った食事かもしれない。アルゴリズムも医者も症状を診て、さかのぼるようにして原因を突き止め、正しい診断を下さなければならないのだ。それがワトソンがしなければならないことで、途方もなくむずかしい作業だ。

問題はそれだけではない。

犬とオオカミを見分けるニューラルネットワークを思いだしてほしい。あれは複雑ではなかった。プログラマーは〝犬〟または〝オオカミ〟のラベルをつけた画像を何枚も用意して、それをニューラルネットワークに入力すればよかった。その情報は単純で、曖昧ではない。コンピュータ病理学者のトーマス・フックスは『MITテクノロジーレビュー』のインタビューに、次のように応じた。「専門的な医療の分野では、コンピュータに読み込ませる情報を正しくラベルづけするための専門家を、何年もかけて育成しなければならない[40]」

たとえば、乳がんの生検材料を、〝問題なし〟か〝極めて悪性〟かのどちらかに分けるなど、ひとつの事柄に的を絞った診断であれば実現可能だろう。だが、ワトソンのような万能の診断用アルゴリズムとなると、少しでも可能性のある病気すべてを理解していなければならない。さまざまな患者の症状をアルゴリズムに入力するには、高度な知識を持つ専門家が何人も、長い時間を割いて準備しなければならない。だが、そういった人はたいてい、実際に人の命を救うなど、他にやるべきことがたくさんある。

さらに、最後にもうひとつ問題がある。何よりもむずかしい問題だ。

データを集約すべきなのか？

タマラ・ミルズの呼吸の異変に両親が気づいたのは、タマラが生まれてまもない頃だった。タマラは生後九カ月で、医師から喘息（ぜんそく）と診断された。喘息患者はイギリスには五四〇万人、アメリカには二五〇〇万人いる。[41] タマラほど幼くして喘息を発症するのはかなり稀なケースだ。それでも幼い頃はさほど重症ではなく、他の喘息の子供たちと同じように成長した。吸入器をつねに持ち歩いてはいたが、イングランド北部の海で遊んだこともあった。

ところが、八歳のときに重度の豚インフルエンザにかかり、そこから健康状態が一気に悪化した。次から次へと肺の感染症にかかった。喘息の発作が起きて、唇が真っ青になった。母親はタマラを連れて、かかりつけの医師や地元の病院に通い詰め、処方された吸入器をあっというまに使い切ってしまうと医者に訴えた。[42] にもかかわらず、どの医者もタマラを専門医に診せようとしなかった。

タマラの家族と学校の先生は、深刻な事態になっているのに気づいていた。タマラは命にかかわる発作を二度も起こして、病院に担ぎこまれた。それからは、体育の授業を休むことにした。自宅の階段が上がれなくなると、祖父母の住む小さな平屋の家で暮らしはじめた。

二〇一四年四月一〇日、タマラは肺の感染症で命を落とすことになる。その夜、祖父はタマラが呼吸困難に陥っていることに気づき、救急車を呼んだ。二個の吸入器と酸素ボンベを使って、どうにか助けようとしたが、容態は悪くなるばかりだった。そうして、タマラはこの世を去った。まだ一三歳になったばかりだった。

喘息で命を落とす人はさほど多くないが、それでも、イギリスでは毎年、一二〇〇人が亡くなり、そのうちの二六人が子供だ[43]。喘息で亡くなる人の三分の二は、助ける手立てがあったと考えられ、タマラもそのひとりだった。死にいたらずに済むかどうかは、前兆を見逃さずに、正しく対処できるかどうかにかかっている。

タマラは最後の発作を起こす四年前から、かかりつけの医師と地元の病院を少なくとも四七回以上受診していた。だが、そこでの治療はどう考えても効果がなく、何度診てもらっても、医者は症状を抑えることしかしなかった。どの医者も総合的に判断しようとしなかったのだ。受診頻度に目を向けず、症状が急速に悪化していることに気づかなかった。新しい治療法をタマラに勧める医者はひとりもいなかった[44]。

そんな事態を招いたのには原因がある。信じられないかもしれないが（いや、イギリスに住んでいれば信じられるかもしれないが）、イギリスの国民保健サービス（ＮＨＳ）は、基本的には健康記録を共有していない。

NHSの病院で診察を受けても、そこの医師は患者が町のかかりつけの医者に診てもらったことを知りもしない。大半の記録がいまだに紙に記され、医者のあいだで記録を共有するにしても、昔ながらの方法でやりとりするしかない。そのせいで、NHSはファックス会社の最大のお得意様などと揶揄されるのだ[45]。

とはいえ、それはイギリスに限ったことではない。アメリカには大勢の開業医がいて、たくさんの大病院があるが、データのやりとりはおこなわれていない。ドイツをはじめいくつかの国では、健康記録が徐々に電子化されているが、それが世界標準になる日はまだ遠い。タマラ・ミルズの場合も、記録が共有されていなかったせいで、それぞれの医者が病状の深刻さを把握できなかった。今後、その問題が解決したとしても、タマラの命は戻らないが、それが未来の医療の大きな課題であることに変わりはない。ワトソンのようなアルゴリズムが、何人ものタマラのような患者を救えるはずだ。そのために、データを集めて、照合し、関連づけて、パターンを見つけなければならない。

データブローカーが保持している膨大で詳細なデータと、医療の現場に散在するデータはあまりにも対照的だ。現時点では、医療データは支離滅裂と言ってもいい。患者の詳細な健康記録が一カ所に集められていても(実際はほとんどそうなっていない)、データの形式はばらばらで、アルゴリズムに入力できるような形にするのは事実上不可能だ。スキャン画像、報告書、グラフ、処方箋、メモなど、無数の記録がある。それに、手書きのデータはどうすればいいのか。頭字語や略語をすべて解読して、手書きの文字を判読し、医者の書きまちがいも見分けなければならないのだ。そういったことができてようやく、病気の症状に取りかかる。この記録をつけた人は、〝冷たい〟という言葉を、体が冷えているという意味で使ったのか？　それとも、〝風邪〟という意味で使ったのか？　〝死ぬほどの胃痛〟とは、本当に命の危険があるのか？　それとも、ものすごく痛いという意味なのか？　医療はあまりにも複雑だ。複雑さが幾重にも折り重なって、そのデータはアルゴリズムには判読できない[46]。

ぐちゃぐちゃで無秩序な医療データに翻弄されている企業はＩＢＭだけではない。二〇一六年、グーグル傘下の人工知能企業ディープマインドは、ロンドンのロイヤル・フリーＮＨＳトラストと契約を交わした。そうして、ロンドンにある三つの病院の医療データを得て、急性腎不全を発見するアプリを開発することになった。当初、医療現場で役立つ高性能の学習アルゴリズムを作るつもりだったが、最終的には計画を変更して、より単純なアルゴリズムにせざるを得なかった。原因は、計画どおりに進めるには、データに難がありすぎたからだ。

そういった現実的な問題もさることながら、さらに物議を醸す問題が持ちあがった。ディープマインドとの契約は、腎不全に特化したアルゴリズムを作るというものだったが、ロイヤル・フリーＮＨＳトラストには腎臓だけのデータがなかった。そこで、ディープマインドに健康記録すべてにアクセスする許可を与えた。それはつまり、約一六〇万人の患者の過去五年間の健康記録ということになる。

理論上、それほど膨大な情報があれば無数の命が救えるはずだ。急性腎不全で亡くなる人はひと月に一〇〇〇人。五年分のデータがあれば、ディープマインドはその病気にかかる人の特徴を発見できるかもしれない。さらに、腎不全の患者は他にも持病があることが多く、その膨大なデータから、いくつもの手がかりや患者の将来の健康との関連も見つかるはずだった。

だが、そんな期待とは裏腹に、そのプロジェクトが報道されると、多くの人が怒りだした。無理もない。ディープマインドにすべての記録へのアクセス権を与えるというのは、まさに文字どおりの意味だ。ディープマインドという一企業が、誰がいつ病院に行ったかを知ることができるのだ。入院中の患者を誰が見舞ったのかということもわかる。病理検査や放射線検査の結果も。誰が妊娠中絶をしたか、誰がうつ病か、誰がエイズ（HIV）と診断されたかということまですべて。おまけに、患者に許可を求めず、オプトアウト（訳注：企業などが個人情報を収集・利用できることを事前に決め、本人に知らせ、後に本人に利用を制限できる機会を与えること）もなく、研究に使われていることも知らせなかった[47]。

念のために言っておくが、グーグルは他部門の事業でのその情報の使用を禁じた。正直なところ、データの機密保持に関しては、ＮＨＳよりグーグルのほうが優れている。何しろＮＨＳの医療機関は、二〇一七年に北朝鮮のランサムウェア・コンピュータ・ウイルスの攻撃を受けて、麻痺状態に陥ったのだから。原因は一昔前のオペレーティングシステム（OS）（ウィンドウズＸＰ）を使っていたせいだ[48]。とはいえ、計り知れない力を持つ世界最大のテクノロジー企業が、その種の個人情報にアクセスできるのは、いい気分ではない。

プライバシーを守るべきなのか？

正直に言おう、グーグルは一般人の個人情報を山ほど持っている。絶対に人には明かさないような秘密まで握っている。それでも、他言無用の医療記録に関しては、話がちがう。

その理由は、健康な人にはなかなか理解できないかもしれない。もし自分の医療記録かネット閲覧履歴のどちらかを公開しなければならないとなったら、健康な人はどちらを選ぶだろう？　私なら医療記録を選ぶ。同じように考える人は大勢いるはずだ。やましいネット閲覧履歴があるから、私は医療記録のほうを選ぶわけではない。私にとって医療記録は自身のごく平凡な生物学的情報の一部でしかなく、一方、ネット閲覧記録は自分がどういう人間なのかが垣間見える覗き窓のようなものだからだ。

『ビッグ・データ（Big Data: Does Size Matter?）』（未訳）の著者で、ＢＢＣラジオ４で『フューチャー・プルーフィング』という番組のパーソナリティを務めるティマンドラ・ハークネスに言わせれば、たとえ医療データがなんの変哲もないものであったとしても、やはり特別なものであることに変わりはない、となる。

「第一に、医療記録は人生を物語っている」とティマンドラは私に言った。「たとえば、イギリスの女性の三人にひとりは中絶手術を受けている。もしかしたら、その女性の知り合いには、そのことを知らない人がいるかもしれない」。さらに、医療記録は本人だけの問題ではない。「誰かがあなたの遺伝子情報を持っていたら、その人はあなたの両親やきょうだい、子供についても何かしら知ることになる」。もしその情報が外部に漏れたら、逃れようがない。「生物学的特徴は変えられず、否定もできない。もし誰かにＤＮＡを知られたら、手の打ちようがない。顔は整形手術で変えられて、指紋は手袋で隠せても、ＤＮＡは変えようがない。何をしようとついてまわるのだ」

具体的にどんな問題が起きるのだろう？　それに関して、ティマンドラは二〇一三年に司会を務めたフォーカスグループ（訳注：市場調査のために抽出された消費者グループ）を例に挙げた。その一般人のグループに、自身の医療データに関して特に心配なのはどんなことかと尋ねたのだった。「データがハッキングされたり、盗まれたりするのを心配している人はあまりいなかった。勝手に分類されて、憶測を立てられて、その憶測を個人にあてはめられることを心配していた」

何よりも、彼らは医療データのせいで不利益が生じるのではないかと心配していた。「たとえば、スーパーマーケットの会員カードの情報と医療情報を結びつけられたとする。そうして、腰の手術を受けにいくと、医者にこんなことを言われるかもしれない。〝申し訳ないが、あなたはピザ(あるいは、煙草)を山ほど買ってますね。残念ながら、手術の順番は最後のほうになります〟」

イギリスでは現実味のある話だ。経営が厳しい公営の病院の一部では、膝と腰の手術で煙草を吸わない人を優先させている[49]。また、世界各国で、肥満の人は保険に入れないこともあれば、治療を受けられないこともある[50]。

だが、それとは別の問題もある。人間を生物としてとらえれば、医療記録をアルゴリズムに入力したほうが大きなプラスになる。ワトソンが夢物語で終わるとはかぎらない。けれど、そのためには、医療データを企業に渡さなければならず、その結果、魔法の電子ドクターが完成するまでの長く苦しい試練に、私たちも引きずりこまれることになる。さらに、個人情報を譲り渡せば、データが漏れたり、盗まれたり、自分の不利になることに使われたりするリスクがつねにつきまとう。果たして、私たちにはその覚悟があるのだろうか？　アルゴリズムが与えてくれるメリットのために、プライバシーを引き替えにしてもいいと思えるのか？

あるいは、そうなっても、何も気にしないのか？

取引される遺伝子

一九世紀の統計学者で遺伝子学者でもあったフランシス・ゴルトンは、チャールズ・ダーウィンのいとこで、時代を象徴する人物だった。ゴルトンの研究は近代科学に大きな影響を及ぼし、とりわけ、近代的統計学では基礎を築いた。そう考えると、ゴルトンには感謝しなければならない（といっても、ゴルトンが提唱した優生学は勘弁してほしいが）。

ゴルトンはデータを通して人間の性質を研究し、興味深い知識を得るためには、たくさんのデータが必要だと気づいていた。同時に、人間は自分の体に大いに興味があることにも気づいていた。さらに、たいていの人が自分の体を専門家に分析してもらいたいと願っていて、（方法さえまちがえなければ）プライバシーの問題を忘れさせられることにもゴルトンは気づいた。お金を払ってでも、そうしたがるということに。

一八八四年、ビクトリア女王の後押しで、イギリスの医学の進歩を祝う巨大な博覧会がロンドンで開かれると、ゴルトンは絶好のチャンスが到来したと思った。博覧会にやってくる者の中には何人か、金を払ってでも体を測定してもらおうとする者がいるだろう。そう予測して、博覧会場に自費で〝人体測定研究所〟というブースを開いた。

実際には何人かどころではなかった。ブースの入口には、入場料の三ペニーを握りしめた客が列をなした。そうして中に入った客は、特製の器具を使って、自身の能力を確かめた。とりわけ、視力、目の診断、ものを引っ張る力と握る力、息をすばやく吐く検査が人気を博した。[51]

ゴルトンのブースは大人気で、二人同時に測定しなければならないほどの盛況ぶりだった(人の自尊心を傷つけないため、そして、時間を無駄にしないために、検査中は親子を切り離しておいたほうがいいと、ゴルトンはすぐに気づいた。博覧会後に書いた学術論文には次のような記載がある。〝年配者は若者に負けると悔しがり、もう一度検査してほしいと訴えた〟)。[52]
結果の善し悪しにかかわらず、検査結果は白いカードに記されて、誰もがそれをお土産として持ち帰った。だが、誰よりも得をしたのはゴルトンだった。ゴルトンは検査結果すべての写し――九三三七人分の貴重な身体測定結果――と、おまけとも言える多額の入場料を手にして、博覧会場をあとにした。

時代を一三〇年進めてみると、現在の遺伝子検査との共通点がわかる。多くの人が一四九ポンドという割安の費用を払い、自分の唾液サンプルを遺伝子検査会社23アンド・ミーに送って、次のような疑問に答える遺伝形質の報告書を手に入れている。あなたの耳垢の種類は? あなたは一本眉の遺伝子を持っている?[53] 太陽を見るとくしゃみが出る遺伝子がある?[54] それよりもっと重大な疑問もある。体質的に乳がんになりやすい? 遺伝的にアルツハイマー病の素因がある?[55]

そんなふうにして、その会社は膨大な遺伝情報をかき集め、何百万というサンプルを手に入れている。それはインターネットの巨大企業のやり方とよく似ているが、そこで私たちが差しだしているのは自分のDNA、つまり、何よりも個人的な情報だ。その結果、人類にとって有益なデータベースができあがる。人のゲノムの研究に役立つという意味で、とても貴重な財産だ。世界中の研究機関、製薬会社、非営利組織が、23アンド・ミーとタッグを組もうと、ラブコールを送っている。そうやって、その会社が持っているデータから、(アルゴリズムを使うかどうかはべつとして)パターンを見つけ、人類が抱えている大きな疑問の答えを見つけようとしている。さまざまな病気の遺伝的原因は? ある病気の患者に効く新薬は作れるのか? パーキンソン病の効果的な治療方法は? といった疑問の答えを。

それよりもっと直接的な意味でも、そのデータベースには価値がある。現在進行形のその研究は、社会に計り知れない利益をもたらすが、23アンド・ミーという企業はただ単に善意からこういったことをおこなっているわけではない。利用者が承諾すれば(八〇%の利用者は承諾する)、遺伝子データは個人が特定されない形で前述の研究機関に高値で売られる。[56] それで得た利益は、23アンド・ミーにとって思いがけないボーナスではない。それこそが、その会社のビジネスなのだ。23アンド・ミーの取締役のひとりは、ビジネス誌『ファスト・カンパニー』のインタビューに応じて、「長期的には、検査キットを売って利益を得ることが目的ではない。とはいえ、検査キットは基本のデータを得るために欠かせない」と言った。というわけで、営利目的の会社がおこなっている遺伝子検査に申し込むときに、決して忘れてはならないことがある。自分がその商品を使っているのではなく、自分自身が商品だということだ。[57]

もうひとつ注意しなければならないことがある。〝遺伝子データは個人が特定されない形で研究施設に……〟という類の約束も鵜呑みにはできない。二〇〇五年、匿名の精子提供者によって生まれたある若者が、[58] 採取した唾液で遺伝子検査を受け、自分のDNAコードを手がかりに、生物学的な父親を見つけだした。[59] また、二〇一三年、大学の研究機関のあるチームは、自宅のパソコンで何回か適切なネット検索をするだけで、遺伝子によって無数の人を特定できるという論文を発表した[60]。

さらに、DNA情報をどんなデータベースにも載せないほうがいい理由はもうひとつある。たしかに、遺伝子的な差別から人を守るための法律はある（ということは、人類はベートーベンやスティーブン・ホーキングが才能ではなく遺伝子によって評価される世界へは向かっていないらしい）。だが、そういった法律は生命保険には適用されない。自ら希望しないかぎり、遺伝子検査を受けさせられることはないが、アメリカでは保険を申し込む際に、パーキンソン病やアルツハイマー病や乳がんなどの、病気の発症リスクがわかる検査を受けたことがあるかどうかを尋ねられる。そうして、その答えが保険会社のお気に召さなければ、生命保険に入れないこともある。また、イギリスの保険会社は、ハンチントン舞踏病の遺伝子検査の結果を加味することが許されている（保証金額が五〇万ポンドを超える場合[61]）。嘘をついて検査を受けていないふりもできなくはないが、となると保険そのものが無効になるはずだ。この手の差別を受けずに済む唯一の方法は、そもそも遺伝子検査を受けないことだ。知らぬが仏というわけだ。

実際、健康状態を把握するには、何よりも無数の人のゲノム配列が役に立つ。そうとわかっていても、私としてはすぐに遺伝子検査を受ける気にはなれない。一方で、ありがたいことに、無数の人が自身の情報を差しだして社会に貢献している。23アンド・ミーには二〇〇万以上の利用者がいて[62]、マイヘリテージ、アンセストリー・ドット・コム、ナショナルジオグラフィック協会のジェノグラフィック・プロジェクトでも、さらに数百万人が遺伝子を提供している。となると、もはや問題ではないのかもしれない。結局のところ、市場はこんなふうに言っているわけだ――プライバシーと引き換えに、社会に大きく貢献するのは割に合わないかもしれないが、自分の二五％はまちがいなくバイキングだとわかるならそれでいい（＊）。

最高の善行？

遺伝子検査を受けようか迷っているときに、未来の医療への果てしない挑戦に思いを馳せる人はまずいない。むしろ、そんなことは考えないのがあたりまえだ。個人的なことにしろ、人類全体のことにしろ、優先順位は人それぞれだ。

だが、最終的な問題はそこにある。治療法を選んでくれるアルゴリズムが完成したとして、それはどちらの利益を優先させるのだろう？　個人？　それとも、人類全体？　その選択を迫られるときは、いずれかならずやってくる。

たとえば、しつこい咳が止まらず、病院へ行ったとしよう。特に治療しなくても自然に治りそうな状態だが、個人（患者）を優先するアルゴリズムであれば、念のためにレントゲン撮影と血液検査を勧めるだろう。さらに、患者が望めば、抗生物質を処方する。その結果、何もしないよりは数日早く回復しただけだとしても、個々の患者の健康を唯一の目標とするアルゴリズムであれば、その処置は有効だったということになる。

＊実際には、ある人がバイキングかどうかは断言できない。それについて、私の良き友人の遺伝子学者アダム・ラザフォードが詳しく説明してくれた。ここにこんなことを記したのは、ちょっとしたジョークだ。科学的根拠は『ゲノムが語る人類全史』（アダム・ラザフォード著、垂水雄二訳、文藝春秋）を参照のこと。

だが、人類全体の利益のために作られたアルゴリズムであれば、抗生物質に対する耐性といった問題に配慮するはずだ。命に危険がないかぎり、患者が一時的に不快な思いをしていても、アルゴリズムは意に介さず、本当に必要なときにしか抗生物質を出さない。そういったアルゴリズムであれば、資源の無駄遣いや治療待ちの患者の数も気にかけて、深刻な症状がないかぎり、詳しい検査を勧めない。はっきり言ってしまえば、泣き言は言わず、アスピリンでも飲んで、寝ていなさいというわけだ。

また、そういったアルゴリズムは臓器移植を待っている患者の順番を決めるときに、第一の目標である〝できるだけ多くの命を救う〟ことを優先させるはずだ。となれば、個人を優先させるアルゴリズムとは、治療法が大きく異なってくる。

あるいは、NHSや保険会社が使うアルゴリズムは、つねにできるだけコストを抑えようとするかもしれない。また、製薬会社のために作られたアルゴリズムであれば、ある特定の薬を使わせるかもしれない。

裁判でのアルゴリズムの使用に比べれば、医療に使われるほうがまだ葛藤は少ないかもしれない。そこには被告人も検察もいない。医療現場では、誰もが患者を回復させるという共通の目的のために働いている。といっても、それぞれが担う役割によって、目的はいくらかちがってくる。

人の命のどんな局面でアルゴリズムが使われるにせよ、そこにはバランスが欠かせない。プライバシーと社会の利益。個人と全体。新たな挑戦と優先順位。全員の最終的な着地点が〝より良い医療〟なのはまちがいないが、各々の意向を巧みにかいくぐりながらゴールに通じる道を見つけるのは簡単ではない。

各々の意向が隠されていると、さらにむずかしくなる。アルゴリズムを使うメリットばかりが強調されて、リスクがうやむやにされる場合も同様だ。さらには、言われたことを信じてもいいのかどうか、信じたら誰が得をするのか、そういったことをじっくり考えなければならないとなると、ますますむずかしい。

5章 車とアルゴリズム

激しい開発競争で急速に進歩する自動運転車。「乗っているだけ」の未来はすぐそこに思える。しかし不意に危険な状況が訪れたら？　突然運転を任されたら人は対応できるのか。何をどこまで機械に任せるべきだろうか二〇〇四年三月一三日早朝。地平線から太陽がようやく顔を出した頃、モハーヴェ砂漠の真ん中にあるスラッシュ・エックス・ランチ・カフェは、すでに大勢の人でにぎわっていた。[1]そこはロサンゼルスとラスベガスの中間に位置する小さな町バーストゥの郊外。映画『キル・ビル vol.2』でユマ・サーマンが棺(ひつぎ)から這いでるシーンが撮影されたのも、そのあたりだ。[2]カウボーイやオフロード用四輪駆動車の愛好家に人気の場所だが、その春の日にそこに集った人たちはちょっとちがっていた。砂漠のど真ん中に作られた仮設の観客席は、熱意あふれるエンジニアや期待に胸をふくらませる見物人、無鉄砲な車マニアで埋め尽くされていた。人々の思いはひとつ。世界で初めて自動運転車がレースでゴールするシーンを、この目で確かめたいと願っていた。

レースを主催したのは、〝ペンタゴンのいかれた科学研究部門〟という異名を持つ、アメリカ国防高等研究計画局(DARPA)だ。[3]DARPAはずいぶん前から無人走行車に注目していて、それにはもちろんれっきとした理由があった。戦場では道にしかけられた爆弾や軍用車を標的にした攻撃で、多くの兵士が命を落としている。DARPAはその年の初めに、二〇一五年までにアメリカの軍用地上車両の三分の一を無人運転車にすると発表した。[4]

そこにいたるまでの道のりは長く、費用も莫大だ。悲願を達成するために、DARPAは二〇年という歳月を費やし、大学や企業での研究活動におおよそ五億ドルを投じた[5]。その後、斬新なアイディアを思いついた。レースを開催してはどうだろう？　全米から自動運転車を作っている人を募って、長距離のレースで競わせるのだ。優勝賞金は一〇〇万ドル[6]。その手のレースは世界初で、なおかつ、DARPAがコストを抑えて迅速に目標を叶えるために、大いに役に立つ。

コースの全長は約二三〇キロで、しかも簡単には走れないようになっていた。急な登り坂、岩場、深いくぼみ、狭い谷、激しい起伏、妙な形のサボテンなど、難所だらけだ。もちろん未舗装で、おまけに幅がほんの数メートルしかないところもある。スタートの二時間前に、主催者は各チームにGPS座標のCDを配布した[7]。そこには二〇〇〇の通過ポイントが記されていて、それはまるでコースにばらまいたパンくずか何かのようだった。車が通過しなければならない場所はわかるが、そこに待ち受ける障害物をよけて進むには、少なすぎる情報だった。

途方もない挑戦だが、第一回となるそのレースには、肝の据わった一〇六のチームが応募した。その中から予選を通過したのは一五組で、そのコースを走っても危険はないと判断された。砂漠を走れるデューンバギーのような車もあれば、巨大なトラックのような車、戦車のような車もあった。ある参加者は自宅を担保に借金をして、車を作ったと言われていた。また、目立つように車のルーフに二本のサーフボードを突き立てた者もいた。誰も乗っていなくても倒れることなく自立するバイクもあった[8]。

レース当日の朝、大勢の観客とともに、個性豊かな車がスラッシュ・エックス・ランチ・カフェに集結した。スタートラインに続々と向かう無人の車は、後方になるにつれ、映画『マッドマックス』やテレビアニメ『チキチキマシン猛レース』から抜け出てきたような姿になった。だが、見た目はどうでもいい。人の手をいっさい借りずに、一〇時間以内にコースをまわりさえすればいいのだ。

だが、そう簡単にはいかなかった。一台はスタート地点でひっくり返り、棄権するしかなかった。[9] バイクはかろうじてスタートしたものの、あっというまに横転して棄権。一台は五〇メートルほど走ったところで、コンクリートの壁に突っ込んだ。もう一台は有刺鉄線のフェンスにからまった。さらに、一台は二つの回転草(タンブルウイード)を動かない障害物と見誤って、草のあいだでバックと前進を繰り返し、結局、人が手を貸すしかなかった。[10] 他にも、大きな石に激突した車、溝に突っ込んだ車もあった。車軸が折れて、タイヤが裂け、車体が吹き飛んだ。[11] スラッシュ・エックス・ランチ・カフェのまわりは、あっというまにロボットの墓場と化した。

トップを行くカーネギーメロン大学の車は、みごと一一・七八キロを走破したところで、丘を見誤り、タイヤが空回りしはじめた。人が手を貸す間もなく、空回りするタイヤから火が噴きだした。[12] 午前一一時にはレースは終わった。DARPAの主催者はヘリコプターに乗り込むと、ゴール地点に飛んで、待ち構えていた大勢の記者に、ゴールまでたどり着く車は一台もないと伝えた。[13]

オイル臭く、埃まみれで、騒々しく、破滅的なレースに勝者はいなかった。それぞれのチームが一年かけて作った車が、せいぜいほんの数分しかもたなかった。とはいえ、レースは失敗ではなかった。競い合うことで、新たなアイディアが次々に生まれ、翌二〇〇五年の第二回D

ＡＲＰＡグランド・チャレンジでは、一年前にはなかった技術が使われた。第二回のレースでは、前年の最高記録一一・七八キロを、一チームを除くすべてのチームが通過した。なんと、五台の車が人の手を借りることなく、全長二一二キロのコースを走りきったのだ[14]。

それから一〇年以上が経った今、未来の車は運転手がいらなくなると誰もが確信するようになった。二〇一七年後半、イギリスの財務大臣フィリップ・ハモンドは、二〇二一年までにイギリスの道路に完全な自動運転車を走らせるという政府の意向を示した。ダイムラーは二〇二〇年までに[15]、フォードは二〇二一年までに[16]自動運転車を完成させると発表し、他の自動車会社も同じような見通しを立てている。

メディアが取りあげる話題も、自動運転車は本当に完成するのかということから、完成したときに直面する問題へと変わっていった。二〇一六年六月、『ニューヨーク・タイムズ』は〝自動運転車は歩行者を撥ねてでも、搭乗者の命を守るのか？〟という問題を提起し[17]、二〇一七年一一月には、〝自動運転が実現したら、交通事故や交通違反はどうなるのか？[18]〟という記事を掲載した。そうこうするうちに、二〇一八年一月、『フィナンシャル・タイムズ』は、〝トラックも自動運転化へ。労働組合は多数の運転手の失業を懸念〟という記事を掲載した[19]。

この変化の裏には何があるのだろう？　使いものにならなかったテクノロジーが、わずか数年で、なぜ信頼のおけるものになったのか？　そして、これからもこの飛躍的な進歩が続くのだろうか？

自動運転車は自分の位置がわかるのか

その昔、人類が夢見る完全な自動運転車は、噴射式飛行装置(ジェットパック)や宇宙船、銀色の宇宙服や光線銃と並んでSFの世界のものだった。一九三九年にニューヨークで開かれた世界博覧会で、ゼネラルモーターズ(GM)は未来への展望を発表した。博覧会にやってきた客は、ベルトコンベアに据え付けられた音声付きの椅子に座って、一六分間の空想の世界に誘われた。[20] ガラス越しに見えたのは、GMの夢の模型だった。アメリカ中を縦横無尽に走る高速道路、農村と都市を結ぶ道路、細い道や交差点。どの道にも無線操縦の自動運転車が、時速一六〇キロで安全に走っていた。「不思議な世界?」ナレーターが客に問いかける。「途方もない夢? 信じられない? いや、これが一九六〇年の世界だ![21]」

夢の世界を実現するために、長いあいだ数限りない実験がおこなわれた。GMは一九五〇年代に、ファイアバードⅡという自動運転車を試作した。[22] 一九六〇年代には、イギリスの研究チームがシトロエンDS19を改造して、道路と通信させようとした(その実験の名残が今でもスラウとレディングのあいだに存在する。約一五キロに及ぶ電気ケーブルが残されている[23])。一九八〇年代には、カーネギーメロン大学がナブラボという自動運転車を作り、一九九〇年代には、EUが一〇億ドルを投じたEUREKAプロメテウス計画が実施された。[24] こういったプロジェクトが生まれるたびに、自動運転車の夢がじわじわと現実に近づいているようだった。

自動運転車を作るのは、簡単そうに思える。これだけ多くの人がそれなりの運転技術を身に付けているのだ。それに、コントロールしなければならないのは二点だけ――スピードと方向だ。それはガソリンをどのぐらい燃やすかということと、ハンドルをどのぐらい回すかという問題だ。それのどこがむずかしいのか？

だが、ＤＡＲＰＡが開催した第一回のグランド・チャレンジが示すとおり、自律走行車を作るのは想像以上に厄介だ。時速一〇〇キロで走る巨大な金属の塊を制御するアルゴリズムを作るとなれば、とんでもなく複雑な作業になる。

たとえば、乳房組織の腫瘍の発見に使われているニューラルネットワークを、自動運転車の周囲を〝見る〟という技術に応用できそうな気がする。二〇〇四年にはすでに、（現在の最新型に比べれば、やや未熟なものではあったが）ニューラルネットワークが試作品の無人運転車に使われている[25]。車の上に据え付けたカメラの映像から、状況を把握させようとしたのだ。カメラから得られる情報は、まちがいなく役に立つ。ニューラルネットワークは目の前に広がる光景の色や質感、さらには物理的特性まで理解する。つまり、直線、カーブ、境界、角度がわかるのだ。だが問題は、そうやって理解した情報をどう使うかだ。

たとえば、車のアルゴリズムに「アスファルトとおぼしきものの上だけを走れ」という指示をしたとしよう。だが、それでは砂まみれの砂漠の道では役に立たない。あるいは、「もっとも滑らかなものの上を走れ」という指示も出せる。だが、残念ながら、もっとも滑らかなものとは、多くの場合、空かガラス張りの建物だ。ならば、より理論的な言葉で、道路の形を説明したほうがいいかもしれない。「ふたつのうっすらとしているがまっすぐな境界線を探せ。その二本の線にはさまれている部分は、画像の下部では広く、先に向かうにつれてしだいに狭まる」。たしかにきちんと説明できているように思える。だが、残念ながら、画像の中では木もそんなふうに見える。車が木を駆け上ったら大変だ。

　また、カメラでは規模感や距離感をつかめない。昔から、映画監督はそれを巧みに利用してきた。たとえば、『スター・ウォーズ』のオープニング・シーン。漆黒の宇宙にぬっと現われた巨大な帝国軍の主力艦スター・デストロイヤーが近づいてきて、最後は画面いっぱいになる。とても印象的なシーンだ。観客はとてつもなく大きな宇宙戦艦を見ている気分になるが、実際には一メートル程度の模型で撮影されている。映画の大スクリーンで見るぶんには、効果的なトリックだ。けれど、自動運転車の場合、細い平行な二本の線が、目の前にある道路なのか、近くに生えている木の幹なのか区別できなくては困る。正確な距離の判断は、生死にかかわる大問題だ。

　たとえ何台かのカメラを使って、その映像をうまく組み合わせて、周囲の様子を３Ｄ映像にしたとしても、ニューラルネットワークに頼り過ぎれば不具合が起きる。カーネギーメロン大学の研究者ディーン・ポメルローが一九九〇年代におこなった実験で、それが裏づけられた。ポメルローは人間の運転手の行動をもとに周囲の状況を理解するニューラルネットワークを作ると、ＡＬＶＩＮＮと名づけた車に搭載して、実験をおこなった。ポメルローとその研究仲間がハンドルを握り、ＡＬＶＩＮＮをしばらく走らせて、その間の運転手の行動すべてを記録した。そのデータをもとにニューラルネットワークは学習して、人間が運転していけるところならどこへでも行き、それ以外の場所には行かないようになる[26]。

　最初は順調だった。学習したＡＬＶＩＮＮは比較的走りやすい道を、自力ですいすい進んでいった。だが、橋にさしかかったとたんに、状況は一変した。ＡＬＶＩＮＮがいきなり道をそれたのだ。ポメルローはあわててハンドルを握り、どうにか衝突を免れた。

　ポメルローはそのときのデータを数週間かけてじっくり見直して、原因を突き止めた。ＡＬＶＩＮＮの訓練に使った道はすべて、路肩に草が生えていた。4章「医療とアルゴリズム」で取りあげたニューラルネットワークが、画像内のハスキー犬を雪を手がかりに見分けたのと同じだ。ＡＬＶＩＮＮのニューラルネットワークも運転してもいい場所を、草を目印に判断していたのだ。だから、草がなくなったとたんに、どうすればいいのかわからなくなった。

　カメラとちがい、レーザー光線は距離を測れる。二〇〇五年の第二回ＤＡＲＰＡグランド・チャレンジで初めて使われた光検出と測距（ライト・ディテクション・アンド・レンジング）技術、略してＬｉＤＡＲを搭載した車は、レーザー光が対象物に当たり反射して戻ってくるまでの時間を測定して、距離を正確に把握する。とはいえ、それも万能ではない。ＬｉＤＡＲは質感や色には歯が立たず、標識も判読できない。また、長い距離も苦手だ。一方、原理は同じだが、電波を使用するレーダーは、どんな気象条件でもきちんと作動して、遠くの障害物も感知し、また、いくつかの物質を反射せずに通り抜ける。だが、障害物の形や構造に関してはお手上げだ。

　カメラ、ＬｉＤＡＲ、レーダーからのデータのどれかひとつだけでは、車の周囲で何が起きているのかを正確に把握できない。自動運転車を完成させるためのカギは、その三つを組み合わせることだ。その三つのデータが一致すれば、比較的簡単にできそうな気がする。だが、一致しなければ、どうにもならない。

　第一回のＤＡＲＰＡグランド・チャレンジでは、回転草のせいで一台の車が立ち往生した。そういったケースでは、ＬｉＤＡＲは前方に障害物があると見なす。カメラも同じだ。だが、レーダーはふわっとした回転草を通り抜けるので、前方には何もないと見なす。さあ、アルゴリズムはどれを信じるのか？

カメラを優先させるとどうなるのか。たとえば、曇りの日に、白い大型トラックが前を横切ったとしよう。すると、ＬｉＤＡＲとレーダーはブレーキをかけると判断するが、どんよりとした空の色のせいで、カメラは障害物を見落とす可能性がある。

そこまで厄介な状況でなくても、やはり問題がある。センサーが周囲の状況をきちんと把握したとしても、距離を正確に判断できないことはよくある。

グーグルマップを見ていると、現在地が水色の円で囲まれていることがある。その円はＧＰＳ測定の誤差を意味している。円が小さければ位置は正確で、円が大きければ誤差も大きい。だが、多くの場合、それはさほど問題にはならない。大半の人は自分がどこにいるか知っているから、誤差を無視できる。だが、自動運転車そのものは現在地がわからない。高速道路の幅四メートル弱の車線を走っているときにも、自動運転車はＧＰＳだけを頼りに位置を判断するのだ。

誤差が出やすいのはＧＰＳだけではない。自動運転車で使われているあらゆる測定装置に、さまざまな誤差が生じる。レーダーの測定値、上下動、横揺れ、タイヤの回転、車の慣性。一○○％信頼がおけるものはないのだ。さらに、その場の状況も悪影響を及ぼす。ＬｉＤＡＲは雨の影響を受け[27]、カメラは眩しい日の光に影響され[28]、長時間のでこぼこ道の走行は、加速度計に打撃を与える[29]。

その結果がアラームの嵐だ。ここはどこなのか？　まわりに何があるのか？　どうすればいいのか？　そんな一見簡単そうな問題の答えが出なくなる。もう何を信じればいいのかわからなくなりそうだ。

そう、〝わからなくなりそう〟ではあるけれど、完全に〝わからなくなる〟わけではない。

大丈夫、カオスのような状況から抜けだせる道がある。混乱した世界の中でも、筋の通った予測ができるのだ。それが、ベイズの定理と呼ばれる大いに役立つ数式だ。

ベイズ牧師の偉大な教え

ベイズの定理は歴史上もっとも多くの事柄に応用されていると言っても過言ではない。科学者、機械学習の専門家、統計学者は、その定理を崇拝していると言ってもいいほどだ。とはいえ、その定理のもとにある考え方はひじょうにシンプルだ。あまりにもシンプルすぎて、最初は、あたりまえのことを言っているに過ぎないと感じるかもしれない。

わかりやすい例を挙げてみよう。

たとえばレストランで食事をしていたとする。一緒に食事をしている友達がふいに身を乗りだして、囁いた。向かいのテーブルにレディー・ガガがいる、と。

あなたは自分の目で確かめる前に、漠然とであれ、友達の話がどれぐらい信じられるか考えるはずだ。その際、まずは自分が知っていることを思い浮かべる。レストランのランク、ロサンゼルスのマリブにあるレディー・ガガの家からの距離、友人の視力などだ。また、その気になれば、信用できるかどうかを数値で表わすこともできる。確率と言ってもいい。

そうしてふりむいて、問題の女性を見ると同時に、無意識のうちに、目の前にある証拠の断片それぞれを使って、友人の仮説の信頼度を見直すことになる。プラチナブロンドの髪は、レディー・ガガに対するイメージと一致するから、信頼度が上がる。だが、ボディーガードもなしにひとりでテーブルについているという事実で、信頼度が下がる。つまり、観察結果ひとつひとつが、総合的な評価に加味されるわけだ。

わかりやすく言えば、これがベイズの定理ということになる。証拠に基づいて、予測の信頼度を検討する系統的な方法だ[30]。考慮している説について、一〇〇％の確信は持てないが、手元にある情報から最善の予測を立てる。そんなふうにして、向かいのテーブルに着いている女性が肉でできたドレスを着ていたら、そういうドレスを選ぶのは、レディー・ガガ以外にはほぼいないので、信頼度は一気に上がり、レストランにいるのは正真正銘のレディー・ガガだと判断することになる。

だが、ベイズの定理は単に人間が判断を下すための方程式ではない。それよりはるかに重要だ。『異端の統計学ベイズ』（冨永星訳、草思社文庫）の著者シャロン・バーチュ・マグレインに言わせれば、〝客観性や正確性を何よりも重んじる現代科学に、ベイズは反している[31]〟。信頼度を測る方法をベイズが考案してくれたおかげで、不充分な観察結果や、乱雑で不完全で大ざっぱなデータ、さらには、無知からも、理にかなった結論を導きだせるようになった。

ベイズの定理は人の直感が当たっていることを確かめるためだけに存在するわけではない。何かに対する信頼度を定量化すると、直感に反した結論が導きだされることもめずらしくない。3章「正義とアルゴリズム」で取りあげた、女性より男性のほうが殺人者にまちがえられやすいといったことの原因も、ベイズの定理で説明がつく。さらには、乳がんという診断が下っても、検査のエラーのレベルによっては、がんではないかもしれない理由も、やはりベイズの定理で説明がつく（4章「医療とアルゴリズム」を参照）。科学のあらゆる分野で、ベイズの定理は人がすでに知っていることを抽出して、理解するための強力なツールになっている。

とはいえ、ベイズの定理が真価を発揮するのは、複数の仮説を同時に考慮するときだ。たとえば、いくつもの症状をもとに病気の原因を突き止めようとするとき（＊）や、センサーの結果をもとに自動運転車の位置を知ろうとするときである。理論上は、どんな病気も、地図上のどんな場所も、その中にある真実を表わしている。だから、証拠を照らしあわせて、どれがもっとも正解に近いのかを判断するのが重要だ。

その点では、自動運転車の位置を突き止めるのは、ベイズの定理に名を残すトーマス・ベイズ――イギリスの長老派の牧師で、優秀な数学者だった――を手こずらせたある問題によく似ている。一七〇〇年代半ば、ベイズはその問題を証明するために考案したゲームについて、小論の中で詳しく解説している[32]。

あなたは四角いテーブルを背にして座っている。あなたが見えないところで、私はテーブルの上に赤いボールをひとつ落とす。あなたはそのボールがどこに落ちたのか当てなければならない。なんのヒントもなくては、そう簡単には当てられない。テーブルのどこに落ちたのか、知りようがないのだから。

＊4章で取りあげたIBMのワトソンは、ベイズ推定をフルに活用している。https://www.ibm.com/developerworks/library/os-ind-Watson/ を参照。

そこで、ヒントとして、私はそのテーブルに違う色のボールをひとつ落とす。あなたがするべきことはやはり、ひとつ目の赤いボールが落ちた場所を当てることだ。だが、今度はひとつ目のボールの位置をもとにして、ふたつ目のボールがどこに落ちたのか教えてもらえる。ふたつ目のボールが赤いボールの手前にあるのか、向こう側にあるのか、左にあるのか、右にあるのかといったことを。その結果、あなたはなんとなく赤いボールの位置が予測できるようになる。それが何度も繰り返される。私は三つ目、四つ目、五つ目とテーブルの上にボールを落とし、そのたびに赤いボールを基準にして、それぞれのボールがどこにあるのかをあなたに教える。私がボールを落とせば落とすほど、あなたはより多くの情報を得て、赤いボールの位置を明確に思い描けるようになる。ピンポイントでここことは言えなくても、可能性は絞られ、最後にはほぼ確信できる答えにたどり着く。

ある意味で、自動運転車の正確な位置は、赤いボールの位置に似ている。テーブルを背にして座っている人が、自動運転車が今どこにいるのかを正確に突き止めようとしているアルゴリズムだ。テーブルにいくつものボールを落とす人が、ＧＰＳや慣性計測装置（ＩＭＵ）などの情報源となる。そういった情報源はどれも、車の位置を明確にアルゴリズムに伝えることはないが、それぞれが少しずつ情報を提供し、アルゴリズムはそれを利用して、確信度を高めていく。それは確率推論と呼ばれる方法で、データとベイズの定理を使って、正確な位置を予測する。これもまた、機械学習アルゴリズムの一種だ。

二〇〇〇年代に入る頃には、エンジニアは巡航ミサイルや宇宙船、航空機などで充分な経験を積み、位置問題にどう取り組めばいいのかを理解した。それでも、自動運転車の〝自分はどこにいるのか？〟という問題を解決するのは容易ではなかったが、ベイズの定理をヒントに、どうにか答えにたどり着いた。

ロボットの墓場と化した二〇〇四年のグランド・チャレンジと、二〇〇五年のレース――最新科学の粋を集めた五台の自動運転車が人の手を借りずに二〇〇キロ以上を走破した――のあいだに起きた科学技術の飛躍的な進歩は、ベイズの定理のおかげと言ってもいい。その定理を応用したアルゴリズムによって、〝周囲に何があるのか？〟〝どうすればいいのか？〟という問題が解決したのだ（＊）。

自動運転車は歩行者を轢いてでも、乗っている人を救うのか？

さて、自動運転車にまつわるもうひとつの問題を考えてみよう。二〇一六年の初秋、ある意味でタブー視されていた問題が、パリの華やかなモーターショーの会場で取りあげられると、メルセデス・ベンツの担当者が異例ともいえる発言をした。その会社の運転支援システムと予防安全（アクティブセーフティ）の責任者クリストフ・フォン・フーゴーは、自動運転のメルセデス・ベンツは衝突事故にどう対処するのかと質問された。

「少なくともひとりは救えるとわかれば、そのひとりを確実に助ける」というのがその答えだった[33]。

＊二〇〇五年のレースで優勝したのは、スタンフォード大学のチームが開発した自動運転車だ。スタンフォード大学の数学者パーシ・ダイアコニスは、「その車はネジ一本まで、すべてがベイズの定理だ」と言った。

当たり障りのない回答だ。新聞に大きく取りあげられることはないだろう。

とはいえ、フーゴーはいわゆる昔ながらの衝突事故での対処法を尋ねられたわけではなかった。一九六〇年代から用いられてきた特殊な状況での事故を題材にした、思考実験の答えを迫られたも同然だった。ふたつの悪のどちらかを選ぶしかないという、興味深くも難解な問題をぶつけられたのだ。それは、その思考実験に用いられた制御不能の路面電車(トローリー)にちなんでトロリー問題、またはトロッコ問題と呼ばれている。それを自動運転車にあてはめると、以下のようになる。

何年か先の未来、あなたが乗った自動運転車は、都会の通りを快適に走っている。そのとき、前方の信号が赤に変わった。ところが、車が故障して、ブレーキがかからない。もはや衝突事故は避けられないが、その自動運転車には選択肢がふたつある。道からそれてコンクリートの塀に突っ込んで、あなたを死に至らしめるか、あるいは、そのまま直進して、あなたの命を救い、その代わりに、道を渡ろうとしている歩行者を轢き殺すか。自動運転車をどちらに設定しておくのが正しいのだろう? 誰の命を奪うべきか、どうやって決めればいいのか?

一〇〇〇人いれば一〇〇〇通りの意見があるはずだ。できるだけ多くの命を救うべきだと言う人もいるだろうし、〝汝、殺すなかれ〟という教えにしたがって、車に乗っている人に運命を受け入れてもらうと言う人もいるはずだ(*)。

フーゴーはメルセデス・ベンツ社の見解を明らかにした。「車に乗っている人を助けます。もし、その人の命を確実に救えるのであれば、それが最優先されます」

そのインタビューから数日間、インターネットにはメルセデス・ベンツの見解を非難する記事があふれかえった。〝その会社の車は、ヨーロッパの高級車を運転する金持ちがいかにもやりそうなことをする[34]〟という記事が書かれた。その夏の『サイエンス』誌に掲載された調査[35]では回答者の七六%が、自動運転車には車に乗っている人を犠牲にしてでも、できるだけ多くの命を救うモラルが必要だと答えた。メルセデス・ベンツの見解は世論とは真逆だったわけだ。

だが、本当にそうなのだろうか? 同じ調査で、そういった事故で搭乗者を犠牲にする自動運転車を実際に購入したら、どう考えるかという質問もした。すると誰もがふいに、大義のために自分の命を差しだすのを渋りだした。

これは意見が分かれるむずかしい問題で、どれが正解なのかはわからない。思考実験として、科学技術関連の記者や多くのジャーナリストが好んで取りあげる問題だが、私が話を聞いた自動運転車の専門家は一様に、トロッコ問題という言葉を聞いたとたんにうんざりした顔をした。それでも、私としては興味津々だ。ひじょうにわかりやすい例だから、自動運転車に関する重大な事実に気づけると同時に、自分の命や自分以外の人の命にかかわる重要な判断をアルゴリズムに任せていいものか、真剣に考えさせられる。ほぼすべてのアルゴリズムには、影響力、予測、コントロール、責任にまつわる根本的な問題がある。さらに、人がテクノロジーに合わせるのではなく、テクノロジーを人に適合させられるのかという問題もある。だが、そういっ

*『ニューヨーク・タイムズ』やイギリスの『メール・オン・サンデー』をはじめとする各新聞社は、さまざまなケースを想定して記事を書いた。歩行者が九〇歳のおばあさんだったら? 小さな子供だったら? 車に乗っているのがノーベル賞の受賞者だったら? いずれにしても、根底には倫理的ジレンマがある。

た問題に対する自動運転車業界の反応が鈍い理由もよくわかる。誰よりもその業界の人たちが、トロッコ問題に真剣に向き合わざるを得なくなるのは、まだまだ先の話だと知っているのだ。

機械は交通ルールを破れるか

ＤＡＲＰＡのグランド・チャレンジ・レース以降、ベイズの定理と確率の力によって、自動運転車は飛躍的に進歩した。オックスフォード大学のロボット工学の教授で、オックスボティカの共同創設者でもあるポール・ニューマンに話を聞く機会があった。オックスボティカは自動運転車を作り、道路で走行テストをおこなっているイギリスの会社だ。私が最新の自動運転車の現状を尋ねると、ニューマンはこんなふうに答えた。「数え切れないほどのソースコードを書いたが、すべては確率的推論だ。それしかない」[36]

ベイズ推定によって、自動運転車がどのぐらい実現可能なのかが明らかになり、同時に、人がまったく介入しない完全な自動運転が、ひじょうにむずかしいことも明らかになった。

ポール・ニューマンは「道路を高速で走っていて、対向車も高速で近づいてきたとする」と例を挙げて説明してくれた。ゆるやかにカーブする主要幹線道路を、二台の車が別々の方向から走ってくる、そんな状況だ。人間が運転していればなんてことはない。対向車はそのまま対向車線を走って、数メートルわきを安全に通り過ぎていくのだから。「だが、傍目(はため)には、けっこう長いあいだ正面衝突するかのように見える」とニューマンは説明した。そういった状況で、自動運転車に焦らなくても大丈夫だと、どうやって教えるのか？ 起きることのない衝突事故を回避するために、急ハンドルを切ってもらっては困る。だが、それと同じぐらい、本当に衝突しそうなときに、のんびりされていても困る。ここで重要になってくるのは、自動運転車は何をするべきかについて、それまでの知識に基づいた推測しかできないことだ。新たな状況に直面したときに、正しく推測をさせるにはどうすればいいのか？「それこそが大きな問題だ」とニューマンは言う。

それは長年、専門家が頭を悩ませてきた問題だが、解決策はある。モデルの中に、健全な人間の運転手が取るはずの行動を組み込むのだ。といっても、残念ながら、それとは微妙にちがった事柄になると、その手は使えない。

ニューマンによると、「自動運転に関する大きな問題は、運転技術とは関係のない部分」とのことだ。たとえば、アイスクリーム販売車が流す音楽が聞こえたときや、歩道でボール遊びをしている子供たちのそばを通り過ぎるときには、特に注意が必要なのをアルゴリズムに教えること。あるいは、ふいに飛びだしてくるカンガルーに気づくこと。それに関してボルボは苦労しているらしい[37]。イギリスのサリー州の田舎町では、そういうことはまず問題にはならないが、自動運転車をオーストラリアで走らせるには不可欠な性能だ。

さらにむずかしいのは、ときには交通ルールを破らなければならないのを、どうやって車に教えるかだ。赤信号で停まっているときに、誰かが車の前にやってきて、もう少し前に出るように合図を送ってきたら？　救急車が狭い道を通ろうとしていて、救急車を通すためには、車を歩道に乗りあげなければならないとしたら？　田舎道でタンクローリーが運転操作を誤って、道をふさぎ、それに巻き込まれないように、逃げなければならないとしたら？

「そういった状況は、交通ルールには書かれていない」とニューマンは言う。それでも、本物の自動運転車が人間の手をいっさい煩わせないためのものなら、不測の事態を切り抜ける術を熟知しておいてもらわなければならない。たとえ、突発的な事態であろうと。

それは絶対に克服できない問題とまでは言わない。「機械が到達できない知能レベルは存在しない。問題はいつ到達するかだ」とニューマンは言う。

残念ながら、その答えは〝まもなく〟ではないはずだ。誰もが待ち望んでいる夢の自動運転車は、予想よりはるか遠い未来のことになりそうだ。

SF映画に出てくるようなどこにでも行けて、なんでもできて、人がハンドルを握る必要がまったくない自動運転車を作りあげるには、まだ山ほどの問題が残されている。それは技術的なことばかりではない。完全な自動運転車は人が抱える厄介な問題にも対処しなければならないのだ。

ユニバーシティ・カレッジ・ロンドンの社会学者で、テクノロジーの社会への影響を研究しているジャック・スティルゴーは、「人は気まぐれだ。座ってじっとしているだけではなく、気の向くままにいろいろなことをする」[38]と言った。

もしも、この世に完全な自動運転車があったら、その車に搭載されているアルゴリズムの第一のルールは、できるかぎり衝突を回避することだ。そして、それは道路の状況で変化する。もし人が自動運転車の前に立ったら、その車は止まらなければならない。もし人が交差点でその車の前からどいたら、自動運転車はそれにしたがって行動しなければならない。

二〇一六年のロンドン・スクール・オブ・エコノミクスのフォーカスグループのひとりは、「そんな車はいいカモだ。すぐに停まってくれるんだから、やりたい放題だ」と言った。要するに、そういう車は人にいじめられると言いたいらしい。

スティルゴーの意見もそのとおりだった。「自転車に乗った人とか、これまではどちらかというと肩身が狭い思いをしていた人たちが、自動運転車の前を悠々と走るようになるかもしれない。そういう車は絶対に危険なことはしないとわかっているんだから」

こういった問題が起きないようにするには、自転車に乗っている人や歩いている人がその立場を悪用したときに処罰できるように、厳しい規則を作ることだ。もちろん、そういったことはこれまでにもおこなわれている。歩行者の信号無視がそれだ。あるいは、道路から車以外のものを排除するという手もある。車の登場とともに採用された方法だ。だから、高速道路では自転車や馬や荷馬車や馬車を見かけない。

完全な自動運転車を望むなら、似たようなことをせざるを得なくなる。乱暴な運転手、アイスクリーム販売の軽トラック、道で遊ぶ子供たち、道路工事の標識、ルールを無視する歩行者、緊急車両、自転車、電動シニアカーなど、自動運転車を邪魔するものすべてを規制することになるかもしれない。それが可能だとしても、こうなると、私たちが思い描いている自動運転車の世界とはだいぶ趣が異なってくる。

「この話は、自動運転車が世界を一変させるというものではない」とスティルゴーは私に言った。「現在の社会を保ちながら、ロボットに人間と同じぐらい上手に運転させて、やがて人間よりうまく運転するようになるという話だ。そして、個人的にはそれすらも怪しいと思っている」

だが、この話を聞いて、疑問に思う人もいるはずだ。その問題はもう解決しているのではないか？　グーグルの自動運転車ウェイモが、すでに何百キロも走っているではないか？　完全な自動運転車（あるいは、少なくとも完全な自動運転にかぎりなく近い）ウェイモが、実際にアリゾナ州フェニックスの道路を走りまわっているではないか？

たしかに、そのとおりだ。それはまぎれもない事実だ。だが、どの道路もすべて同じように作られているわけではない。走りやすくて、空想にふけりながらでも運転できる道もあれば、かなり高度な運転技術を要する道もある。この本を書いている時点で、ウェイモはどこにでも行けるわけではない。走ってもいいのは、前もって設定された「ジオフェンス」（仮想の境界線で囲まれたエリア）だけだ。また、ダイムラー社とフォード社の自動運転車も、それぞれ二〇二〇年と二〇二一年までに道路を走る予定（訳注：報道ではダイムラー社は二〇二〇年には公道テスト段階、フォード社はサービス開始を二〇二二年に延期すると発表した）だが、そういった車は、あらかじめ設定しておいた区域での配車サービスに使われる。それによって、自動運転車の問題点がずいぶん減る。

ポール・ニューマンはそれがまさに、実現可能な未来の自動運転車だと考えている。「自動運転車は学習済みの地域だけを走るようになる。そういった車の所有者が、自信を持って走らせることができる場所だけで。それはたぶん都市の一部になるだろう。人里離れた特殊な道や、牛がのんびりと横切るような田舎道ではない。もしかしたら、自動運転車が走るのは、一日のうちの限られた時間で、なおかつ、天気が安定しているときだけになるかもしれない。また、タクシーなどの輸送サービスとして稼働することになるだろう」

それでは完全な自動運転とは言えない。ジャック・スティルゴーも妥協を余儀なくされた。「自動運転システムのように見えるものは、実は、さも自動運転しているかのように見せかけているシステムだ」

私たちが思い描いている未来の自動運転車は、光による錯覚のようなものだ。贅沢なお抱え運転手つきの車というのは蜃気楼で、現実は、地元限定のミニバスに近い。

それでもまだ納得できない読者のために、アメリカ最大の車専門誌『カー・アンド・ドライバー』の記事を引用しよう。

> 運転手のいない車が通りを行き交い、交通事故もない未来の理想郷——そんな世界がいますぐに、いや、数十年後にやってくると信じている自動車会社はない。それでも、自動車会社は経済界から注目を浴び、また、昨今、急激に増えている運転に関心がない人々の想像力をかきたてたいと思っている。そうして、最新の高性能な運転支援技術を駆使した車を、できるだけたくさん売るつもりでいる。[39]

ところで、運転支援技術とはどんなものなのだろう？　考えてみれば、自動運転車は完全な自動運転でなければならないというわけではないのだ。

自動運転技術は0から5まで、六つのレベルに分かれている。自動運転技術がまったく使われていないのがレベル0で、夢の完全自動運転車がレベル5だ。レベル2にあたるのがクルーズコントロール、レベル4は仮想的な境界線（ジオフェンス）に囲まれたエリア内での自律走行車だ。より具体的に言うなら、足を離していられるのがレベル1、手を離していられるのがレベル2、目を離していられるのがレベル3、何も考えずにいられるのがレベル4となる。

そう考えると、一足飛びにレベル５に達するのは無理な話で、レベル４も簡単には実現しそうにない。それでも、その手前にさまざまな自動化が存在する。個人が使う車では、そういったレベルを徐々に引きあげていくのが妥当だろう。とりあえず運転手がハンドルとブレーキペダルのついた運転席に座って、人の手が必要になったときだけ、運転を引き継ぐ——そういう車を作るのが良さそうだ。科学技術がさらに進歩するまでは、それでいいのでは？

残念ながら、そう単純な話ではない。自動運転には最後にもうひとつ意外な落とし穴がある。まだまだ問題は山積みだ。完全な自動運転の前に立ちはだかる、避けようのない難題があるのだ。

未熟なパイロット

エールフランス航空のパイロットのあいだで、ピエール・セドリック・ボナンは〝わが社の青二才〟と呼ばれていた[40]。ボナンは二六歳のときに、飛行操縦時間わずか数百時間でその航空会社に入り、エアバスのパイロットの一員として操縦技術を身に付けた。運命のフライトとなったエールフランス447便に乗りこんだときには三二歳になっていて、二九三六時間という充分な飛行経験を積んでいた。それでも、その便の三人のパイロットの中では未熟なひよっこだった[41]。

にもかかわらず、二〇〇九年五月三一日、ブラジルのリオデジャネイロの国際空港からパリへと向かうその便が飛び立つ際に、操縦席についたのはボナンだった[42]。

機種はエアバスＡ３３０。最新鋭の民間航空機だ。最新技術の自動操縦システムを搭載して、離陸と着陸時以外は、人の手を煩わせることなく空を飛ぶ。さらに、パイロットが操縦しているときにも、人為的ミスを最小限に留めるためのさまざまな安全装置がついていた。

だが、あらゆる問題を安全に処理する自動化システムの裏には、目に見えない危険が潜んでいる。万が一のときだけにパイロットが操縦するとなると、そもそものシステムを操作するのに必要なスキルを維持できなくなる。予期せぬ緊急事態に対応できるだけの経験が積めないのだ。

それがまさに、エールフランス447便で起きたことだった。ボナンはエアバスのコックピットで数千時間を過ごしていたが、A330を実際に操縦したことはあまりなかった。ボナンがパイロットとしてやっていることはほぼ、自動システムを監視することだけだ。そんなことから、運命の夜のフライトで自動操縦が解除されたとき、安全に飛行機を飛ばすにはどうすればいいのかわからなかった[43]。

トラブルの発端は、機体に組み込まれた飛行速度を測るセンサーに着氷したことだった。正しい速度が測れなくなったため、操縦室内の自動操縦装置の警報が鳴り、パイロットが操縦することになった。それ自体は特にめずらしいことではない。だが、飛行機がちょっとした乱気流に突入すると、不慣れなボナンは焦った。機体が徐々に右に傾いていく。ボナンはサイドスティックを握り、左に倒した。同時に、スティックを引いて、機体を急上昇させた[44]。

上昇しても、ボナンはサイドスティックを引きつづけ、機首が上がりすぎた飛行機は、翼の上を空気がなめらかに流れなくなった。翼が空気の流れを遮り、飛行機は上昇できずに急降下しはじめた。機首を上に向けたまま、空から落ちていった。

コックピットで警報が鳴り響き、休憩中だった機長があわてて戻ってきた。飛行機は分速一万フィートで海に向かって、急降下していた。

すでに着氷は溶けて、計測器は復活していた。海はまだはるか下で、かろうじて機体を立て直す時間は残されていた。ボナンと交代要員のもうひとりの操縦士で、一〇〜一五秒以内には飛行機に乗っている者全員の命を救えるはずだった。スティックを前に倒し、機首を下げて、翼がまたなめらかに空気を切るようにすればいい[45]。

だが、パニックを起こしたボナンはサイドスティックを引きつづけた。ボナンのせいでこんな事態に陥っているとは、誰も気づいていなかった。貴重な数秒が過ぎた。機長は翼を水平に戻すよう指示した。飛行機が上昇しているのか、下降しているのかもわからず、あわてて話し合った。そうして、海面まで八〇〇〇フィートのところで、交代要員のパイロットが操縦を代わった[46]。

「上がれ……上がれ……上がれ……」そのパイロットは叫んだ。

「だけど、スティックをずっと引いてますよ！」とボナンが答えた。

そこで機長はようやく事態を把握した。飛行機が三分以上落下しつづけていたことに気づいて、機首を下げろと命じた。だが、ときすでに遅し。海に近づきすぎていた。ボナンが叫んだ。

「なんで！　墜落する。ありえない[47]」。次の瞬間、飛行機は大西洋に墜落し、乗員乗客合わせて二二八人全員が死亡した。

自動運転の矛盾

エールフランス航空の事故よりさかのぼること二六年、一九八三年に心理学者のリサン・ベインブリッジは自動化システムに頼り過ぎた場合のリスクを、独創的な論文にまとめた[48]。人の能力を向上させるための機械を作ると、皮肉にも、人は無能になる、とベインブリッジは説いている。

現代人なら誰でも、似たような経験があるはずだ。電話番号を覚えられなくなったのもそのせいだ。自分の手書きの文字さえ読めない人が増えたのもそのせいだ。カーナビや地図アプリがないとどこにも行けない人が大勢いる。人のためになんでもしてくれるテクノロジーのせいで、人は能力を伸ばす機会を失っている。

自動運転車でも同じようなことが起きるはずだ。それは手書きの文字が読めないことより、はるかに由々しき事態だ。完璧な自動運転車が完成しないかぎり、自動運転車はいきなり人に運転を代わってくれと要求してくるはずだ。そんなときに、人は瞬時に何をどうすべきか思いつくだろうか？　いや、未来の一〇代のドライバーはそもそも、万が一のときに必要な運転技術を身に付けておけるのか？

たとえすべてのドライバーが運転技術を錆びつかせずにいられたとしても(＊)、それでもやはり問題がある。それは、自動運転が停止する前の人間のドライバーの行動にかかっている。ドライバーはふたつの行動のうちいずれかを選ばされる。ただし、ベインブリッジの言葉を借りれば、どちらも心躍るものではない。

＊練習不足の問題を解決するためにできることはある。たとえば、エールフランス航空では事故をきっかけに、新人パイロットは自動操縦が解除されたときに自ら操縦する訓練を重点的に行っている。また、すべてのパイロットが操縦技術を維持できるように、定期的に自動操縦を解除している。

レベル2の〝手を離していられる〟自動運転車の場合、運転席に座っている人はつねに道路に細心の注意を払わなければならない[49]。車に頼り切るのは無謀だから、きちんと監視するのだ。『ワイアード』誌は、この状況を〝よちよち歩きの赤ん坊に料理を運ばせるようなもの〟と表現した[50]。

本書を書いている時点で、テスラの自動運転車はこのレベルだ[51]。夢のクルーズコントロールによって、高速道路ではハンドルとブレーキとアクセル操作が自動でおこなわれるが、ドライバーはつねに目も気も配って、いつでも運転を代われるようにしていなければならない。ドライバーがうっかりしないように、一定時間ハンドルから手が離れるとアラームが鳴る。

だが、ベインブリッジの論文にあるとおり、その方法はうまくいかない。人はつねに警戒していられるものではないのだ。〝たとえ意識が高い人であっても、ほとんど何も起こらないものに対して、三〇分以上集中しつづけるのは不可能だ[52]〟

テスラが求める〝道路に細心の注意を払う〟作業には、多くの人が苦しんでいる。二〇一六年、テスラの運転席に座っていたジョシュア・ブラウンは、三七分三〇秒間自動運転モードを使ったところで、車線を横切ろうとしたトラックに衝突して、死亡した。全米高速道路交通安全委員会の調査によると、事故の際、ブラウンは道路を見ていなかった[53]。その事故は世界中で報道された。にもかかわらず、多くの無鉄砲なユーチューバーが、いかにも道路に目を配っているかのように自動運転車を欺く方法を動画にしている。レッドブルの缶をハンドルにテープで留めたり[54]、オレンジをハンドルの隙間に差しこんだり[55]すれば、ドライバーに自身の責任を思いださせる厄介なアラームを止められるらしい。

同じような例は他にもある。ウーバーの自動運転車は二〇キロごとに人の介入を必要とする[56]が、ドライバーの集中力はなかなか続かない。二〇一八年三月一八日、ウーバーの自動運転車がひとりの歩行者を撥ねた。ドライブレコーダーには、運転席に座っている〝人間のモニター〟が事故のときに脇見をしている姿が映っていた[57]。

それは由々しき問題だが、選択肢はもうひとつある。自動車会社が人は人であることを受け入れて、人がぼんやりするのはしかたがないと理解することだ。なんと言っても、運転中に本を読めるのが、自動運転車のウリのひとつなのだから。それがレベル2の〝手を離せる〟と、レベル3の〝目を離せる〟の大きな違いだ。

レベル2に比べて、レベル3に到達するのははるかにむずかしい。それでも、いくつかの自動車会社はすでに、人間の不注意に対処してくれる車を作ろうとしている。アウディの「トラフィック・ジャム・パイロット」機能もそのひとつだ[58]。高速道路などで比較的低速で走っているときに、自動運転ができるというものである。運転席に座っている人はハンドルから手を放したままでドライブを楽しめる。何か起きたときにだけ、すぐに運転操作ができるようにしておけばいいのだ(＊)。

＊トラフィック・ジャム・パイロットが装備されたアウディのようなレベル3の車は、部分的な自動運転から一歩進んで、いくつかの状況下で条件さえ合えば、運転を代わってくれる。条件に合わないことが起きた場合に備えて、ドライバーはいつでも運転できる態勢でいなければならないが、道路と車をつねに見張っている必要はない。このレベルは、たとえるならば、一〇代の子供に皿洗いをさせるようなものだ。

アウディが高速道路などの特定の道路で、ゆっくり走行しているときにだけそのシステムを使えるようにしたのには、理由がある。渋滞した自動車専用道路なら大事故のリスクは低い。これは特に重要だ。なぜなら、人が道路の監視をやめると、緊急時に最悪な事態が重なってしまうからだ。

運転席に座っている人が道路を見ていないときに緊急事態に陥ると、すべての状況を把握して、どうするべきかを判断する時間はほとんどない。たとえば、自動運転車に乗っていて、警報が鳴り、読んでいた本から顔を上げると、前を走っているトラックの積荷が落ちるのが見えたとする。その場合、一瞬で周囲の情報すべてを把握して、分析することになる。左車線にはバイクがいて、前のトラックは急ブレーキをかけていて、右側の死角には車がいるといった状況すべてをだ。いつにもまして周囲の状況を把握しておかなければならないはずなのに、何もわかっていない。さらに、練習不足のせいで、危機的状況を脱するために必要な運転技術もない。

そういったことは、自動運転車のシミュレーション実験でも裏づけられている。ある研究によると、自動運転車に運転を任せて、本を読むか、携帯電話でゲームをしていた場合、警報が鳴ってから、人が車をきちんと制御できるようになるまで四〇秒かかる[59]。それがまさに、エールフランス447便の墜落事故の原因だ。普段なら易々と飛行機を立て直せたはずのデュボア機長は、状況を把握して、単純なはずの解決策を思いつくまでに、約一分という長すぎる時間を要してしまったのだ[60]。

皮肉にも、自動運転技術が高性能になればなるほど、こういった問題は悪化する。一五分おきに警報が鳴る愚鈍な自動運転装置であれば、ドライバーはつねに気を張っていて、しょっちゅう運転を引き継ぐから、運転技術が錆びつくこともない。人がきちんと監視しなければならないのはむしろ、大いに頼りになりそうな高性能な最新の自動運転システムのほうなのだ。

それに関して、トヨタ・リサーチ・インスティテュートのCEOギル・プラットはこんなふうに言う。

三〇万キロに一度だけ、運転手の手助けを必要とする車はむしろ危険だ……走行距離一五万キロで新車に買い換える人は、自動運転車から運転を譲られることがない。だが、たまに、たとえば二台の車を買い換えるあいだに一度ぐらいは、いきなり「ピー、ピー、ピー。運転を代わってください！」と警報が鳴りだす。すると、何年もそんなことを言われずに過ごしてきた人は、心の準備ができていない。[61]

何を期待すべきなのか？

さまざまな問題はあるが、それでもやはり自動運転車の開発を進めるべきだ。なぜなら、欠陥よりも利点のほうが多いからだ。世界のあらゆる国で、自動車事故は、本来なら防げたはずの死の最大の原因になっている。科学技術を駆使して、交通事故を少しでも減らせるのなら、そういった技術を追求しないのはもったいない。

利点はほかにもある。補助的な自動運転システムでも燃費が上がり、[62] 渋滞が緩和される。[63] それに、正直に言えば、時速一〇〇キロを超えるスピードで走っているときに、たとえ一瞬でもハンドルから手を放していられるのは、どう考えてもすばらしい。

だが、ベインブリッジの指摘を改めて考えてみるなら、そういった利点こそが、現在の自動運転技術を現実にどうあてはめるかという問題のヒントになる。

たとえば、自動運転の車をいち早く販売した自動車会社テスラ。その自動運転システムが有益なのはまちがいない。それを使ったほうがより安全であることは、インターネットで公開されている前方衝突警報（FCW）システムの動画を見れば一目瞭然だ。そのシステムは運転手より先に危険を察知し、警報を鳴らして、衝突事故を回避する[64]。

だが、前方駐車センサーと高性能のクルーズコントロールが装備されたその車が実際にできることと、それを説明するための言葉が噛み合っていないように思える。たとえば、二〇一六年一〇月、テスラは〝全車に全自動運転装置を搭載する〟と発表した（＊）。技術系ニュースサイト『ザ・ヴァージ』の記事によると、テスラのCEOイーロン・マスクは「これを機に、テスラの車では完全な自動運転が標準になる[65]」と言った。そこで使われている〝完全な自動運転〟という言葉は、現時点での自動運転車を運転する前にドライバーが目を通しておかなければならない注意事項と明らかに食い違う。注意事項には〝車の操作の責任は依然としてドライバーにある〟と書かれている[66]。

期待は大切だ。批判を覚悟で言わせてもらえば、世界に名だたる大企業が誤解を招くような言葉を使う以上、車のハンドルにオレンジを差しこむ人や、さらには、怪しげなサイトで〝自動運転車の警告システムを解除するアダプター〟を売る人（＊＊）が出てくるのも、いたしかたないかもしれない。

断わっておくが、そういうことをやっている会社はテスラだけではない。ありとあらゆる会社が、客の心をくすぐって商品を買わせようとしている。けれど、今よりもっと魅力的になれると期待して香水を買うのと、完全な自動運転で自分の身を守れると期待して車を買うのは、天と地ほどもちがっている。

販売戦略は別として、自動運転車は多くの人から誤解されているような気がしてならない。すでにおわかりのとおり、人は微妙なものを理解し、状況を分析し、経験を生かし、パターンを分類することに長けている。一方で、注意を払うことや、正確であること、一貫していること、周囲の状況すべてを把握することはひじょうに苦手だ。要するに、人はアルゴリズムとは正反対の能力を持っている。

ならば、医療分野での腫瘍を発見するアルゴリズムの例にしたがって、アルゴリズムに人間の能力を補ってもらいながら、双方の能力を高めればいい。完全な自動運転車ができるまでは、考え方を一八〇度変えて、すべてを任せられる車ではなく、運転手を補佐する自動運転システ

＊二〇一八年二月時点で〝完全な自動運転装置〟は有料オプションとして、車の購入時に装備されるが、完全な自動運転を可能にするソフトウェアは手に入らない。テスラのウェブサイトには〝上記の各機能の入手時期は不明〟と記されている。https://www.tesla.com/en_GB/blog/all-tesla-cars-being-produced-now-have-fullself-driving-hardware

＊＊〝自動運転の友（オートパイロット・バディー）〟と名づけられた実在の商品で、二四九ドルというバーゲン価格で誰でも買える。ただし、販売サイトに小さな文字で表示されている注意書きにもしっかり目を通すのをお忘れなく。〝オートパイロット・バディーは公道では使用しないでください〟 https://www.autopilotbuddy.com/

ムを目指すのだ。アンチロック・ブレーキ・システム（ABS）やトラクション・コントロール・システム（TCS）のような安全装置は、道路を油断なく見張り、人が見落としがちな危険を察知する。専属の運転手ではなく、ボディーガードになってもらうのだ。

それが、トヨタ・リサーチ・インスティテュートの考え方だ。その会社の車は二種類のモードを搭載している。〝専属運転手モード〟はアウディのトラフィック・ジャム・パイロットのように、渋滞中に運転を代わってくれる。〝ボディーガード・モード〟は、人が運転しているときにセーフティーネットとして裏で作動し[67]、万が一運転手が何かを見落としたときに、事故のリスクを減らしてくれる。

ボルボも同じような方法を採用している。ボルボXC90は前を走る車に近づきすぎると自動的に車のスピードが落ちる〝自動緊急ブレーキ・システム〟を装備し、安全な車として高く評価されている。イギリスでは二〇〇二年の販売開始以来、五万台以上が売れ、その車の運転手も同乗者もひとりとして事故で命を落としていない[68]。

話題に事欠かないさまざまな自動運転技術同様、この問題がどうなっていくのかは、じっくりと見守るしかない。だが、ひとつだけ確かなのは、自動運転車は車の世界以外にも使える知恵を授けてくれるということだ。どちらが主導権を握るかという厄介な問題についてだけでなく、アルゴリズムに何を期待するべきなのかという現実的な問題にも、その知恵が役に立つ。

人は考え方を少し改めるべきだ。車はいつでも完璧に作動するという思いこみを捨てる必要がある。車は壊れにくくなったとはいえ、当分のあいだ、アルゴリズムの故障はよくあることだと覚悟する。

エラーはつきもので、不確かさを受け入れるしかないと肝に銘じる。その上で、自動運転車には問題があるからこそ、その車を使う前に、どの程度のエラーなら使用に耐えられるのかを決めておくのだ。それは、あらゆる事柄に共通する大切な問題だ。どれだけ優れていれば充分なのか？　何かを計算できるアルゴリズムを作ったら、欠陥があっても使うのか？

CRIME

6章

犯罪とアルゴリズム

連続事件の地理プロファイリング、犯罪多発地域の予測。捜査アルゴリズムは時に警察官を圧倒する能力を発揮する。その反面、顔認証の誤認で無実の罪を着せられた人も。利益と不利益のバランスをどう保つべきなのか

Geoprofiling Algorithm

Predictive Policing

Facial Recognition

Strategic Subject List

一九九五年七月の暖かいある日、二二歳の女子大学生が本を抱えてリーズ図書館を出ると、自分の車へ向かった。丸一日を費やして論文を仕上げたところで、これから自由な夏を満喫するつもりだった。ところが、運転席に座ったところで、立体駐車場の中を誰かが駆けてくる足音がした。次の瞬間には、開いた窓から男の手が伸びてきて、喉にナイフが押しつけられた。男は女子大学生を後部座席に移動させると、縛り上げ、目が開かないように瞼に瞬間接着剤を塗った。そうして、運転席に乗りこむと、車を出した。

しばらくのちに、車は草深い土手で停まった。女子大学生にも、男がシートを倒す音が聞こえた。続いて、衣擦れの音がして、男が服を脱いでいるのがわかった。レイプされるのだ。女子大学生は力のかぎり抗って、両膝を胸に引きよせると、思い切り蹴りだして、男を仰向けに倒した。無我夢中で蹴って、もがくと、男が持っていたナイフで男の手が切れて、シートに血が滴った。男は女子大学生の顔を二度殴ると、車を出て、いなくなった。恐ろしい出来事から二時間後、女子大学生はリーズの町のグローブロードを歩いているところを発見された。取り乱し、髪はくしゃくしゃで、シャツは破れ、殴られた顔は赤く腫れ上がり、瞼は接着剤でくっついたままだった。(1)

見ず知らずの相手への性的暴行は稀なケースだが、そういった事件の多くは連続的な犯行であることが多い。この男も初めての犯行ではなかった。車に残された血痕を調べると、二年前に別の立体駐車場で起きたレイプ事件で採取されたサンプルとDNAが一致した。その事件は約一〇〇キロ南のノッティンガムで起きていた。『クライムウォッチ』というBBCの番組で情報提供を呼びかけたところ、一〇年前にブラッドフォード、リーズ、レスターで起きた三つの事件との関連が明らかになった。[2]

とはいえ、この種の連続レイプ犯を捜しだして、逮捕するのは簡単ではない。ましてや、犯行現場が七〇四六平方キロメートルという広範囲に及んでいればなおさらだ。犯人の可能性がある者は三万三六二八人もいて、全員から話を聞くなどして、ひとりひとり容疑者リストからはずしていかなければならなかった。[3]

大規模な捜査がおこなわれたが、それは今回が初めてではなかった。一〇年前のレイプ事件でもやはり大がかりな捜査がおこなわれた。一万四一五三軒の家を訪ねて、分泌物や髪の毛などあらゆる証拠を山のように集めたにもかかわらず、捜査が実を結ぶことはなかった。今回も同じ道をたどるかに思えたが、カナダの元警察官キム・ロスモと彼が新たに開発したアルゴリズムのおかげで、状況は一変した。[4]

ロスモには大胆な作戦があった。捜査で集められた膨大な数の証拠には目もくれなかった。ロスモのアルゴリズムはそういった証拠すべてを無視した。その代わり、あるひとつの要素に着目した。地理的な要素だ。

犯人は被害者を狙う場所を無作為に選んでいるわけではない、とロスモは言った。行き当たりばったりに選んでいるわけでもなければ、意識して決めているわけでもない。犯行現場はイギリス各地に散らばっているとはいえ、その地理的要因の裏に意図せぬパターンが隠れているにちがいない、とロスモは考えた。捜査に使える単純なパターンが。犯罪がおこなわれた場所から、犯人の居場所がわかると確信していた。ロスモのその持論を試すには、連続レイプ犯の事件はうってつけだった。

スプリンクラーのように絞り込め

犯人が無意識のうちに地理的パターンを形成すると考えたのは、ロスモが初めてではなかった。一八二〇年代、フランス司法省で働く法律家でアマチュアの統計学者でもあったアンドレ・ミシェル・ゲリーもそう考えた。そうして、ゲリーはフランス各地で起きたレイプ、殺人、強盗の記録を集めたのだった。[5]

そういった情報収集は、現代ではあたりまえだが、当時の数学と統計学は、ハードサイエンスだけに用いられ、方程式は物理の法則を解きあかすためのものだった。空を横切る惑星の軌跡をたどり、蒸気機関内の力を計算するといったことだ。ゆえに、それまで犯罪データを集めようとした者はひとりもいなかった。何を数えればいいのか、どうやって数えればいいのか、どのぐらいの頻度で数えるべきなのか、誰もわからなかったのだ。何よりも、当時の人々はそんなことをしてなんになるのかと思っていた。人は強く、自然からの影響を受けず、あくまでも自分の意思によって動きまわり、行動する。そのふるまいを些末な統計学でとらえられるはずがなかった。[6]

ところが、犯罪の全国調査に関するゲリーの分析は、そうではないことを表わしていた。フランスのどこであろうと、どんな犯罪がどんなふうに、そして、誰によって引き起こされたのかという点で、明確な規則性が見られた。犯罪に手を染めるのは、高齢者より若者のほうが多く、女性より男性が多く、裕福な者より貧しい者が多かった。まもなく、そういったパターンがときを経ても変わらないこともわかった。地方ごとに異なる犯罪統計があり、それは何年経ってもほぼ変わらなかった。強盗、レイプ、殺人の件数は毎年ほぼ変わらない。さらには、殺害方法も予測できた。つまり、ゲリーとその仲間が特定の地域に目をやれば、ある年にナイフ、剣、石、絞殺、溺死による殺人が何件起きるか、前もってわかるというわけだ(7)。

すべては犯人の気持ちの問題ではなかった。犯罪は行き当たりばったりに起きるわけではない。人の行動は予測できるのだ。そんなゲリーの発見から約二世紀が過ぎた頃、まさにその予測をキム・ロスモは用いようとしていた。

ゲリーは国と地域を基準に発見されたパターンに焦点を当てたが、個人を基準にしても地理的パターンを描いて罪を犯すことがわかった。多くの人同様、犯罪者も馴染みのある場所に留まることが多い。一定の地域で犯行に及ぶのだ。要するに、重大な犯罪であっても、犯人が住む場所の近くでおこなわれる可能性が高い。そして、犯行現場から離れれば離れるほど、犯人の家がある可能性は低くなる(8)。犯罪学ではそれを〝距離減衰〟と呼んでいる。

一方で、連続犯罪者は近所に住む人をターゲットにすることはあまりない。警察の目が自宅に向くのを避けるため、また、近所の人に気づかれないようにするためだ。ゆえに、犯人の家を取り囲む〝緩衝地帯〟ができる。その地域では犯行に及ぶ可能性はかなり低くなる(9)。

ふたつのカギとなるパターン——距離減衰と緩衝地帯——は、重大な犯罪がおこなわれた地図の中に隠れていて、それがロスモのアルゴリズムの核でもあった。ロスモは地図にピンを刺して犯行現場の印をつけると、あることに気づいた。ふたつの要素を数学的に計量すれば、犯人の家のおおよその見当がつく。

単発の犯行では、これはほとんど役に立たない。いくつもの情報がなければ、〝地理的プロファイリング・アルゴリズム〟でわかるのは、昔ながらの常識程度の事柄だ。だが、犯行が重ねられれば、輪郭が浮きあがってくる。地図上のひとつの地域に徐々に焦点が絞られて、犯人を突き止められるのだ。

ある意味で、連続犯罪者は芝生の上でくるくると回っているスプリンクラーに似ている。次の水滴がどこに落ちるのかを予測できないように、犯人が次にどこで犯行に及ぶかを予測するのはまず不可能だ。それでも、しばらく水がまかれて、多くの水滴が芝に落ちると、そのパターンからスプリンクラーがどこに設置されているのか簡単に見当がつく。

それが、「リンクス作戦」と名づけられ、連続レイプ事件の捜査に用いられたロスモのアルゴリズムだった。捜査チームは五つの犯行現場と、犯人が盗んだクレジットカードで酒や煙草やビデオゲームを買った店を知っていた。そういった場所をもとに、アルゴリズムは犯人が暮らしていそうな地域をふたつ割り出した。ミルガースとキリンベック。どちらもリーズの郊外だった[10]。

捜査本部ではもうひとつカギとなる証拠を入手していた。初期の犯行現場に残されていた犯人の指紋の一部だ。だが、それは小さすぎて、これまでに有罪判決を受けた犯罪者の指紋データと自動照合するシステムには使えず、専門家が拡大鏡越しに、地道にひとつひとつ照合していくしかなかった。その頃には、捜査を始めて約三年が経っていた。その間に、五つの警察署の一八〇人の警察官が、懸命の捜査をおこなったにもかかわらず、行き詰まりはじめていた。どの手がかりをたぐっても、袋小路にはまり込むだけだった。

警察官たちはアルゴリズムがはじき出したふたつの地域の記録にある指紋すべてを、手作業でチェックすることにした。まずはミルガース。だが、その地域の警察署のデータベースにある指紋を調べても、何も見つからなかった。続いて、キリンベック。その警察署の記録を九四〇時間かけてふるいにかけると、ついに、ある名前に行き当たった。クライブ・バーウェルだ。

バーウェルは四二歳。妻がいて、四人の子供を持つ父親で、何件かのレイプ事件のあいだに武装強盗で逮捕され、服役していた。その後、大型トラックの運転手になり、定期的にイギリス各地に行っていた。住まいはキリンベックにあり、ミルガースに住む母親をよく訪ねているらしい。アルゴリズムが割り出した場所と一致していた[11]。指紋の一部だけでは、決定的な証拠にはならなかったが、その後におこなわれたＤＮＡ検査で、おぞましい連続レイプ魔はバーウェルだと証明され、逮捕された。一九九九年一〇月、バーウェルは法廷で罪を認めた。裁判長は八回の終身刑、つまり、仮釈放のない終身刑を言い渡した[12]。

事件が解決すると、ロスモはアルゴリズムの性能を調べた。アルゴリズムはバーウェルが犯人であると特定したわけではないが、どの地域を捜査するべきか地図で示した。もし警察が最初からそのアルゴリズムを使っていれば、住んでいる場所をもとに容疑者を絞り込み、その後、指紋を調べて、ＤＮＡサンプルを採れたはずだ。そうすれば、なんの関係もない人たちをひとりひとり調べるような、骨の折れる作業はしなくて済む。実際に捜査をおこなった地域のわずか三％を調べただけで、クライブ・バーウェルを見つけていたはずだった。[13]

アルゴリズムがひじょうに有効なのはまちがいなかった。さらに、別の利点もあった。既存の容疑者リストを利用して、絞り込みをおこなうだけだから、3章に出てきたような偏見が入り込む余地はない。また、警察の的確な捜査結果より優先されることはなく、捜査をより効率的にするだけだ。ゆえに、人がそのアルゴリズムを過信しすぎることもまずない。

そればかりか、さまざまな用途に使える。リンクス作戦以降、そのアルゴリズムはアメリカＦＢＩや王立カナダ騎馬警察など、世界各国の三五〇以上の捜査機関で使われている。犯罪以外にも、そのアルゴリズムの予測が利用されている。エジプトではマラリアが発症している地域をもとに、蚊の繁殖地となる淀んだ水が溜まっている場所を突き止めるために使われている。[14] ユニバーシティ・カレッジ・ロンドンの博士課程に在籍する私の教え子は、このアルゴリズムを活用して、手製の爆発物が使われた場所をもとに、爆弾を作っている場所を予測した。また、ロンドンの数学者グループは、匿名の路上芸術家バンクシーを見つけだそうと、これまでにバンクシーの作品が発見された場所をもとに、アルゴリズムに予測させた。[15]

地理的プロファイリングが特に役立つ犯罪は、連続強姦や連続殺人、連続暴行などで、幸いにもさほど頻繁に起きるものではない。実のところ、クライブ・バーウェルの事件で使われたような、容疑者の特定方法が必要になるケースは稀だ。ある意味で特殊な事件以外で、アルゴリズムを有効活用するには、それとは異なる地理パターンが必要になる。ひとつの街全体を網羅するアルゴリズム。地域をパトロールする警察官がなんとなく感じとっている、通りや街角のパターンやリズムをとらえられるアルゴリズム。ジャック・メイプルが考案したのは、まさにそれだ。

未来図

一九八〇年代、ニューヨークの地下鉄に乗りたがる人はほとんどいなかった。地下鉄はひどい有様だった。落書きだらけで、車内に小便の匂いが立ちこめ、ホームには麻薬常習者と泥棒がたむろしていた。毎年、地下鉄での殺人事件が二〇件も起きて、世界一危険な場所と言われていた。

そんな時代に、警察官のジャック・メイプルは鉄道警察の警部補に昇格した。長年、鉄道警察官として働いてきたメイプルは、犯罪を防ぐのではなく、起きてしまった犯罪に対処するしかないことにうんざりしていた。だが、その思いが、すばらしいアイディアを生みだした。

一九九九年にインタビューに応じたメイプルは、「長さ一七メートル近い壁に、ニューヨークの地下鉄の駅すべての地図を貼りつけた」と話した。「そうして、クレヨンを使って、暴行、強盗、重窃盗が起きた場所に印をつけた。犯人が捕まった事件と未解決の事件の印もつけた」[16]

それは大したことではないように思えるかもしれない。だが、クレヨンで幾つもの印がつけられたメイプルの地図は、〝未来の図〟と呼ばれ、当時としては革新的だった。それまで、犯罪をそういう観点で見てみようとは、誰も思わなかったのだ。だが、ニューヨークという街で起きたさまざまな犯罪の全体像を眺めると、これまでとはまるでちがうものが見えた。

「なぜだろうと思った。ある犯罪がある場所で集中的に起きているのは、なぜだろう?」とメイプルは言った。当時、警察への通報はそれぞれ別個の事件として処理されていた。暴力的な麻薬の売人が角のあたりにたむろしていると通報しても、警察官が直行したとたんに売人は姿を消す。同じ売人たちがまたどこか別の場所に現われて、それが通報されたとしても、二件の通報を結びつける記録は残らないのだ。一方で、メイプルの地図は犯罪が慢性的に起きている場所を正確に示し、それをもとに原因究明に取りかかれた。「ここにはショッピングセンターがあるのだろうか？　だから、すりや強盗が多発するのか？　ここには学校があるのだろうか？　だから三時に事件が起きるのか？　近くに空き家があるのだろうか？　だから、その界隈でコカインの売買がおこなわれているのか？」[17]

そういった疑問の答えを見つけるのが、ニューヨークという街が抱える問題を解決するための第一歩だった。一九九〇年、ウィリアム・ブラットンがニューヨーク市地下鉄警察の部長になると、メイプルは自分が作った〝未来の図〟を見せた。寛容な上司の協力を得て、その地図をもとに、地下鉄を安全な場所に生まれ変わらせることにした[18]。

ブラットンにも秘策があった。物乞いをする者、立ち小便をする者、自動改札機を飛び越える者が、地下鉄にまつわる大きな問題だとブラットンは考えた。そこで、地下鉄での強盗や殺人などの重大犯罪ではなく、まずは軽犯罪を厳しく取り締まることにした。

そのやり方にはふたつの要素がある。第一に、犯罪が多発する場所で、ちょっとした反社会的な行為に対して厳しい態度で当たれば、どんな犯罪も許さないという強いメッセージになる。それによって、そういった行為を〝ごく普通のこと〟と受け止めている人々の意識が変わるかもしれない。第二に、無賃乗車をする者は、やがて重大な犯罪に手を染める確率がひときわ高い。無賃乗車の段階で逮捕すれば、重大な罪が減るはずだった。「無賃乗車を厳しく取り締まるのは、武装した犯罪者が地下鉄で引き起こす大惨事を未然に防ぐことでもある」と一九九一年に『ニューヨーク・ポスト』紙にブラットンは語った[19]。

作戦は成功した。取り締まりを強化するにつれて、地下鉄は安全な場所になっていった。一九九〇年から九一年にかけて、メイプルの地図とブラットンの作戦のおかげで、地下鉄での重罪は二七％減り、強盗件数は三分の一に減った[20]。

ニューヨーク市警察本部長に昇格したブラットンは、引き続き、メイプルの未来の図を使うことにした。それを改良し、より精巧なものにして、〝コンプスタット〟を完成させた。これは犯罪データを分析するツールで、その後、アメリカだけでなくさまざまな国の警察で使われるようになった。コンプスタットはジャック・メイプルのシンプルな持論をもとにしている。犯罪が起きている場所を記録して、その街での犯罪多発地点を浮かびあがらせるのだ。

犯罪が起きる場所はほぼ決まっている。たとえばボストンの場合。二八年間の調査結果から、路上での強盗の六六％は、その街の八％の通りで起きているのがわかった[21]。ミネアポリスの三〇万件の通報を地図に記した研究では、通報の半分がその街の三％の地域に集中していた[22]。

だが、犯罪多発地点はつねに同じとはかぎらない。むしろ、つねに変化する。水に一滴の油を垂らしたように、少しずつ位置を変え、様相も変化する。たった一日で変わることもあるのだ。二〇〇二年、ロサンゼルス市警察に移ったブラットンは、別のパターンを分析して、犯罪が起きる場所だけでなく、いつ起きるのかを予測しようとした。すでに起きてしまった犯罪ではなく、事前に見抜く方法はないだろうか？　起きてしまった犯罪を捜査したり、現在進行形の犯罪に対処したりするだけでなく、犯罪を予測できないか、と。

フラグとブースト

犯罪予測に関しては、空き巣からはじめるのが適切だ。空き巣の犯行現場は家なので、犯罪が起きた住所がはっきりしている。それがすりとのちがいだ。すりの場合、被害者は携帯電話が盗まれたことに、家に帰るまで気づかない場合もある。さらに、空き巣に入られれば、たいていの人は警察に通報する。ゆえに、薬物関連の犯罪などに比べて、多くのデータが集まる。また、空き巣に入られた時間——仕事中や、夜間の外出中など——もたいていはわかっている。器物損壊のような犯罪ではなかなか得られない情報だ。

さらに、ロスモが研究した連続殺人犯や連続レイプ犯と共通する部分がある。空き巣も馴染みのある場所に固執するのだ。たとえば、空き巣犯が通っている職場や学校の近くにある家は、被害に遭う可能性が高い[23]。さらに、人通りに関しても、空き巣犯は選り好みするのを、私たちは知っている(*)。にぎやかな通りではないけれど、近所の人以外の人もよく通る道——そんな道沿いにある家が狙われやすい。ある程度人がいるほうが、目立たないからだ。といっても、近所に住む世話好きの人たちが、その界隈を見回るかのようにしょっちゅう外に出ている場所は、空き巣の好みではない[24]。

たしかにそれは、空き巣が入りやすい家のふたつの要因のうちのひとつだ。どんな場所なのか、周囲がどのぐらいにぎやかなのかなど、いつの時代も変わらない要因があり、それは空き巣にとってその家がひじょうに魅力的であるという目印(フラグ)だ。だが、あわてて家を売って、近隣住民が防犯活動に熱心で、なおかつ、人通りの少ない場所に引っ越すのはまだ早い。その前に、空き巣がつねに同じ場所を好むわけではないことも知っておいてほしい。空き巣に狙われやすい家のもうひとつの要因はひじょうに重要だ。それは、今現在、暮らしている場所の界隈で起きていることで、〝ブースト〟と呼ばれている。

ごく短期間に二度、空き巣に入られたとしたら、それはまずまちがいなくブースト効果によるものだ。一度、空き巣の被害に遭った家が何度も狙われるのは、警察も知っている。つまり、どんな場所に住んでいようと、空き巣に入られたらもう一度入られる可能性がひじょうに高くなるのだ。実際、その確率は一二倍になる。[25]

空き巣が同じ家を狙う理由はいくつかある。たとえば、すでに間取りを知っている。あるいは、金目のものがある場所がわかっている（テレビやパソコンが盗まれたらたいていは、すぐに新しいものを買ってくる）。さもなければ、家の鍵がどんなものかわかっているとか、人目につかない逃げ道を知っている。もしかしたら、最初に入ったときには運び出せなかった大きな物を盗むつもりなのかもしれない。理由はなんであれ、ブースト効果は一軒だけに留まらない。いくつかの研究によると、ある家が空き巣に入られたら、その直後に、隣の家にも空き巣が入ることが多い。さらには、その隣の家もその隣の家もと続いて、同じ一画にある家すべてが空き巣の被害に遭ったりする。

＊ここで言う〝私たち〟とは、まさに文字どおりの意味だ。この研究は私と博士課程の優秀な学生マイケル・フリスがおこなって論文にまとめた。

ブースト効果は、飛び火して広範囲に及ぶこともある。けれど、最初に火がついた場所から離れれば離れるほど、その効果は弱まって、やがて下火になる。同じ場所で新たな空き巣事件が起きないかぎり、二カ月もすれば、すっかり消えてなくなる[26]。

〝フラグ〟と〝ブースト〟は、ある意味で地震に似ている。地震が起こりやすい場所はあるが、どこでいつ地震が起きるのかは正確に予測できない。だが、最初の揺れが起きると同時に、どこでどのぐらいの余震が起きるか見当がつく。また、震源地がいちばん危険で、そこから離れれば離れるほどリスクは低くなり、やがて消えてなくなる。

地震と空き巣の共通点が見つかったのは、ロサンゼルス市警察のブラットンが指示したプロジェクトのおかげだ。犯罪を予測するために、ロサンゼルス市警察はカリフォルニア大学ロサンゼルス校(UCLA)の数学者チームと提携して、警察のデータ——八〇年間に起きた一三〇〇万件の犯罪記録——をすべて掘り起こした。その時点ですでに、犯罪学の世界では〝フラグ〟と〝ブースト〟が知られるようになっていた。だが、UCLAの研究チームはデータ内のパターンを探って、地震の衝撃と余波のリスクを正確に予測する方程式が、犯罪と〝その後の犯罪〟を予測するためにも使えることに気づいた。それは空き巣に使えるだけではなかった。自動車の窃盗や暴行、破壊行為など、すべてを予測できた。

その予測は秀逸だった。最近、空き巣に入られた地域はまた被害に遭う可能性が高いという曖昧な表現ではなく、その方程式を使うことで、どの通りにある家にはどのぐらいのリスクがあるのかを数字で正確に示せる。そして、ある夜にある地区が空き巣に狙われているのがわかっていれば、警察がどこをパトロールすればいいのかを予測するアルゴリズムは簡単に書ける。

そんなふうにして予測警備（プレディクティブ・ポリシング）、略して〝プレッドポル〟が誕生した。

犯罪の予想屋

もしかしたら、あなたもどこかでプレッドポルに遭遇しているかもしれない。プレッドポルは二〇一一年に導入されて以降、何度も新聞で取りあげられ、トム・クルーズの主演映画『マイノリティ・リポート』の現実版などと見出しがつけられてきた。ある意味で、アルゴリズム界のキム・カーダシアンだ。どういうことかというと、超有名で、つねにマスコミから批判されているが、実際に何をしているのかは誰にもわからない。

プールサイドに寝そべって予言を叫ぶセレブのイメージが頭に浮かんだかもしれないが、それはちょっとちがう。プレッドポルは罪を犯す人を見つけだすわけではない。特定の人に関して予測するわけではなく、対象となるのは地理だけだ。本書では〝予測〟という言葉を何度も使ってきたが、そのアルゴリズムは未来を予測するわけではない。占い師の水晶玉とはちがうのだ。予想するのは、未来に起こりうることのリスクで、何が起きるかではない。それはちょっとしたちがいに思えるかもしれないが、実際には大きなちがいだ。

ギャンブルにたとえるなら、アルゴリズムは予想屋かもしれない。大勢の警察官が街の地図のまわりに集まって、その夜、どこで犯罪が起きるか賭けている。プレッドポルは確率を計算して、その夜の〝本命〟の通りと地区に、小さな赤い四角で印をつける。

問題は、その予想屋の予想が当たるかどうかだ。アルゴリズムの実力を試すために[27]、人間の犯罪分析の専門家と競わせる実験が、ふたつおこなわれた。ひとつはイングランド南部のケントで、もうひとつはロサンゼルス市警察の南西部署だ。どちらも直接対決の真っ向勝負だった。アルゴリズムも人間の専門家も、一二時間以内に犯罪が起きる場所を予測して、地図に二〇個の四角――四角ひとつは一五〇平方メートルの場所――を記さなければならなかった。

結果を発表する前に、その予測がどれほどむずかしいかを説明しておこう。ケント州やカリフォルニア州の犯罪事情に精通していなければ、完全に当てずっぽうで地図に四角い印をつけるしかない。四角は州全体を網羅するような大きさではなく、たとえばケント州の場合は一〇〇〇分の一しか網羅せず[28]、おまけに一二時間ごとに、それまでの予測をきれいさっぱり忘れて、また一から始めなければならない。適当に四角をちりばめたところで、一〇〇〇分の一も当たらないのだ[29]。

専門家はそれよりははるかにましだった。ロサンゼルスでは、これから起きる犯罪の二・一%を正しく予測した[30]。イギリスではもう少し好調で、五・四%だった[31]。ロサンゼルスに比べて、ケントが約一〇倍の広さであることを考えれば、見事な正解率だ。

だが、アルゴリズムはそんなものではなかった。ロサンゼルスでは、人間の専門家の二倍以上の正解率だった。また、イギリスの実験では、アルゴリズムが示した赤い四角の中で、犯罪の五分の一が起きたこともあった[32]。プレッドポルは水晶玉ではないが、未来の犯罪をこれほど正確に見抜いたものは他にない。

予測を活用するには

だが、問題もある。アルゴリズムは一二時間以内に犯罪が起きる場所をかなり正確に予測するが、それは警察の目標とはややずれている。警察が目指しているのは、一二時間以内に起きる犯罪を減らすことだった。アルゴリズムが予測しても、次に何をすればいいのかまでは明確になっていなかった。

もちろん、やれることはいくつかある。空き巣であれば、防犯カメラをつけるか、秘密裏に警察官を配して、犯人を現行犯逮捕する。だが、犯罪を未然に防げるなら、それに越したことはないはずだ。わが身に置き換えて考えてほしい。犯罪の被害者になって、犯人が現行犯逮捕されるのがいいのか、それとも、そもそも被害者にならないほうがいいのか？

空き巣が狙っていると、近隣住民に注意を促すのもいいだろう。玄関の鍵を換えたほうがいいとアドバイスもできる。警報装置をつけるのも効果的なら、部屋に自動点灯する照明をつけて、通りかかった不審者に家の中に人がいると思わせるのもいいだろう。二〇一二年、マンチェスターではまさにそういった実験がおこなわれ[33]、空き巣が二五％以上減った。だが、ちょっとした不都合もある。〝ターゲット・ハードニング〟と呼ばれるこの方法にかかる費用を計算したところ、空き巣一件を防ぐのに約三九二五ポンドかかった[34]。年間一万五〇〇〇件以上の空き巣に対応しているロサンゼルス市警察に売り込めば、相当な額になる[35]。

もうひとつ、昔ながらの警察の防犯対策にかぎりなく近いのが、〝コップス・オン・ザ・ドット〟という方法だ。

ロンドン警視庁の元警察官スティーブ・コルガンは、「昔は、担当地区をパトロールしたものだった。地図を用意して、地域を区切って、分担する。おまえはここ、おまえはそっち、と。

それはもう単純だったよ」と言った。だが、それには問題もある。イギリスのある研究によると、無作為に割り当てられた担当地区を、警察官が徒歩でパトロールした場合、空き巣の犯行現場から約一〇〇メートル以内に足を踏み入れるのは、八年に一度になる[36]。

コップス・オン・ザ・ドット作戦では、アルゴリズムが予測した犯罪発生場所を、警察官にパトロールさせる（正確には、〝点の上の警察官（コップス・オン・ザ・ドット）〟というより、〝犯罪発生場所上の警察官（コップス・オン・ザ・ホットスポット）〟だが、語呂が悪いのでしかたがない）。言うまでもないが、適切な時間と場所に警察官を目立つように配せば、防犯効果は抜群だ。また、そのほうが、たとえ事件が起きてもすばやく対応できる。

それがケントでの試行期間の第二段階で起きたことだ。夜勤に就いた巡査部長は、その夜に予測される犯罪発生場所として赤い四角が記された地図をプリントアウトした。担当地区に特に問題がない場合、近くの赤い四角が記された場所へ行き、パトカーから降りて、あたりを徒歩で見回ることになっていた。

その夜、警察官は普段ならパトロールしない場所へ行き、道端に東ヨーロッパ系の女性とその子供がいるのを見つけた。女性はパートナーから暴力をふるわれ、ほんの数分前に、子供は性的暴行を受けていた。その夜、パトロールに出かけた警察官は、「プレッドポルが予測した赤い四角の中にいたから、その女性と子供を発見できた」と話した[37]。犯人はその夜のうちに、近くで逮捕された。

コップス・オン・ザ・ドット作戦の試行期間中に、アルゴリズムの予測によって救われたのはその親子だけではなかった。ケント全体の犯罪発生率が四％下がった。アメリカでの、プレッドポルを使った同様の実験では、犯罪率がさらに大幅に下がった。ロサンゼルスのフットヒル地区では、そのアルゴリズムを使用した四カ月間で、犯罪率が一三％下がった。対して、警察が昔ながらの防犯対策をおこなっている他の地域では、犯罪率は〇・四％上がった。また、ロサンゼルスからさほど離れていない同じカリフォルニア州の町アルハンブラでは、二〇一三年一月にそのアルゴリズムを採用すると、空き巣が三二％、自動車の盗難が二〇％減った。[38]

数字を見るかぎり、かなりの効果が期待できそうだが、それが本当にプレッドポルのおかげなのかどうかはなんとも言えない。UCLAの数学者で犯罪科学者でもあるトビー・デイヴィスは、「警察官がパトロールに出かけ、車を降りて、歩いて見回るだけでも、それがどこであろうと、犯罪が減る可能性はある」と言う。

さらにもうひとつ。犯罪が起きるのではないかと目を凝らしていれば、犯罪を見つける確率が上がる。ということは、警察官がパトロールをすれば、犯罪件数も増えるかもしれない。「警察官が実際にいる場所は、いない場所に比べて、より多くの犯罪が見つかる。二箇所で同じ件数の犯罪が起きているとしても、警察官がいない場所より、いる場所のほうが発見される犯罪数が多くなる」とデイヴィスは話してくれた。

ということは、コップス・オン・ザ・ドット作戦には、大きなデメリットもあるわけだ。アルゴリズムの予測にしたがって、防犯のために問題の地区に警察官を送りこめば、発見される犯罪件数が増えるという負のループに陥りかねない。

たとえば、貧しい人が暮らす地域での犯罪発生率がそもそも高いとしたら、アルゴリズムはそこで多くの犯罪が起きると予測する。となれば、警察官はその地域をパトロールして、より多くの犯罪を発見することになる。すると、アルゴリズムはさらに予測を立て、さらに多くの警察官がそこへ送られるということが繰り返される。この種の負のループは、物乞いやホームレス、低レベルの薬物使用など、貧しい地域と関連のある犯罪で問題になるはずだ。

イギリスの一部の階級に属する人たちは、警察官がパトロールしていないことをつねに不満に思っている。そういったエリアに警察官が目を向ければ、公平性が問題になることはないだろう。けれど、誰もが警察官と良好な関係を築いているわけではない。「毎日、警察官が家の前を歩いていたら、ストレスを感じる人がいるのも事実だ。誰も犯罪に手を染めておらず、警察官がただ道を歩いているだけだとしても」とデイヴィスは言う。「ストレスにさらされずにいる権利、警察官に監視されずにいる権利は、誰にでもある」

たしかにそうかもしれない。

だからこそ、警察がおこなう防犯活動に即するように調整されたアルゴリズムを作らなければならない。少なくとも理論的には、特定の地域だけがパトロールの対象にならないようにする方法はある。たとえば、高リスクと予測された地域だけでなく、中リスクの地域のパトロールも適宜おこなうようにする。だが、プレッドポルが犯罪数を増やす負のループを回避しているのか、公平性を保ちながら機能しているのかを知る術はない。プレッドポルは知的財産権に守られたアルゴリズムだから、どんなふうにプログラムされているのかは非公開だ。ゆえに、予測の立て方は知りようがない。

犯罪予測アルゴリズムはプレッドポルだけではない。ライバルのひとつ〝ハンチラボ〟は地域に関するあらゆる統計結果を組み合わせている。報告された犯罪、電話による通報、国税調査、さらには、意外にも、月の満ち欠けのデータも使われている。ハンチラボには理論はない。他の地域よりある地域で犯罪が多発する理由を解明しようとはせず、データ内のパターンを拾いあげるだけだ。そのため、犯罪の種類の予測に関しては、犯罪の地理的パターンを核としているプレッドポルより頼りになる。だが、ハンチラボも知的財産権に守られており、意図せず一部の人たちを差別していないかどうか、外部の人間には確かめられない[39]。

他にも内実がわからない予測アルゴリズムとして、シカゴ警察が採用した〝戦略的対象者リスト（ストラテジック・サブジェクト・リスト）〟がある[40]。このアルゴリズムは他のアルゴリズムとは処理方法がまったくちがう。地理的な事柄に着目するのではなく、どんな人物が重犯罪にかかわるかを予測する。さまざまな要素を駆使して、銃を撃つにせよ、撃たれるにせよ、近い将来、銃を使った犯罪にかかわる可能性の高い人のリスト――ヒートリスト――を作成する。今日の被害者は、明日の加害者になることが多いからだ。さらに、対処のしかたが粋だ。警察官はリストに掲載されている人を訪ね、介入プログラムへの参加を勧めて、生き方そのものが変わるように支援する。

とはいえ、ストラテジック・サブジェクト・リストは当初の目的どおりにはいかないだろうという声もある。非営利組織のシンクタンクであるランド研究所がおこなった最近の調査は、銃犯罪に関わりそうな人には効果がないとしている[41]。むしろ、そういう人たちは逮捕されやすいというのだ。おそらくそれは、銃を使った事件が起きるたびに、そのリストが容疑者リストとして使われるからだろう、と調査は結論している。

犯罪予測アルゴリズムが大いに役に立つのはまちがいない。また、その種のアルゴリズムを作っている人が、より良い社会を目指しているのもまちがいない。だが、偏見や差別を懸念する声が上がるのも不思議はない。そして、公正な社会のためにはそうした懸念こそが不可欠で、法の執行者たちがアルゴリズムを正しく使うはずだと闇雲に信じるわけにはいかないと、私は思っている。アルゴリズムのデメリットではなくメリットを引きだすために、ここでもやはり独立した専門家チームと取締機関が必要なのだ。

さらに、予想外の弊害も潜んでいる。これまでさまざまな例で見てきたように、本当に危険なのは、アルゴリズムの予測がまちがっていても、人がそれをなんとなく正しいように感じてしまうことだ。犯罪の予防に関して、それは重大な結果を招きかねない。すべてがコンピュータの予測どおりとはかぎらないのだ。

人ちがい

二〇一四年、スティーヴ・タリーは南デンバーの自宅で眠っていた。すると、玄関のドアを叩く音が響いた。[42] ドアを開けると、そこには男がひとり立っていた。男は車をタリーの車にぶつけてしまったと謝った。そうして、外に出て、車を確認してほしいと言った。タリーは渋々と言われたとおりにした。車の運転席のドアの傷を確かめようと、しゃがみこんだその瞬間、閃光弾が投げられた。[43] ヘルメットをかぶって黒い服を着た男が三人現われて、タリーを殴り倒した。ひとりが頭を踏みつけた。もうひとりが腕を縛り、その間、別のひとりが銃床で殴りつづけた。

タリーは大怪我を負った。一瞬にして神経を損傷し、血栓ができて、ペニスが折れた。[44]「ま

画像の比較　12

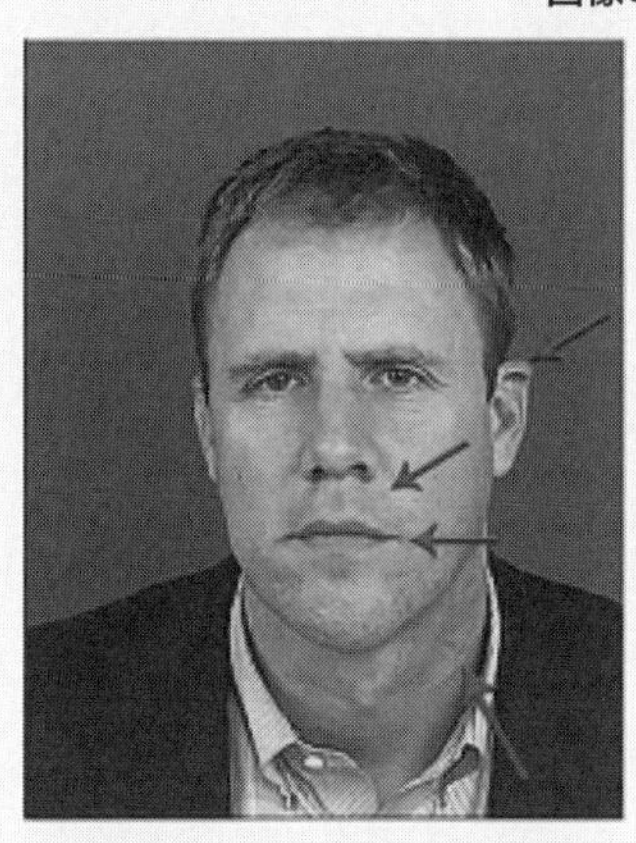

K1　スティーヴ・タリーの写真

Q1　監視カメラの銀行強盗の映像

さかペニスが折れるものだとは、知りもしなかった」とタリーはのちに、『インターセプト』の記者に語った。「無意識のうちに警察を呼んでくれと叫んでた。でも、気づいたんだ、おれをぶちのめしてるのが警官だって[45]」

スティーヴ・タリーは二件の銀行強盗事件の容疑者として逮捕された。二件目の銀行強盗ではひとりの警察官が撃たれていた。そのせいで、逮捕しにきた警察官から、あれほどひどい暴行を受けたのだとタリーは考えていた。「おまえらはいかれてる」警察官に向かってそう叫んだのをタリーは覚えていた。「人ちがいだ!」と。

タリーのその言葉は嘘ではなかった。タリーが逮捕されたのは、本物の銀行強盗にそっくりだったからだ。

地元の新聞に載った銀行強盗犯の写真を見て、警察に通報したのは、タリーのビルで保守管理の仕事をしている男だったが、最終的に顔認識ソフトウェアを使って監視カメラの映像をチェックし、〝問題の男はタリーにまちがいない〟と結論を下したのはFBIの専門家だった[47]。

タリーにはれっきとしたアリバイがあったが、FBIの専門家が証言したせいで、汚名が晴らされるまでに一年以上がかかった。その間、タリーは約二カ月間も厳重警備の監房に入れられ、犯人ではないという充分な証拠が得られて、ようやく釈放されたのだった。この一件でタリーは働けなくなった。また、身の潔白が証明される頃には、仕事も家も失い、子供とも会えなくなっていた。何もかも、人ちがいのせいだった。

そっくりさんの確率

顔認識アルゴリズムは犯罪捜査で広く使われるようになった。顔写真や映像、3Dカメラの画像を入力すると、顔を検出して、特徴を測定し、データベース内の顔写真と比較して、身元を特定する。

ベルリンでは、大勢の人が行き交う鉄道の駅で、テロリストの顔を見分ける顔認識アルゴリズムが試行運用されている[48]。アメリカに関しては、二〇一〇年以降、ニューヨーク州だけでも、詐欺やなりすまし犯罪の四〇〇〇人以上の犯人逮捕に、アルゴリズムが貢献している[49]。イギリスでは、カメラがついた車——グーグルのストリートビューの撮影車をバージョンアップしたような車——が巡回して、指名手配犯を見つけるべく、通行人の顔をチェックしている[50]。二〇一七年六月、その種の車が南ウェールズで逮捕状が出ている男のそばを通りかかり、初の手柄を上げた[51]。

人が自分の身を守り、安心していられるのは、顔を認識できるからだ。だが、その作業を人間だけが担っていると弊害も出てくる。たとえば、パスポートをチェックする入国審査官。空港の入国審査場のセットを作っておこなわれた実験では、顔認識のプロとも言える入国審査官が、本人のものではないパスポートの一四%を見逃して、パスポートの写真と一致している人の六%を別人と見誤った[52]。その割合をどうとらえるかは人それぞれだが、ヒースロー空港の一日あたりの利用者数を考えると、私はかなり不安になる。

結論から言えば、顔認識アルゴリズムは人間より正確に作業をこなす。とはいえ、誤認識が重大な事態を引き起こす犯罪捜査に使うには、大きな問題がある。どのぐらい簡単に人まちがいをしてしまうのか？　銀行強盗にまちがえられたスティーヴ・タリーのように、私たちには自分とそっくりな人がどのぐらいいるのだろうか？

二〇一五年におこなわれた研究では、自分とうりふたつの人――現実世界のドッペルゲンガー――がいる確率は、ほぼ〇%という結果が出ている。アデレード大学のテーガン・ルーカスは、四〇〇〇人の顔写真を用意して、顔の八箇所を測定したが、一致する顔はひとつもなかった。ゆえに、まったく同じ顔の人がいる確率は一兆分の一以下と結論づけた[53]。それを考えると、銀行強盗にまちがえられたタリーは、ほんの少しだけ運が悪かったわけではない。一兆分の一の確率でタリーにそっくりな悪人が、たまたま近くに住んでいて、なおかつ、たまたま犯罪に手を染めるとは。そんな悲惨な状況に陥る確率は、何万年に一度かもしれない。

とはいえ、その数字は本当に正しいのだろうか？　自分とそっくりの人に会う場面はなかなか思い描けないが、誰かがその誰かにそっくりな人に会ったという話はたまに耳にする。研究

結果が示す確率に比べれば、はるかに多いのはまちがいない。

ニール・ダグラスはアイルランド行きの飛行機に乗りこむと、自分の座席に自分にそっくりの男が座っていることに気づいた。うしろで笑っている乗客と一緒に二人が写った写真は、ネットで話題になり、世界中の赤毛で髭を生やした人たちが、自分もそっくりだと写真を公開した。「ちょっとしたそっくり軍団だった」とニールはBBCのインタビューに応じた[54]。

ついでに、私の話もしておこう。私が二二歳のとき、あるSNSの地元のバンドのページに載っている写真を、友達が見せてくれた。それは私が行っていないライブで撮られた写真のコラージュで、ライブに参加した楽しそうな人たちが大勢写っていた。そして、その中のひとりが私にうりふたつだった。私はその夜に不覚にも意識を失って、そのままにぎやかなライブにまぎれこみ、そのことをまったく覚えていないのだろうか？　そんなことがあるだろうかと不安になって、バンドのリードボーカルにメールで確かめた。テクノポップを愛する私のドッペルゲンガーは、私よりはるかに社交的な人生を送っているようだった。

というわけで、タリー、ダグラス、私の三人は、最低でもひとりはドッペルゲンガーがいて、もしかしたらもっといるかもしれない。世界の人口は七五億人。もちろんきちんと調べたわけではないが、私たち三人だけでも、ルーカスの一兆分の一という予測をすでに超えている。

そこまで数が食い違うのには理由がある。〝うりふたつ〟の定義がちがうからだ。ルーカスの研究では、ふたりの顔の測定結果がぴたりと一致していなければならなかった。ニールとそのそっくりさんは本当によく似ているが、鼻の穴や耳たぶをミリ単位で測るルーカスの研究では、ドッペルゲンガーにはならないはずだ。

だが、ひとりの人の二枚の写真を見比べるだけでも、精密な測定では、つねに変化する人の顔に対応できないのがわかる。年齢、病気、疲労、表情、さらには、カメラのアングルで顔が歪むこともある。ミリ単位で顔の要素をとらえようとすれば、ひとりの人の顔が別人かと見まちがえるほど変化に富んでいるのを思い知らされることになる。つまり、寸法を測るだけでは、ある人の顔と別の人の顔を区別できないのだ。

ニールと赤の他人のそっくりさんは、まったく同じ顔ではないかもしれないが、それでも私は写真の二人の顔をほとんど見分けられない。また、スティーヴ・タリーにしても、本物の銀行強盗にそこまで似ているわけではないのに、ＦＢＩの専門家はふたりの写真を同一人物であるとまちがえて、タリーに濡れ衣を着せ、厳重警備の監房に放りこんだ。

入国審査官の実験でもわかるように、見慣れない顔は少し似ているというだけで簡単に見まちがえる。要するに、人間は見知らぬ人の顔を見分けるのが大の苦手なのだ。ある友人は、クリストファー・ノーラン監督の美しい映画『ダンケルク』を最後まで観られないと言う。理由は、映画に出ている俳優の顔が見分けられないからだ。そんなわけで、一〇代の若者は年上の友達の身分証明書を借りて、酒を買おうとする。そして、アメリカの非営利組織イノセンス・プロジェクトは、不当な有罪判決の七〇％以上が目撃者の見まちがいによるものであるとしている[55]。

だが、飛行機に乗ったニールとそのそっくりさんを誰もが簡単に見まちがえる一方で、ニールの母親は写真に写った息子を簡単に見分けられる。親しい人の顔であれば、きちんと見分けられるのだ。本物のドッペルゲンガーとも言える一卵性双生児も、ただの知り合い程度だとなかなか見分けがつかないが、親しくなれば簡単にわかる。

忘れてはならないのは、似ているかどうかは見る人によってちがうということだ。そこに厳密な定義はなく、ふたつの顔がどのぐらいちがうのかは測定できない。また、どの程度似ていればうりふたつと言えるのか、基準もない。ドッペルゲンガーの具体的な定義はなく、どんな顔がありふれているのかということも言葉にできない。二枚の写真に写っているのが同一人物である可能性を口では説明できないのだ。

顔認識による犯人の特定は、ＤＮＡとはちがう。ＤＮＡは鑑定の王者だ。犯罪捜査のＤＮＡ鑑定は、一人一人のＤＮＡの大きく異なる部分を利用する。どの程度異なっているのかがポイントだ。犯行現場で採取したサンプルのＤＮＡ配列と、容疑者から採取したサンプルのＤＮＡ

配列が一致すると、同一人物のものであるという確率を計算できる。つまりそれは、その部分では不幸にもたまたま同じＤＮＡ配列だったという可能性もあるわけだ[56]。より多くのＤＮＡ配列を使えばそれだけ、まちがいが起きる確率も減る。いくつのＤＮＡ配列の検査をおこなうのか、各国の司法制度は容認できる疑念の範囲内で判断を下す[57]。

顔はその人がどんな人なのかを表わしているように思えるが、顔のちがいの度合いがわからなければ、顔による犯人の特定は科学的な証拠にはなり得ない。写真で人を特定することについて、ＦＢＩの科学捜査部の言葉を借りれば、「統計がなければ、結果は意見でしかない[58]」のだ。

残念ながら、顔認識アルゴリズムを使っても、この問題は解決しない。ゆえに、犯人の特定にその種のアルゴリズムを使うには、充分な注意が必要だ。似ていることと同一人物であることはちがう。その事実だけは、アルゴリズムの精度がどれだけ上がろうと永遠に変わることはない。

また、顔認識アルゴリズムに対して慎重な姿勢を取るべき理由はもうひとつある。みなが思っているほど、そのアルゴリズムは顔の識別が得意ではないのだ。

ホントに一〇〇万分の一？

顔認識アルゴリズムそのものは、主に二種類ある認識方法のいずれかを用いている。ひとつは、２Ｄの写真を何枚も組み合わせるか、特別な赤外線カメラを使って顔をスキャンするかして、顔の３Ｄモデルを作る。ｉＰｈｏｎｅのフェイスＩＤがこの方法だ。そういったアルゴリズムは変化しにくい組織や骨——眼窩（がんか）や鼻筋など——を重視し、表情や加齢の問題を回避できる。

アップル社によると、フェイスIDを使って本人以外の人が携帯電話のロックを解除できる確率は、一〇〇万分の一とのことだ。だが、そのアルゴリズムも完璧ではない。双子やきょう[59]だい[60]ならロックがはずれる場合があり、また、子供が親の携帯電話を使えることもある。フェイスIDつきの携帯電話が発売されてまもなく、一〇歳の少年が顔認証で母親の携帯電話のロックを解除している動画が公開された。母親は息子に見られたくないメールやメッセージを、携帯電話から削除した。[61]また、3Dプリンターで作った特別なマスクで、アルゴリズムを欺けるとも言われている。[62]それを考えると、そのアルゴリズムは携帯電話のロックを解除するには便利だが、銀行のアプリには使わないほうが良さそうだ。

3D方式のアルゴリズムは、パスポートの検査や監視カメラの映像にはほとんど使用されていない。そちらにはもうひとつのアルゴリズム――2Dの画像と、統計的な手法を用いるアルゴリズムが使われている。そのアルゴリズムは、人が特徴として認識する目印にはほとんど注目せず、代わりに、画像内の明暗のパターンを統計的に数値化する。4章で取りあげた犬を認識するアルゴリズムと同じで、どのパターンが効果的なのかを人が決めるのではなく、顔の膨大なデータを使って、アルゴリズムに試行錯誤（トライ・アンド・エラー）を繰り返させて、学習させる。一般的には、それはニューラルネットワークを使っておこなわれる。この種のアルゴリズムは、性能が飛躍的に向上して、精度も上がった。だが、その性能ゆえに弊害もある。アルゴリズムがふたつの顔が似ているかどうかをどんなふうに判断しているのか、つねに明確にわかるわけではないのだ。

この種の最先端のアルゴリズムも、いとも簡単に騙される。明暗のパターンを統計的に数値

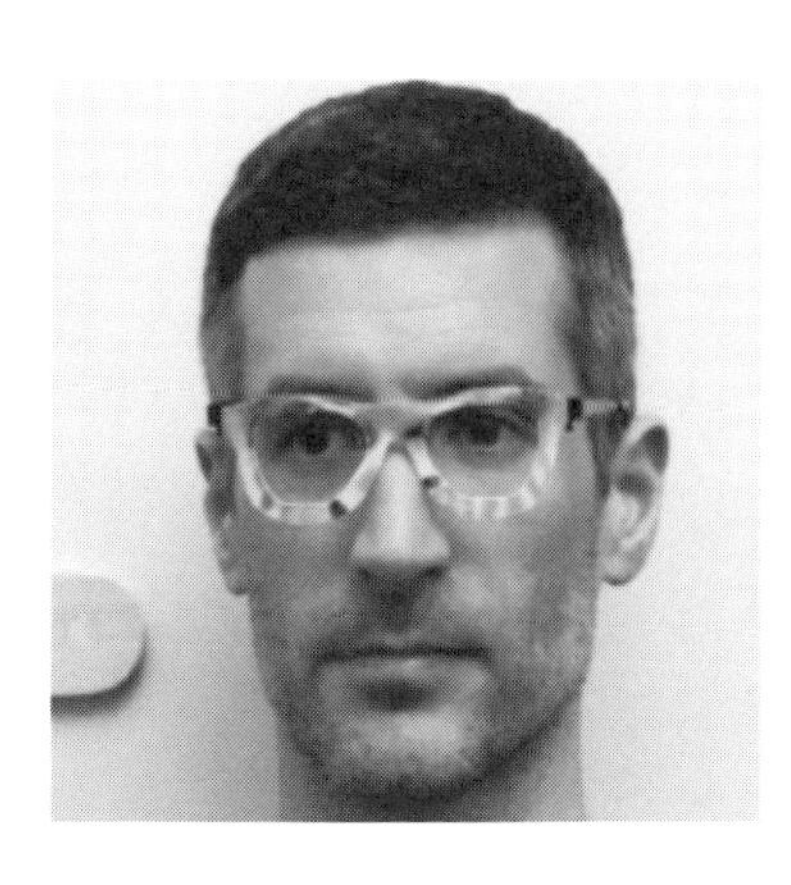

化して判断することから、抽象的な模様のフレームの眼鏡をかけるだけで混乱する。さらに、その抽象的な模様を誰かの顔と共通するパターンにすれば、眼鏡をかけた人とその誰かを同一人物だとアルゴリズムに勘違いさせられる。写真の男のような眼鏡をかければ、女優のミラ・ジョヴォヴィッチのそっくりさんになれるのだ。[63] 眼鏡をかければ別人になれる？　なるほど、クラーク・ケントと同じ手だ。

おかしな眼鏡のことはさておき、統計値を用いたアルゴリズムの認識能力は、フェイスネット（グーグルの顔認証用のニューラルネットワーク）に対する好意的な記事をはじめ、多くの記事で称賛された。その認識能力を検証するために、フェイスネットは有名人の顔写真五〇〇〇枚を識別した。その前に、人間が同じ作業をおこなって、九七・五％というすばらしい正解率を叩きだした。といっても、使われた有名人の写真は、被験者がよく知っている顔なので、その正解率は驚くほどのことではない。[64] だが、フェイスネットはさらに優秀で、正解率はなんと九九・六％だった。

一見、機械が超人的な認識力を身に付けたかのように見えるかもしれない。それほどの精度ならば、犯人を特定するためにそのアルゴリズムを使ってもかまわないように思える。だが、そこにもやはり問題がある。五〇〇〇枚の顔写真は、アルゴリズムをテストするには少なすぎるのだ。犯罪捜査に使うなら、数千ではなく、数百万の顔の中からたったひとつの顔を発見できなければならない。

そのために、イギリスの警察は逮捕した容疑者の写真から一九〇〇万人分の顔写真のデータを保有している。一方、ＦＢＩは四億一一〇〇万人分の顔写真のデータを保有している。そこにはアメリカの成人の半分の写真が含まれていると言われている[65]。また、身分証明書のデータベースで無数の顔に簡単にアクセスできる中国では、すでに顔認識に多額の予算を注ぎこんでいる。道、地下鉄、空港に監視カメラを設置して、大都市を歩いている指名手配犯から信号無視をする人まで、すべてを監視しているのだ[66]。さらには、道端にゴミを捨てるといったちょっとした不品行が、芝麻（ジーマ）信用の点数に影響し、2章で取りあげた点数にしたがって、さまざまなことが制限される。

問題は、データ内の顔の数が増えると、誤認の確率も大幅に高くなることだ。アルゴリズムが検索する顔が増えれば増えるほど、似ているふたつの顔が発見される確率も高くなる。同じアルゴリズムでも、より多くの顔のデータベースで使うと、精度は急激に落ちてしまう。

人でも似たようなことが起きる。見ず知らずの一〇人の人とその人たちの写真付き身分証明書を組み合わせるなら、ほぼまちがえない。一〇〇％の確率で顔を正しく識別できるはずだ。だが、ニューヨークの街の真ん中を歩きながら、写真で見た指名手配犯を見つけるとなると、精度はがくんと落ちる。

アルゴリズムも同じだ。二〇一五年、ワシントン大学で〝メガフェイス・チャレンジ〟という大会が開かれた。それは、一〇〇万人分の顔のデータベースをもとに、世界中からやってきた人の顔をアルゴリズムがどのぐらい正しく認識できるかを競うというものだった。[67] いくつかの国の政府が保有しているデータベースに比べれば、そのデータベースはかなり少ないが、それでもさきほど取りあげた実験に比べればだいぶましだ。いずれにしても、どのアルゴリズムも成績はふるわなかった。

有名人の顔認識ではほぼ完璧だったグーグルのフェイスネットは、正解率がいきなり七五%に落ちた[68](＊)。それ以外のアルゴリズムは一〇%台と、はっきり言えば惨敗だった。本書を書いている時点でのトップは、中国のテンセントの研究チーム優図実験室（ヨウツ・ラボ）のアルゴリズムで、正解率は八三・二九%だ。[69]

この割合をもう少し具体的に言うなら、ひとりの犯人の顔写真を数百万のデータベースの中から見つけだす場合、うまくいったとしても、六回中一回はまちがえる。

とはいえ、この分野のアルゴリズムは日進月歩で進歩している。正解率は着実に上がり、数年後、いや、数カ月後には飛躍的に伸びているかもしれない。だが、ひとつだけ確かなのは、光、

＊この数字は、誤認識を避けるように調整されたアルゴリズムが、同一人物の顔を認識できなかった割合だ。3章「正義とアルゴリズム」で取りあげたアルゴリズムのほうがミスが多く、また、4章「医療とアルゴリズム」のアルゴリズムとは測定方法が異なる。

ポーズ、画像の質、雰囲気によって、顔認識アルゴリズムの精度が大きく変わってくることだ。四億一一〇〇万の顔のデータベースからつねにまちがいなくひとりを選びだすとか、一兆人にひとりしかいないドッペルゲンガーを見つけだすとか、そんなことができるようになるのは、だいぶ先の話になりそうだ。

バランスが肝心

問題はあるとはいえ、だからといって、使いものにならないわけではない。このアルゴリズムを使ったほうが良い場合もある。たとえば、カナダのオンタリオ州では、ギャンブル依存症の人がカジノへの出入り禁止リストに自分を登録できる。誘惑に負けそうになっても、カジノの入口の顔認識アルゴリズムに引っかかり、お引き取り願うように言われることになる[70]。そのシステムは、ギャンブル依存症をどうにかして克服しようとしている人たちにとっては有効だ。ただし、ルーレットのテーブルで楽しい夜を過ごすつもりだったのに、顔認識アルゴリズムの誤作動でカジノに入れなくなる人にとっては、迷惑以外の何ものでもない。だが、個人的には、そのぐらいの不利益には目をつぶるべきだと思う。

その手法は小売業でも使える。これまで、スーパーマーケットの警備員室の壁には、万引き犯のポラロイド写真が貼りつけてあった。だが、顔認識アルゴリズムを使えば、店に入ってくる客と万引き常習者の顔写真を照合できる。客の顔が万引き常習者の顔と一致すれば、警備員のスマートフォンに連絡が行き、客は店からつまみ出される。

店がこの種のテクノロジーに頼りたくなるのには、もっともな理由がある。イギリスの小売店では、年間おおよそ三六〇万件の万引き事件があり、被害額はなんと六億六〇〇〇万ポンドにのぼる[71]。また、二〇一六年のアメリカの統計では、万引き容疑者九一人が現場で死亡している[72]。そういったことからも、万引きを防ぐにはまず、万引き常習者を店に入れないのが、誰にとっても得策なのはまちがいない。

だが、最先端の万引き予防策にも、いくつか問題がある。ひとつはプライバシーの問題だ。たとえば、この種のセキュリティー・ソフトウェアの大手開発企業フェイスファーストは、常連客の写真をデータとして保存することはないが、顧客の購買行動を知るために顔認識を利用できると言っている。そしてまた、最終的にブラックリストに載るのは誰なのかという問題もある。全員がそれ相応の理由があって、リストにくわえられたのかどうか、私たちに知る術はあるのか？　そこには疑わしきは罰せずという考え方は存在するのか？　誤ってリストに載せられてしまったら、どうなるのか？　その場合、どうしたらリストからはずしてもらえるのか？　さらには、ここでもやはり、正確無比にはなり得ないアルゴリズムが、誤認識する可能性は大いにある。

問題は、デメリットよりメリットのほうが多いかどうかだ。その答えは簡単には出てこない。小売り業者のあいだでも意見は分かれる。顔認識アルゴリズムを喜んで採用する者もいれば、取り入れない者もいる。そのひとつがウォルマートだ。実店舗でフェイスファーストを試したところ、期待していた効果が得られず、利用を見合わせた[73]。

だが、犯罪に関しては、弊害と有益性のバランスがはるかにはっきりする。実際、この手のアルゴリズムの正解率だけが不安定なわけではない。指紋のエラー率は不明で[74]、歯形分析、血痕分析[75]、弾道解析[76]も同様だ。事実、米国科学アカデミーの二〇〇九年の報告書によると、DNA鑑定を除き、科学技術を利用した捜査はどれも〝証拠と特定の個人の関連を立証できない[77]〟という。にもかかわらず、捜査の貴重な手段になっているのは周知の事実だ。といっても、もちろん、その手の証拠に頼りすぎるわけにはいかない。高性能の顔認識アルゴリズムの精度も不充分だ。スティーヴ・タリーのような事件が起きる可能性がわずかでもあるならば、完璧ではない科学技術を証拠として使うべきではないだろう。唯一の問題は、タリーのようなケースだけで判断するわけにはいかないことだ。顔認識による犯罪者の確保には大きな弊害があると同時に、大きな利点もある。

厄介な代償

二〇一五年五月、ハンマーを持ったひとりの男がマンハッタンの通りを駆け回り、通行人を次々に襲った。まず、エンパイアステートビルの近くにいた人々に走り寄り、二〇歳の男性の後頭部を殴った。六時間後、ユニオンスクエアの南側で、公園のベンチに座っていた女性の側頭部を殴った。そのわずか数分後、男はふたたび姿を現わすと、今度は公園の外側の道を歩いていた三三歳の女性を襲った[78]。襲撃現場の監視カメラの映像から、顔認識アルゴリズムはその男がデヴィッド・バリルであると特定した。襲撃事件の数カ月前に、インスタグラムに血のついたハンマーの写真を投稿した男だ[79]。男は罪を認めて、懲役二二年の刑に処された。

顔認識の飛躍的な進歩によって、未解決だった事件が解決した例もある。二〇一四年、一五年のあいだ偽名で逃亡を続けていた男が、実は犯罪者であることをアルゴリズムが突き止めた。

その男はニール・スタマー。児童への性的虐待と誘拐の罪で起訴され、仮釈放中に逃亡した。再逮捕のきっかけになったのは、FBIが指名手配犯のポスターとパスポートのデータベースを照合し、ネパールで暮らしている男性と顔が一致したからだ。ちなみに、パスポートの名前は偽名だった。[80]

二〇一七年夏、八人の命を奪ったロンドン橋のテロ事件でも、この種のアルゴリズムが活躍した。ワゴン車で歩行者を轢き殺し、さらに、バラ・マーケット付近で無差別殺傷事件を起こした三人の男のひとりが、ヨセフ・ザグバだった。ザグバはイタリアでもテロリストとして要注意人物となった。そして、イタリアに入国しようとしたときに、顔認識アルゴリズムによって身元がばれたのだった。

だが、プライバシーと防犯や、公平性と安全のバランスをどうやって決めればいいのだろう？　デヴィッド・バリルやヨセフ・ザグバのような犯罪者をすばやく見つけるために、どのぐらい濡れ衣を着せられる人がいてもしかたがないとあきらめるのか？

ニューヨーク市警による統計を見てみよう。二〇一五年、一七〇〇人の容疑者を突き止め、九〇〇人を逮捕し、その間の誤認は五件だった。[81]その五人にとっては迷惑も甚だしいが、問題はそれが容認できる割合かどうかだ。犯罪を減らすためにはしかたがないのだろうか？

何はともあれ、この章の冒頭で取りあげたキム・ロスモの地理的プロファイリングのように、弊害のないアルゴリズムはひじょうにめずらしい。犯罪捜査に活用できるアルゴリズムはみな、ある一点ではひじょうに役立つが、それ以外の点ではさまざまな不利益が起きる。プレッドポル、ハンチラボ、ストラテジック・サブジェクト・リスト、顔認識はどれも、社会が抱えている問題を解決するのに役立つと同時に、新たな問題を生む。

何よりも犯罪捜査の分野で、アルゴリズムによって深刻な問題が起きていることを思えば、アルゴリズムに関する法整備をいそぐ必要がある。それは、答えの出ないむずかしい問題に立ち向かうことでもある。予測方法を人が理解できるアルゴリズムだけを使うべきなのか？　自ら学習するアルゴリズムに比べると、効果が薄く、それが犯罪率の上昇につながるとわかっていても、そうするのか？　それとも、数値を利用したシステムにも偏見やエラーの可能性があることを受け入れるのか？　そうすれば、現状の人間が作ったシステムより、アルゴリズムをより高度なものにできる。そしてまた、どのぐらいの偏見を許容するのか？　防犯対策のせいで被害を受ける人たちと、アルゴリズムが見つけだす犯人のどちらを、どのぐらい重視するのか？

それはある意味で、より良い社会とはどんなものなのかを決めることだ。何を優先させるのか？　犯罪の発生を可能なかぎり抑えるべきなのか？　それとも、何よりも無実の人が濡れ衣を着せられない社会を目指すのか？　他者のためにどの程度まで個人を犠牲にするのか？

マサチューセッツ工科大学の社会学の教授ゲイリー・マークスは、『ガーディアン』のインタビューでこの問題について解説した。「かつてのソビエト連邦では、全体主義の独裁的政府という最悪の状況下で、信じられないほど路上犯罪が少なかった。だが、そのためにどのぐらいの代償を払ったのだろう？」[82]

結局のところ、アルゴリズムの力が及ぶ範囲を制限することになるだろう。分析や計算をするべきではない事柄もある。最終的には、その考え方が犯罪の世界を超えて適用されるかもしれない。それはアルゴリズムそのものの性能が劣っているせいではないはずだ。それはきっと、感情のない機械ができること以上に、何か大切なものがあるからだ。

7章 芸術とアルゴリズム

アルゴリズムでヒット曲や映画は予測できるのか。そして、コンピュータがバッハ風の曲を作ったら？　なんと聴衆は人間の曲と聴きわけられなかった。芸術とは何なのか。それでも人間の感情はやはり機械とは違うはず

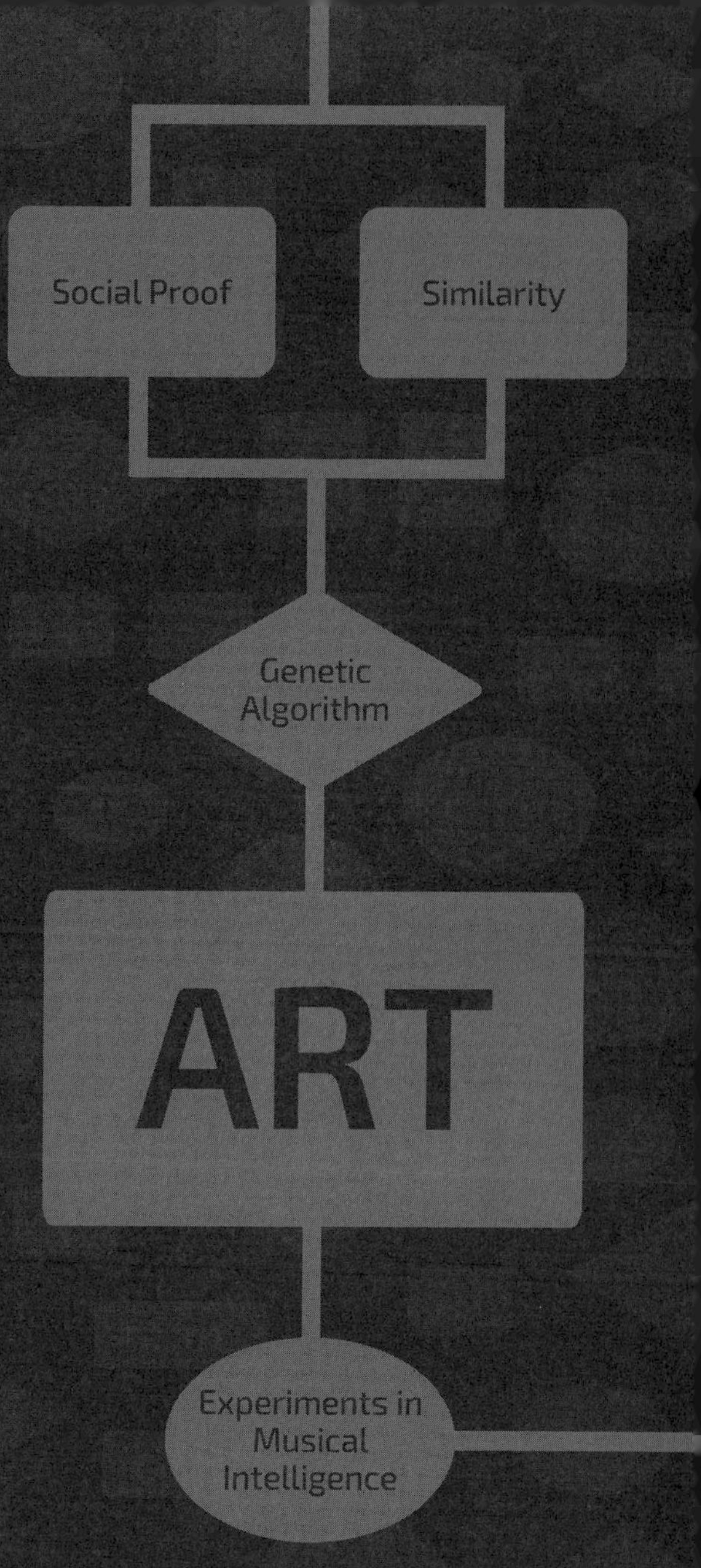

Social Proof
Similarity
Genetic Algorithm
ART
Experiments in Musical Intelligence

ジャスティンは物思いにふけっていた。二〇一八年二月四日、テネシー州メンフィスにある自宅のリビングルームで、エム・アンド・エムズのチョコレートを食べながら、ぼんやりとスーパーボウルを眺めていた。その週の初めに三七歳になったばかりで、ここ数年は誕生日が来るたびに、これまでの人生をふりかえるようになっていた。

幸せを感じるべきなのはわかっていた。順調な人生だ。安定した会社で働き、住む家があり、愛する家族もいる。それなのに、いつでもそれ以上のものを求めている。子供の頃から、自分は富と名声を手に入れると信じて疑わなかった。

それなのに、どうしてこれほど平凡な人生を歩んでいるのか？「一〇代の頃のバンド」と心の中でつぶやいた。一四歳のときにくわわったバンドのことだ。「あれが成功していたら、何もかもがちがっていたはずだ」。だが、うまくいかなかった。哀れなジャスティン・ティンバーレイクに栄光の日はやってこなかった。

がっかりして、もう一本ビールをあけると、バンドが成功していたら、どんな人生を歩んでいたのだろうと空想した。テレビではコマーシャルが終わり、華やかなハーフタイムショーの音楽が流れはじめた。そのとき、もうひとつの世界（パラレルワールド）——一点を除いてすべてが同じ世界——では、もうひとりのメンフィス出身のジャスティン・ティンバーレイク、三七歳が、スーパーボウルのステージに上がっていた。

パラレルワールド

本物のジャスティン・ティンバーレイクはなぜ、これほどの大成功をおさめたのだろう？また、なぜ、もうひとりのジャスティン・ティンバーレイクは夢を叶えられなかったのか？一四歳の頃の私も含めて（＊）、ジャスティン・ティンバーレイクが一流の歌手になったのは当然だと言う人もいるはずだ。天性の才能、恵まれた容姿、ダンスの能力、アーティスティックな曲があれば、有名になるのも当然だ、と。だが、そうではないと言う人もいるだろう。ティンバーレイクにしろ、熱狂的なファンが大勢いるスーパースターにしろ、特別なものは何もない。歌も踊りもうまい人はいくらでもいる。スターになれたのは運が良かっただけだ、と。

どちらが正しいのかは知りようがない。パラレルワールドをいくつも作って、それぞれにティンバーレイクを入れて、それぞれがどうなっていくのか観察して、どの世界でも成功するのかどうかを確かめないかぎり、わかりようがない。残念ながら、人工的に多次元的世界を作るのは、まず不可能だ。だが、ティンバーレイクほど大物ではなく、さほど知られていない歌手を例にすれば、ヒットを飛ばせるかどうかに関して、運と才能の相対的な役目を探れる。

それは、二〇〇六年にマシュー・サルガニックとピーター・ドッズ、ダンカン・ワッツがお

＊一四歳の私はＰＪ＆ダンカンの大ファンだった。そんな私に何がわかるというのか？

こなった実験の裏にある考え方だ。いくつかのデジタルなパラレルワールドを用いた有名な実験である。[1] その三人の科学者は独自にオンライン音楽プレイヤー——スポティファイの簡易バージョン的な音楽サイト——を作り、そこにやってきた人たちを八つのパラレルなサイトにふり分けた。各サイトには、四八人のまだ芽が出ていない歌手の曲を置いておいた。

ミュージック・ラボ[2]と名づけられたそのサイトには、一万四三四一人の音楽ファンが訪れ、ログインして、それぞれの曲の一部を聴いて評価して、いちばん気に入った曲をダウンロードした。

スポティファイと同じように、訪問者は各サイト内で他の人がどんな曲を聴いたのか見ることができた。アーティストの名前や曲名と一緒に、総ダウンロード数も確認できた。ダウンロードのカウンターは0からはじまり、やがて数が増えて、最後には、八つのパラレルワールドそれぞれで、もっとも人気のある曲が明らかになった。

その一方で、研究チームは本物のヒット曲を知るために、対照群ならぬ対照世界を作り、そこを訪れた人には他の訪問者からの影響を受けずに、曲を選ばせた。曲はグリッド形式、または、リスト形式で表示されるが、表示される順番はランダムで、ダウンロード数も表示しなかった。

すると興味深いことがわかった。どの世界でも、何曲かはまるで人気がなかった。それ以外の曲は多くの客に好まれて、最終的には、ダウンロード数が見えないサイトも含めて、すべてのサイトで人気を博した。とはいえ、大ヒット曲と完全な失敗作のあいだには、さまざまなレベルのヒット曲があった。

たとえば、ミルウォーキーのパンクバンドの52メトロが歌う『ロックダウン』は、ひとつのサイトでは大いに人気を博し、最後には他の曲を大きく引き離して、ヒットチャートの第一位になったが、もうひとつのサイトではまるで人気がなく、四八曲中四〇位だった。曲そのものはまったく同じで、リストに並んでいる他の曲もまったく同じだったが、そのサイトでは52メトロは鳴かず飛ばずだった[3]。成功は運まかせということもある。

曲が一位になるかどうかはともかく、誰もが他の人が好んでいる曲をダウンロードする傾向にあった。たとえば、月並みな曲がたまたま早い時点でダウンロード数第一位になると、その人気は雪だるま式にふくらんでいく。ダウンロード数が増えると、それをきっかけにさらに増えていくのだ。数として目に見えている人気が本物の人気になり、最終的には、時の経過とともに無作為に増えていく数字がヒットという形になった。

そういう結果には、それなりの理由がある。心理学者が〝社会的証明〟と呼ぶ現象だ。自分で何かを決められるだけの情報が手元にない場合、人は周囲の人の態度を真似る習性がある。だから、劇場は観客の中にサクラを仕込んで、タイミング良く拍手や声援を送らせる。他の人が拍手をすると、自分も拍手をしたくなるものなのだ。曲選びでは、かならずしも他の人と好みが一致するわけではないが、人気のある曲を選ぶのは、落胆を避けるための手っ取り早い方法だ。実験をおこなった当時、サルガニックは『ライブサイエンス』に次のように語った。「選べる曲がたくさんあると、すべてを聴くわけにはいかない。手っ取り早いのは、他の人が聴いている曲を聴くことだ[4]」

あらゆる種類のエンターテインメントで、人は人気を質のバロメーターとして使っている。

たとえば、二〇〇七年の研究では、本が『ニューヨーク・タイムズ』のベストセラー・リストに載った場合の、その本に対する世間の反応を調べた。研究の発案者アラン・ソレンセンは、そのベストセラー・リスト特有のランクづけを利用して、本がヒットする足跡をたどった。販売部数からすれば、当然、そのベストセラー・リストに載るはずなのに、時間のずれやちょっとしたミスなどで、リストに載らなかった本と、ベストセラー・リストに掲載された本を比較した。すると、大きな影響があるのがわかった。ベストセラー・リストに載っただけで、売り上げが平均で一三～一四％伸びた。新人作家の場合は五七％も伸びた。

流行りを知ろうとして、多くのプラットフォーム——ベストセラー・リスト、アマゾンのランキング、ロッテン・トマト（訳注：米国の映画評論サイト）の点数、スポティファイのヒットチャート——を見れば見るほど、社会的証明の影響が大きくなる。無数の選択肢があるときほどその影響は大きくなる。さらに、販売戦略、有名人、マスコミの宣伝、批評家の絶賛などにも、人は引きずられる。

そのせいで、くだらない音楽が大ヒットすることもある。そんな皮肉を言っているのは私だけではない。噂によると、一九九〇年代、この事実を熟知していたイギリス人の音楽プロデューサーふたりが、誰が最低の曲をヒットチャートに食いこませられるか賭けをした。賭けに勝ったのは、バニラという若い女性グループのデビュー曲『ノー・ウェイ・ノー・ウェイ』だった。有名な人形劇番組の歌をもとに作られた曲だ。歌唱力はかろうじて歌といえる程度で、芸術性は基本的なお絵かきアプリで作ったかのようなレベル。プロモーション・ビデオもお粗末だった。[5] けれど、バニラには強い味方がいた。数冊の雑誌で特集されて、BBCテレビの『トップ・オブ・ザ・ポップス』に出演したおかげで、曲はヒットチャートの第一四位になった(*)。そのグループは短命だった。二曲目が発売される頃には、すでに人気は低迷し、三曲目が出ることはなかった。それを考えると、〝社会的証明〟がヒットの唯一の要因ではないと言えそうだ。ミュージック・ラボの追加実験でも、同じ結果が出ている。

追加実験も、設定は最初の実験とほぼ同じだった。ただ、今回は人気の認知がどのぐらい自己成就的予言(訳注:思いこみであっても、それを信じて行動しているとそのとおりになること)になるのかをテストするために、少しひねりをくわえた。もしそれぞれのサイト内のヒットチャートの順位に変化が見られなくなったら、順位を逆にする。そうして、音楽サイトにやってきた人に、第一位の曲が最下位で、下位にある売れない曲が大ヒットしているかのようなリストを見せた。

するとたんに、ダウンロード数が減った。上位の曲がつまらないと、サイト全体の曲の興味が失われた。特に減りが激しかったのは、チャートのトップを占める駄作のダウンロード数だった。また、チャートの下位に表示されたすばらしい曲は、上位に置かれているときに比べるとダウンロード数が減ったものの、それでも、最初にリストの下位を占めていた駄作のダウンロード数よりはましだった。実験を長期間続けていたら、すばらしい曲はまた人気が出たかもしれない。結局のところ、音楽業界にはヒットの鉄則はないらしい。運と質の両方が必要な

＊この本で曲を流せないのが残念でならない。どれほどつまらない曲なのか、その耳で確かめていただきたかった。ぜひ、ググってみてほしい。

のだ。[6]

さて、ひとつのデータで成り立っている現実に戻って、ミュージック・ラボの実験結果をまとめてみよう。質は重要だが、人気と質が正比例するとはかぎらない。順位を操作しても、もともと一位だった曲が人気が出たのだから、真に良質な音楽は存在すると言えそうだ。才能豊かなアーティストによるセンセーショナルな曲は、（理論上）ヒットする。だが、問題はその逆も正しいとは言えないことだ。ヒットしたから質も高いとは言い切れない。

質をどう定義するかはまた別の話で、それはあとに考えることにしよう。だが、場合によっては、質はかならずしも重要ではないこともある。レコード会社の社員や、映像プロデューサーや、編集者が何よりも知りたいのは、確実にヒットするかどうかが前もってわかるのかということだ。アルゴリズムの予測でヒット作を作れるのだろうか？

ヒット作を探せ

映画制作はリスクが高いビジネスだ。儲かる映画はほんの一握りで、大半はどうにか収支が合う程度。大失敗もめずらしくない。[7]いちかばちかの勝負なのだ。制作費は何千万、何億ドルにものぼり、需要予測をしくじれば、破滅的な大赤字になる。

二〇一二年公開のディズニー映画『ジョン・カーター』が典型的な例だ。ディズニーは三億五〇〇〇万ドルを投じてその映画を作った。『トイ・ストーリー』や『ファインディング・ニモ』のような大ヒットシリーズになると踏んだのだ。さて、どのぐらいの人が『ジョン・カーター』を観ただろうか？　少なくとも私は観ていない。その映画は観客の心に響かず、二億ドルの赤字を出して、ウォルト・ディズニー・スタジオの責任者を辞任に追いこんだ[8]。

これまでハリウッドの大映画会社は、映画が商業的に成功するか否かは予測不能だと思い知らされてきた。まさに直感の世界だ。大ヒットを狙って一か八かの大博打に出るのも、その業界ではめずらしいことではなかった。一九七八年、アメリカ映画協会の会長兼ＣＥＯのジャック・ヴァレンティはこんなことを言った。「映画が興行的に成功するかどうかは、誰にもわからない。暗い映画館で映写機がまわりはじめ、スクリーンと観客のあいだで火花が散るまでわからない[9]」。その五年後の一九八三年、『プリンセス・ブライド・ストーリー』や『明日に向って撃て！』で脚本を手がけたウィリアム・ゴールドマンは、さらに簡潔に「わかりようがない[10]」と言った。

だが、これまで解説してきたとおり、最新のアルゴリズムは予測できそうもないことを、実際に予測している。映画だけは例外なのだろうか？　いや、収益や批評などの評価をもとに、映画のヒットを予測できるはずだ。映画の構成や特徴にまつわるさまざまな要素——主役、ジャンル、予算、上映時間、ストーリーなどは測定できる。そこから最新技術を駆使して、お宝を発掘する。どんな映画がヒットするのかを明らかにするのだ。

インターネット・ムービー・データベース（ＩＭＤｂ）やロッテン・トマトのようなサイトで集められ、整理されて、要約された膨大な情報を、うまく活用するための科学的な研究が、熱心におこなわれている。そして、お気づきのとおり、そういったデータには数々の興味深い事柄が隠れている。

二〇一三年にサミート・スリニヴァーサンがおこなった研究もそのひとつだ[11]。世界最大の映画情報サイトＩＭＤｂは、利用者にストーリーに関するキーワードを映画とタグ付けしてもらうことで、信じられないほど詳細なキーワードのデータベースを完成させた。それを見ると、映画を観る人の好みがどのように変化しているのかがわかった。その研究がおこなわれた時点ですでに、ＩＭＤｂには一世紀以上前の映画から現代の映画まで、二〇〇万作品を超えるリストがそろっていて、それぞれの映画に複数のタグがついていた。タグにはジャンルを表わしているものもあった。〝組織犯罪〟や〝父と息子の関係〟などだ。他にも〝ニューヨーク－マンハッタン〟など、場所に関するタグもあれば、〝銃で脅される〟とか〝椅子に縛りつけられる〟といったストーリーの一部に関するタグもあった。

キーワードそのものから、物語のどんな要素が映画ファンの心に火をつけるのかがわかった。たとえば、第二次世界大戦をテーマにした映画や、妊娠中絶の問題を取りあげた映画などだ。似たようなテーマの映画が立て続けに公開されると、その後しばらくそういったテーマの作品は下火になる。そういったことを考慮して、スリニヴァーサンはタグをもとに、公開された当時の映画の目新しさに関して0から1までの点数をつけ、それを興行収入と比較した。

女性のヌードや組織犯罪など、映画の主な要素や大きな特徴が、それまでの映画と共通していれば、そういったキーワードがついた映画は点数が低くなる。一方、一九七〇年代のアクション映画での空手のシーンなど、それまでにない特徴が見られた映画は、点数が高くなる。

結果的に、人と目新しさの関係は複雑だった。平均すれば、目新しさの点数が高ければ高いほど、映画の興行収入は上がる。だが、それにも限界がある。目新しさの限界を超えると、その先は断崖絶壁だ。〇・八点を超えると、収益は崖を転がり落ちる。スリニヴァーサンの研究は、社会学者が長いあいだ抱いていた疑念を解き明かした。人はありふれたものには興味を示さず、かといって、まったく馴染みのないものも嫌う。大ヒットするのは、〝新しい〟けれど〝新しすぎない〟、そんな狭い領域に位置する映画だ。

目新しさの点数は、大赤字にならない映画を作らないようにするためには役に立ちそうだが、個々の映画がヒットするかどうかを知りたいときにはほとんど役に立たない。それには、ヨーロッパの研究者チームがおこなった実験がいくらか参考になる。その研究チームは、映画が公開された月のその映画のウィキペディアの編集・追記回数が、最終的な興行収入と関連していることを突き止めた[12]。ウィキペディアの編集・追記をおこなうのは、封切られた映画とは無関係な人だ。つまり、熱心な映画ファンが情報を書きこんでいる。編集・追記が多ければそれだけ、公開時に話題になったと考えられ、それゆえに興行収益も伸びるはずだった。

その方法での予想的中率はほどほどだ。研究対象となった三一二の映画のうち、収益予測で七〇％以上の精度だったのは七〇作品だった。だが、ヒット作であればあるほど、また、ウィキペディアのページが編集・追記されていればされているほど、多くのデータが手に入り、予測の精度も上がった。興行収益が第六位までの映画の予測の精度は九九％だった。

どの研究も興味深くはあるが、映画公開直前に何かがわかったとしても、それでは映画の出資者にはほとんど役立たない。そこで、疑問に真正面から取り組んでみることにしよう。ジャンル、主演俳優の知名度、年齢制限（R18など）など、すべての要素を使って、機械学習アルゴリズムに映画がヒットするかどうかを予測させるのだ。

二〇〇五年におこなわれた有名な研究がまさにそれだった。映画館で封切られるよりずいぶん前に、ニューラルネットワークを使って、興行収入を予測しようとしたのだ[13]。実験を簡素化するために、興行収入の正確な予測はひとまず置いておいて、映画を大失敗から大ヒットまでの九つのカテゴリーに分類した。だが、簡素化したにもかかわらず、満足のいく結果は得られなかった。ニューラルネットワークはこれまでのどんな統計的手法よりはるかに精度が高かったが、それでも、映画の成功度の予測精度は平均して三六・九％だった。興行収益二億ドル以上の上位のカテゴリーでは、精度は少し上がって、四七・三％だった。だが、映画に大金を投じるには注意が必要だ。ヒットまちがいなしとアルゴリズムが予測した映画の約一〇％は、収益が二千万ドルに届かなかった。ハリウッド映画でのその興行収入は、ひじょうに少ないということになる。

予測精度を上げようと、他にもさまざまな研究がおこなわれてきたが、飛躍的な進歩はまだ見られていない。研究結果からわかるのは、ひとつだけだ。映画公開時の観客の反応というデータがそろうまでは、ヒットを予測するのはほぼ不可能ということだ。どうしたらヒット作を作れるのかは、ゴールドマンの言うとおり、「わかりようがない」のだ。

質は数字で表わせる？

みんなが好む作品を予測するのがいかにむずかしいかは、おわかりいただけたと思う。ひとりひとりが何かを好む理由をもとに、みんなが好むものを見つけだすのは、そう簡単にはいかない。そして、創作活動にアルゴリズムを用いようとすると、さらなる問題が浮上する。〝良質〟であるかどうかを決めるのに人気を基準にできないとしたら、何を基準にすればいいのだろう？

アルゴリズムに芸術作品を作らせるにしろ、人が作った作品を評価させるにしろ、芸術の分野でアルゴリズムを使うなら、質を測定する方法が必要だ。アルゴリズムを正しい方向へ導く客観的な方法がなくてはならない。つまり、〝正解〟を示すのだ。〝この細胞群はがんである〟とか〝被告人は犯罪を繰り返す〟といった正解の、アート・バージョンと言ってもいい。それがなければ、アルゴリズムは完成しない。〝良い〟とはどんな意味なのかを定義できなければ、〝良い〟曲を作ったり、見つけだしたりするアルゴリズムは作れない。

だが、質に関する客観的な基準を探そうとすると、古代ギリシア時代に端を発する哲学的な問題にぶつかることになる。二〇〇〇年以上、議論されつづけてきた問題――それは、芸術の美的価値をどうやって判断するのかということだ。

ゴットフリート・ライプニッツのような哲学者は、こんなふうに言う――ミケランジェロのダビデ像やモーツァルトの名曲のように、誰もが美しいと感じる芸術作品があるなら、そこには測定できる本質的な美があるはずだ。それでこそ、他の作品より客観的にすぐれていることになる。

とはいえ、美しいかどうかに関して、全員の意見が一致することはまずない。デイヴィッド・ヒュームのような哲学者は、美は見ているものの目の中にある、と言う。たとえば、アンディ・ウォーホルの作品を見て、最高に美しいと感じる人もいれば、缶入りのスープのどこが芸術なのかと、疑問を抱く人もいる。

ドイツの哲学者イマヌエル・カントをはじめ、多くの人は、その中間のどこかに真実があると言っている。美に対する判断は、完全に主観的なものでもなければ、あくまでも客観的なものでもない。感覚的で感情的で、なおかつ知的なもので、厄介なことに、見る者の心理状態によっても変化する。

これは実験でも証明されている。バンクシーのファンなら、二〇一三年のニューヨークのセントラルパークでのバンクシーの出店を覚えているはずだ。その店は、バンクシーの名を伏せて、白黒のスプレー画を一枚六〇ドルで販売した。店を開いたのは、観光客向けの土産物を売る出店が立ち並んでいる場所で、そこを歩いている人にとって、六〇ドルという値段はかなり高価だった。店を開けてから数時間経ってようやく、一枚の絵が売れた。結局、一日の売上は四二〇ドルだった。[14] ところが、一年後、一枚のキャンバスに描かれたその絵が、ロンドンのオークションに出品されると、六万八〇〇〇ポンド（当時のレートで一一万五〇〇〇ドル）という値がついた。バイヤーはその金額に見合う美的価値があると考えたわけだ。[15]

誰もがみなバンクシーを好きなわけではない。テレビドラマ『ブラック・ミラー』の作者チャーリー・ブルッカーは、バンクシーのことを〝間抜けの目をくらますこざかしい作品の作り手〟と言った。[16] こんなふうに書くと、バンクシーの作品が本物の芸術ではないと言っているように思われるかもしれない。話題になって、そこに〝社会的証明〟もくわわって、目が飛び出るほどの高値がついているだけだ、と。いや、そういうわけではないが、いずれにしても、人の美的感覚がいかに気まぐれかに関しては、正真正銘の芸術を用いた研究がいくつもおこなわれている。

中でも特に興味深いのは、二〇〇七年に『ワシントンポスト』がおこなった実験だ。[17] その実験では、国際的なバイオリニストのジョシュア・ベルに、満席のコンサートの他に、もうひとつコンサートを開いてもらった。それは、愛用の三五〇〇万ドルのストラディバリウスのバイオリンを持って、通勤ラッシュのワシントンDCの地下鉄の駅のエスカレーターのわきで、床に帽子をさかさまにして置き、四三分間演奏して、投げ銭を稼ぐというものだった。『ワシントンポスト』の記事にあるとおり、〝世界有数の音楽家が、史上もっとも価値のあるバイオリンで、何よりも気高いクラシック音楽を奏でた〟のだ。果たして、その結果は？ 七人がしばらく足を止めて演奏に耳を傾け、一〇〇〇人以上の人がわき目もふらずに傍らを通りぬけた。演奏が終わったとき、床に置いた帽子に入っていたのは、わずか三二ドル一七セントだった。

人が何を〝すばらしい〟と見なすかということも変化する。クラシック音楽の中には、時代を超えて愛される作品もあるが、すべてのアートに同じことが言えるわけではない。インペリアル・カレッジ・ロンドンの進化生物学の教授アルマン・ルロワは、ポップミュージックの進化を研究して、人の好みが変化する明確な証拠を手に入れた。「人間には退屈の限界点がある。新しいものを求める気持ちが高まるにつれて、限界に近づく[18]」

ひとつの例として、一九八〇年代後半に流行ったドラムマシンとシンセサイザーを用いた音楽について考えてみよう。それは大流行して、それ以外のジャンルの曲がヒットチャートから姿を消した。「初期のマドンナやデュラン・デュランのような曲ばかりになった。〝すばらしい、これがポップスの頂点だ。これ以上のものはない。最高の音楽が見つかった〟と誰もが感じているかのようだった」とルロワは言った。だが、もちろんそんなことはない。その後まもなく、ヒップホップが流行りはじめると、ヒットチャートに様々なジャンルの曲が戻ってくるようになった。変化のきっかけとなったヒップホップに、何か特別なものがあったのだろうか？　私はルロワに尋ねた。「いや、そんなことはないと思う。他のジャンルでも良かったはずで、それがたまたまヒップホップだったというだけだ。その音楽に多くのアメリカ人が反応して、〝なるほど、これは新しい。もっと聴かせてくれ〟と言ったんだ」

つまりはこういうことだ。ある芸術作品が他のものより質が高いとされる客観的基準が何かしらあるにせよ、芸術的な美しさを評価するときに、その背景にあるものが関わってくる以上、何に対しても通用する具体的な美の尺度は作れない。統計、人工知能、機械学習アルゴリズム、何を使おうが、芸術の質を数字で表わそうとするのは、手で煙をつかもうとしているようなものなのだ。

それでも、数えられる何かがあればアルゴリズムにもできる。人気と本質的な質の問題を排除すれば、そこにはただひとつ数字に置き換えられるものが残る。これまでに流行ったものとの類似性だ。

類似性を測定すれば、かなりのことができる。ネットフリックスやスポティファイのサイトにあるようなお勧め機能を作るには、何よりも類似性が理想的な測定方法だ。サブスクリプション・サービスであるその二社には、ユーザーが新しい映画や曲を発見しやすくなる仕組みがあり、ユーザーの好みを正確に予測しようとしている。そこで使われるアルゴリズムは、人気があるかどうかを基準にするわけにはいかない。それを基準にしたら、ユーザーはジャスティン・ビーバーや人気アニメをひたすら勧められることになる。また、質を表わすものとして、手厳しい批評を基準にするわけにはいかない。そんなことをしたら、一日の仕事を終えて、リラックスして、二時間ほど軽めのスリラーやロマンティック・コメディを観ようと思っている人たちに、小難しくて居眠りしてしまいそうな作品ばかりを勧めることになる。

一方で、類似性を使えば、アルゴリズムは個人の好みに焦点を絞れる。その人が聴いているもの、観ているもの、何をしに繰り返しサイトを訪れているのか……それらをもとに、映画情報サイトやウィキペディア、音楽ブログや雑誌の記事から、曲やアーティストや映画に関するキーワードを選びだす。すべてにそれをおこなって、あとは同じキーワードの曲と映画を探しだして、お勧めするだけだ。さらに、映画や音楽の好みが共通する人を見つけられ、その人たちが観た映画や聴いた音楽もわかるので、それをユーザーに勧めることになる。

スポティファイもネットフリックスも、完璧な曲や完璧な映画を配信するつもりはさらさらない。作品の質にはまるで興味がない。スポティファイ・ディスカバーは、ひとりのユーザーの好みや気分と完全に一致する、この世でたったひとりの歌手を見つけてくれるわけではない。アルゴリズムを使ったお勧め機能は、ユーザーをがっかりさせない程度の音楽と映画を選んでくれるだけだ。可もなく不可もなく余暇を過ごせるようにしてくれる。ときには、本当に好みにぴったりのものを勧めてくれることもあるが、それはある意味で腕の立つ占い師が、いかにも相手の心を読んでいるかのようにふるまっているようなものだ。時々そういう大当たりがあると、思いがけず新しい音楽が見つかって幸せな気分になれる。そういったお勧め機能はつねに正確無比である必要はない。

お勧め機能では類似性は大いに役に立つ。だが、質の基準がないまま、アルゴリズムに芸術作品を作らせたら、どうなるのだろう？　これまでの芸術作品から得た情報だけで、アルゴリズムは何かを創造できるのだろうか？

優れた芸術家は模倣し、偉大な芸術家は盗む――パブロ・ピカソ

一九九七年一〇月、オレゴン大学にやってきた観客は、一風変わったコンサートを聴かされることになった。正面のステージにはピアノが一台置かれていた。まもなく、ピアニストのウィニフレッド・ケルナーが三つの短い曲を弾くために、ピアノの前に座った。

一曲目はバロック音楽の巨匠ヨハン・セバスチャン・バッハの作品にしてはあまり知られていない鍵盤曲だ。二曲目はその大学の音楽の教授スティーヴ・ラーソンが、バッハを真似て作った曲。三曲目はアルゴリズムがバッハの曲をそっくり真似て作った曲だった。

その三曲を聴いたあとに、観客はどれがどの曲なのかを当てることになった。観客はラーソンが作った曲をコンピュータが作ったと回答し、ラーソン教授をがっかりさせた。また、観客が本物のバッハの曲だと答えたものは、実はコンピュータが作った曲で、それを知った観客は驚いた。

ラーソンはよほど悔しかったのか、その実験の直後に、『ニューヨーク・タイムズ』のインタビューで、次のように話した。「バッハの曲に対して、深い尊敬の念を抱いている。コンピュータに人があれほど簡単に騙されてしまうとは、思ってもいなかった」

嘆いているのはラーソンひとりではなかった。作曲するコンピュータの陰の立役者であるアルゴリズムを作ったデイヴィッド・コープは、この手の感想を聞かされるのは初めてではなかった。「私が初めてこの〝クイズ〟（バッハが作った曲か？　それとも、コンピュータが作った

曲か？　という問題）を出したとき」とコープは私に話した。「みんなはまちがえて、怒りだした。そもそも私がそんなことを考えたのが許せなかったんだ。芸術活動は人間だけのものだと思いこんでいた[19]」

このコンサートを考案した認知科学者ダグラス・ホフスタッターもそうだった。ピューリッツァー賞を受賞することになった一九七九年の著書『ゲーデル，エッシャー，バッハ──あるいは不思議の環』（野崎昭弘ほか訳、白揚社）の中で、ホフスタッターはこの件に関してはっきりと書いている。

音楽は感情の言語であり、プログラムが人と同じぐらい複雑な感情を持つようになるまでは、プログラムには美しいものは作れない……前もってプログラムされた〝音楽の箱〟に、バッハが作ったような曲を作らせることができると考えるのは、人間の精神の深遠さを見誤った愚かで恥ずべき行為だ[20]。（翻訳は訳者）

だが、コープのアルゴリズム──EMI（エクスペリメンツ・イン・ミュージカル・インテリジェンス）──が作った曲を聴くと、ホフスタッターは物事がそう単純ではないことを認めた。「私は自分がEMIに戸惑い、悩まされていることに気づいた」とホフスタッターはオレゴン大学での実験後に気持ちを吐露した。「現時点で私にとっての唯一の慰めは、EMIが独自の様式の音楽を作っていないことだ。これまでの作曲家の真似をしているだけだ。だが、だからといって、心のざわつきがおさまったわけではない。これほど動揺しているのは、（もしかしたら）音楽というものがこれまで私が考えていたほど特別なものではないからかもしれない」[21]

いったいどちらが正解なのか？　美の創造は人だけに与えられたものなのか？　それとも、アルゴリズムにも芸術が作れるのか？　多くの人にＥＭＩの音楽とバッハが作った曲の区別がつかないのなら、そのアルゴリズムは真の創造力を会得したことになるのか？

そういった疑問をひとつひとつ考えてみよう。まずは最後の疑問だ。論理的な答えを得るために、アルゴリズムがどのように機能しているのかを理解しておいたほうがいい。それについては、デイヴィッド・コープが詳しく説明してくれた。

アルゴリズム作成の最初のステップは、バッハの曲を機械が理解できるものに変換することだ。「ひとつの音を五つに分解してデータベースにおさめる。タイミング、継続時間、音の高さ、音の大きさ、楽器の五つだ」。バッハの曲に使われている音すべてに対して、コープはその五つを手動でコンピュータに入力しなければならなかった。バッハの合唱曲だけで三七一曲。そこには多くの和音と無数の音符があり、それぞれの音符に対して五つの数字を入力するのだ。コープは途方もない努力を強いられた。「何カ月間も、一日中、数字を入力しつづけた。といっても、私はそもそも何かにとり憑かれたように没頭するタイプだからね」

次に、コープはバッハの曲のあらゆるリズムを分析し、それがどうつながっていくのかを研究した。バッハの合唱曲で演奏されているすべての音符と、それに続く音を記録した。そうして、その結果を辞書のようにひとつにまとめた。それはすべてが網羅されている完璧なリストで、アルゴリズムがその辞書を使ってある音を調べると、その音のあとにバッハがどんなふうに曲を展開させているかがわかる。

その点では、ＥＭＩはスマートフォンで文字を打ちこむときの予測入力アルゴリズムになんとなく似ている。これまでに入力された文章を辞書に溜めておいて、携帯電話の持ち主が文章を入力しはじめるやいなや、次に来る言葉を提案するのだ(＊)。

最終ステップはアルゴリズムに自由を与えることだ。コープは最初の音を入力し、アルゴリズムに辞書でその音を調べさせ、そこから曲をどう展開させるかを決めさせる。リストの中から新たなコードを無作為に選ばせるのだ。アルゴリズムはその作業を繰り返す。辞書を使って次に来る音符をすべて拾いあげ、そこから一つを選択する。それを繰り返していくと、バッハと同じ形式だが、完全にオリジナルの曲ができあがる(＊＊)。

あるいは、それこそがバッハの曲なのかもしれない。いずれにしても、コープはそう考えている。「その音の組み合わせを作ったのはバッハだ。これはパルメザンチーズをいったんすりおろして、もう一度もとに戻そうとしているのと同じだ。どちらも本物のパルメザンチーズであることに変わりはない」

＊文字の予測入力は、あなた様式の文章を〝組み立てる〟ためにも使える。新しいメモを開いて、手はじめに短い文章——たとえば「私は生まれた」など——を入力する。そのあとは、入力候補として出てきた言葉を次々にタップする。私も実際にやってみた。滑り出しは好調だが、後半はややおかしなことになる。〝(私は生まれた) 良い人間になるために　そして私は幸せ　あなたと一緒なら　私が知っている多くの人たち　あなたは私のメールを受けとらない　私にはそのための時間がない〟

＊＊アルゴリズムの作曲が進むにつれて、コープは他にも基準となる数字を記録しなければならなかった。バッハらしい曲を作るには、楽句の長さや曲の長さも必要だった。

その曲を作ったのが本当は誰なのかはともかく、ひとつだけ確かなことがある。ＥＭＩの音楽がどれほど美しくても、それはあくまでも既存の曲を組み替えたものであることだ。作曲というより、バッハの曲の中にあるパターンを真似たのだ。

最近は、組み替えから一歩進んで、美しく心地いい音楽を作るアルゴリズムが作られている。中でも、いちばんうまくいったのは遺伝的アルゴリズムだ。機械学習の一種で、自然淘汰的な方法で選択をおこなう。たしかに、美しい羽を持つクジャクを考えれば、進化は美の創造を熟知している。

その考え方は単純だ。遺伝的アルゴリズムでは、音符はＤＮＡのように扱われる。まずは、無作為に音符を組み合せた第一世代の〝曲〟からはじまる。そこから何世代にもわたる繁殖を繰り返しながら、〝美しい〟ものを見つけだし、それをもとに〝より良い〟ものが生みだされ、それが繰り返されてより美しい音楽ができあがる。〝美しい〟と〝より良い〟という言葉を使ったが、もちろん、すでにご承知のとおり、どちらの言葉が意味することも具体的に定義する方法はない。そのアルゴリズムは音楽だけでなく、詩も作れて、絵も描けるが、すべては過去の作品との類似性をもとにしている。

とはいえ、それで充分な場合もある。たとえば、自分のサイトやユーチューブの動画のＢＧＭとして、フォークソング的な曲が必要だとしたら、過去にヒットしたフォークソングに似ていようがいまいがかまわない。要するに、作曲する手間が省けて、著作権にも引っかからない曲であればいいのだ。それが望みなら、願いをかなえてくれる会社はいくつもある。イギリスのスタートアップ企業ジュークボックスやＡＩミュージックはすでに、音楽を作れるアルゴリ

ズムを使って、この種のサービスを提供している。そういった曲の中には役に立つものがあるはずだ。ある意味でオリジナル曲ではある。中には美しい曲もあるだろう。アルゴリズムは斬新なクリエイターではないけれど、とりわけ物まね上手な機械なのはまちがいない。

言っておくが、そういったアルゴリズムを貶めるつもりはさらさらない。人間が作った音楽の大半も、斬新でクリエイティブなわけではないのだから。進化生物学者でポピュラー音楽の文化的進化の研究者でもあるアルマン・ルロワに言わせれば、人は人間の創造力を買いかぶりすぎているということになる。ヒットチャートでいきなり一位になる曲が、機械によって作られたものであっても不思議はないとルロワは言う。たとえば、ファレル・ウィリアムスの大ヒット曲『ハッピー』に関するルロワの見解は、次のようなものだ（どうやら、その曲はルロワの好みではないらしい）。

〝ハッピー、ハッピー、ハッピー、最高にハッピー〟。この曲はいったいなんなんだ？　同じ言葉を繰り返しているだけだ。これならロボットでも作れる。人間が好む明るくてハッピーな夏の曲といえば、こういう曲に決まっている。平凡でつまらない歌だ。その程度でかまわなければ、誰でも作れる。

ルロワはアデルの叙情的な詞もさほど評価していない。「彼女の歌を分析しても、悲しい歌を生成する機械では作れないような情感は特に見当たらない」

その意見には賛同できない人も多そうだ（私も賛同できるかどうかわからない）。だが、人間が創りあげるものの多くは、〝作曲〟するアルゴリズムの作品と同じように、すでに存在しているアイディアを組み合わせただけという意見があるのもまちがいない。マーク・トウェインはこんなふうに言っている。

新しいアイディアというものはない。そんなのはあり得ない。人はただ古いアイディアをごっそり取りだして、心の中の万華鏡のようなものに入れる。そうして、それをまわすと、見たこともないおもしろい模様ができあがる。人はその万華鏡をまわしつづけて、新たな模様を作りつづける。だが、それは昔からある色つきガラスの破片で、大昔から使われてきたものなのだ。[22]

一方で、コープは創造力をかなりシンプルにとらえている。それはアルゴリズムにできることを簡潔に言い表わしている。「創造力とは、一見無関係に見えるふたつの事柄に関連を見いだすことだ」

そうなのかもしれない。だが、ＥＭＩやそれに似たアルゴリズムが創造活動をおこなっているとしても、物足りなさを感じずにいられない。その音楽は美しいかもしれないが、深みに欠ける。そして、どんなに好意的に解釈しようとしても、機械が生みだしたものを芸術だと認めると、文化的に貧しい物の見方しかできなくなる気がしてならない。それはある意味で、懐かしい味を思いださせてくれる料理に似ている。けれど、本当の意味での芸術とは言えない。

私はこの章を書くために調べものをしているときに、アルゴリズムが芸術を生みだすことに関していまひとつ釈然としないのは、もうひとつの問題のせいだと気づいた。真の問題は、機械に創作活動ができるかどうかではないのだ。それを言うなら、できるのかもしれない。だが、問題は、そもそも芸術とは何かということだ。

私は数学者なので、誤検知とか、精度と統計に関する絶対的な真実といったことなら、自信を持って話ができる。けれど、芸術に関してはトルストイの見解と一緒だ。本物の芸術はやはり人間とのつながりの中にあると思う。感情の表現だ。「芸術は小手先の細工ではなく、芸術家が体験した感情の伝達である[23]」とトルストイは言った。トルストイの言うとおりだとすれば、機械が真の芸術を作れない理由も存在する。ダグラス・ホフスタッターはＥＭＩを知らなかった頃に、その理由をみごとに言い表わした。

音楽を作れる〝プログラム〟は、それ自体が世界をさまよい、人生という迷路を果敢に進み、すべての瞬間を感じ取らなければならない。冷たい夜風の喜びと孤独、愛おしい手への切望、戻れない遠い町への郷愁、人の死への悲嘆とそこからの再生を理解しなければならない。あきらめと厭世、深い悲しみと絶望、決意と勝利、敬虔と畏怖を知らなければならない。希望と恐怖、苦悶と歓喜、静穏と不安など、相反するものを混在させなければならない。その本質は、優美、ユーモア、リズムの感覚、意外性であるべきで、そしてもちろん、新たに創られたものが持つ魅力への鋭い感覚がなければならない。そこに、ただひとつそこにのみ、音楽の意義の源がある。[24]

もしかしたら、私はまちがっているのだろうか？　ＥＭＩの曲のように、アルゴリズムが生みだした作品が本物の人間が作ったもののように思えるなら、人はそれを評価して、そこに意義を見いだすことになる。なんといっても、長いあいだ作られてきたポピュラー音楽は、何かに対する人の感情表現ではあっても、やはり真の結びつきの疑似体験に過ぎない。やがてアルゴリズムが作った芸術が広まれば、創作活動は人間だけのものではないと多くの人が考えるようになり、一方通行のつながりも気にかけなくなる。いずれにしても、人が何かに特別な思いを抱いても、その何かはその愛に報いてはくれない。子供の頃に大切にしていたテディベアやペットの蜘蛛と同じだ。

それでも、私にとって、真の芸術は偶然に創られたものではない。アルゴリズムができることには限界がある。すべてを数字で表わすのは不可能だ。データと統計によってわかることは、数限りなくあるが、人が抱く感情はそこには含まれない。

結論　機械とともに生きる時代に

ラヒナ・イブラヒムは四人の子を持つ母親で、建築家だ。夫は海外で暮らしている。イブラヒムは地域の病院でボランティアとして働き、スタンフォード大学で博士号も取った。そんな多忙な日々のあいまに、緊急子宮摘出手術を受け、薬なしではひとりで長時間立っているのも大変な状況だった（といっても、今はもう回復して、普通に立っているはずだ）。そんな中、二〇〇五年一月、年に一度の会議、第三八回ハワイ・システム・サイエンス国際会議が近づくと、ハワイ行きの飛行機を予約して、学者仲間の前で最新の論文を発表すべく準備を整えた[1]。

二〇〇五年一月二日の早朝、イブラヒムは娘を連れてサンフランシスコの空港へ行くと、チェックインカウンターでパスポートを提示して、スタッフに車椅子の手配を頼んだ。ところが、その頼みは聞き入れられなかった。アメリカ合衆国の搭乗拒否リストに載っているとして、彼女の名前がコンピュータのモニターに表示されたのだ。そのデータベースはテロリストとおぼしき人物を飛行機に乗せないために、アメリカ同時多発テロ事件をきっかけに作られたものだった。

カウンターの前にひとり取り残されたイブラヒムの一〇代の娘は、途方に暮れ、知り合いに電話をかけて、母親が手錠をかけられて連れていかれたと話した。一方、イブラヒムはパトカーの後部座席に座らされ、警察署に連行された。ヒジャブ（訳注：イスラム教徒の女性が髪を覆うスカーフ）の中まで調べられ、薬を飲むことも許されず、独房に入れられた。二時間後、釈放の書類を携えた国土安全保障省の職員がやってきて、搭乗拒否リストから除外されたと言った。イブラヒムは無事にハワイの会議に出席すると、実家のある故郷のマレーシアに飛んだ。

イブラヒムが搭乗拒否リストにくわえられたのは、FBIの職員がうっかりして書類にチェックを入れたせいだった。そんなミスが起きたのは、海外で研究をおこなっているマレーシア人研究者のための組織ジャマ・イスラムを、二〇〇二年にバリ島で爆弾テロを起こしたテロ集団ジャマ・イスラミヤにまちがえたのが原因のようだった。イブラヒムはジャマ・イスラムのメンバーで、まぎらわしい名前のテロ集団とは無関係だった。そんなあまりにも単純すぎるミスが、重大な結果を招いた。自動化されたシステムにまちがった書類が読み込まれるやいなや、それは大きな力を持ち、変更をいっさい受け付けなくなった。サンフランシスコの空港での出来事で、決着がついたわけではなかったのだ。

二カ月後、旅を終え、マレーシアからアメリカに戻ろうとしたイブラヒムは、またもや空港で止められた。今度は、前回のようにすぐには解放されなかった。テロリストとつながっている疑いがあるという理由で、イブラヒムのビザは無効になっていた。米国籍を持つ子供の母親で、サンフランシスコに家があり、アメリカ有数の大学できちんとした研究をおこなっているにもかかわらず、イブラヒムはアメリカ合衆国に戻れなかった。身の潔白を証明するために裁判を起こし、勝訴するまでに約一〇年の月日がかかった。一〇年ものあいだ、アメリカの土を踏めなかったのだ。それもこれも、人間のたったひとつのミスと、全能の神のような権威を手に入れた機械のせいだった。

人間＋機械

私たちの暮らしのあらゆる場面で、自動化が大いに役に立っているのはまちがいない。これまでに作られたアルゴリズムは、偉業をいくつも成し遂げた。乳がんの診断、連続殺人犯の逮捕、飛行機事故の回避などに一役買い、また、誰もが指先ひとつで人類のあらゆる叡智に簡単にアクセスできるようにしてくれた。ご先祖様にとっては、夢のまた夢でしかなかった方法で、世界中の人々と瞬時につながれるようになったのだ。だが、熱心に自動化を進めて、世界が抱えるいくつもの問題を一足飛びに解決しようとしたせいで、これまでとはちがう新たな問題が生まれた。役に立つ有能なアルゴリズムによって、私たちは簡単には解決できない厄介な事態に陥っている。

司法制度、医療、警察の捜査、ネットショッピング。どれも、プライバシー、偏見、エラー、責任、透明性というむずかしい問題を抱えている。すでにいくつかのアルゴリズムを使っているがゆえに、公平性の問題に向きあうことになり、人としてどうあるべきか、どんな社会にしたいのか、血の通わない科学技術にどの程度まで頼るのか――そんな本質的な部分での決断を迫られている。

だが、それこそがまさにポイントなのだろう。アルゴリズムを何かの権威のように扱うこと自体、私たちがまちがった方向に進んでいる証拠なのかもしれない。

一例を挙げれば、人がアルゴリズムの能力を疑おうとしないせいで、誰かを食いものにしようとしている人たちにチャンスを与えてしまった。本書のための調査で、私はさまざまな怪しげな人たちに出会った。そういう輩は、誤った通念を利用して、何も知らない人たちを相手に一儲けしようとしていた。科学的な証拠とは裏腹に、顔の特徴だけをもとにテロリストや小児性愛者を〝予測できる〟と謳って、警察や政府にアルゴリズムを売りつける人々がいる。同様に、アルゴリズムの提案にしたがって、シナリオの一行を変えただけで映画は大ヒットすると言う者もいる(*)。さらには、剛胆にも、けれど、真剣に、このアルゴリズムを使えば、運命の人に出会えると言う者もいる(**)。

また、売り手の主張どおりのアルゴリズムでも、その能力が誤って使われている。本書には、アルゴリズムによって起きる弊害の例が山ほど詰まっている。アイダホ州で採用された〝予算

---

*実際にその会社のCEOに会って、話を聞いた。本当にそのとおりなのかどうかを、アルゴリズムで実証したのかと尋ねると、CEOは長々と説明してくれた。それは、ニューラルネットワークに分析させて、ハリウッドの大物俳優をシリーズものの映画から降板させたという話だった。それはアルゴリズムの提案を映画制作者が受け入れただけであって、アルゴリズムがきちんと機能した証拠ではないと私が指摘すると、こんな返事がかえってきた。「たしかに、学術的な実験はおこなっていない」

**アルゴリズムががらくたかどうかを見抜くためのコツがある。〝マジック・テスト〟と私が呼んでいるものだ。アルゴリズムに関する話題を目にしたらかならず、〝機械学習〟〝人工知能〟〝ニューラルネットワーク〟といった流行りの専門用語を、〝魔法(マジック)〟という言葉に置き換えてみる。それでも辻褄が合うか、何かしら意味が失われていないかを確かめる。それで妙なことになっていたら、胡散臭いと考えたほうがいい。なぜなら、残念ながら、まだとうぶんはAIを使おうが魔法を使おうが、〝人類の永遠のテーマを解決する〟こともできなければ、〝完璧なシナリオを書く〟こともできないからだ。

管理ツール〟は、障害者の助成金を闇雲にカットした。過去のデータから再犯を予測するアルゴリズムは、黒人の犯罪者の再犯リスクを高めに予想する傾向にある。腎不全検知システムは、本人の許可を得ずに、多くの患者の極めて個人的でプライバシーにかかわるデータを利用している。スーパーマーケットで使われているアルゴリズムは、一〇代の女の子が妊娠したことを父親に話す機会を奪った。ストラテジック・サブジェクト・リストは銃犯罪の被害者をなくすためのものだが、警察では狙撃対象者リストとして使われている。不当な例は他にもたくさんある。

だが、アルゴリズムの欠点を指摘すれば、それに代わる完璧なものがあるかのようなニュアンスで伝わりかねない。私は長いあいだじっくり考えて、公平なアルゴリズムを見つけようとしたが、そんなものはなかった。飛行機の自動操縦やがんを診断するニューラルネットワークなど、一見、問題なさそう思えるアルゴリズムにも、実は問題が隠れている。5章「車とアルゴリズム」で取りあげたとおり、自動操縦のせいで、そのシステムのもとで訓練を受けるパイロットは、実際に操縦する際に大きなハンディを負わされる。4章「医療とアルゴリズム」で取りあげた高性能の腫瘍発見アルゴリズムは、人種によってその精度が変わる。だが、アルゴリズムが使われていなくても、完璧に公平なシステムというものはない。どんな分野のどこに目を向けても、システムをしっかり確認すれば、何かしら偏りが見つかるものなのだ。

というわけで、ちょっと考えてみてほしい。完璧なものは存在しないことを受け入れてはどうだろうか？　アルゴリズムはミスを犯す。アルゴリズムは不公平だ。だからといって、より正確で偏りがないアルゴリズムを作る努力を怠るわけではない。それでも、人間同様、アルゴリズムも完璧ではないことを頭に入れておけば、アルゴリズムの言いなりになるのを防げるはずだ。

完璧に公平なアルゴリズムを作るという不可能なことに固執するよりも、アルゴリズムがミスを犯したときに、簡単に矯正できるように設計してはどうだろう？　アルゴリズムは簡単に使えるが、それと同じくらい簡単にエラーを正せるようにしておくことに、時間と労力を費やすのだ。解決策は、最初からまちがいを正せるようにアルゴリズムを設計しておくことかもしれない。人に指示するのではなく、人が下す判断をサポートするように設計したらどうだろう？　ただ結果を人に教えるのではなく、その結果にいたった理由がわかるようにしておくのだ。

あらゆる段階で人が介入できるのが最良のアルゴリズムだと、私は思う。機械が出した答えを鵜呑みにしがちな人間の癖を理解していて、なおかつ、アルゴリズム自身の欠点を受け入れて、エラーを隠そうとしないアルゴリズムだ。

それは、ＩＢＭが作り、クイズ番組『ジェパディ！』で勝利したワトソンのすばらしい特徴のひとつでもある。そのクイズ番組では回答はひとつだけだが、そのアルゴリズムは最終的な答えにたどり着くまでに浮かんできた数々の選択肢に、どのぐらい信頼できるか点数をつけた。そんなふうに、再犯リスク評価アルゴリズムも選択肢と信頼度がわかるようになっていれば、裁判官はアルゴリズムの判断に疑問を抱けるはずだ。また、顔認識アルゴリズムがたったひとつの顔を選びだすのではなく、複数の疑わしい人物の顔を選びだせば、人ちがいは減るだろう。

乳がんの生体検査をおこなうニューラルネットワークにはそういった機能があり、それは大いに役立っている。そのアルゴリズムはひとりの患者の腫瘍の有無を判断するものではない。無数の細胞から疑わしい部分を選び出して、その先の作業は病理医が引き継ぐ。アルゴリズムは疲れたり飽きたりしてミスを犯すことはなく、病理医はほぼ誤診がない。アルゴリズムは病理医と協力して、それぞれの長所を生かし、それぞれの欠点を補い合うのだ。

ほかにもさまざまな例がある。たとえば、本書の序盤で紹介したチェスの世界では、チェスの名人ガルリ・カスパロフはディープ・ブルーに敗れても、コンピュータとの縁を切ろうとはしなかった。逆に、〝ケンタウロス・チェス〟という対戦形式を積極的に推し進めた。ケンタウロス・チェスでは、人とアルゴリズムがタッグを組み、同じようにタッグを組んだ相手と勝負する。駒が動くたびにアルゴリズムはその後の展開を予測して、大きなミスを防いでくれるが、ゲームの主導権を握っているのは人だ。

カスパロフはこんなふうに言っている。「コンピュータの助けを借りてチェスをすれば、予測に長い時間を費やす必要がなく、戦略を練ることに専念できる。すると、人の創造力は何倍にもなる[2]」。その結果、これまでになくハイレベルの対戦が実現する。戦術的に駒を動かし、理にかなった美しい戦法が取れる。人とアルゴリズムそれぞれの長所が生かせるのだ。

それが理想の未来だ。そこにはもう、本書で紹介したような傲慢で独裁的なアルゴリズムはいない。機械を客観性の権化のように崇めるのではなく、強力な武器のひとつとして使うのだ。アルゴリズムの判断を鵜呑みにせずに、真意を精査して、人の感情を理解し、誰が得をするのか明確にし、アルゴリズムのまちがいを正し、現状に甘んじないようにする。これこそが、アルゴリズムがあらゆる意味で社会のために役立つ未来を作るためのカギになる。そして、そういう未来が作れるかどうかは、人間にかかっている。まちがいない。アルゴリズムの時代には、これまで以上に人が重要な役目を果たすのだ。

謝辞

簡単に本を書ける人もいるだろう。日が昇る前にベッドから飛び起きて、昼食までには一章分を書きあげて、夕食を食べるのも忘れて執筆に没頭する。時間の感覚がなくなるほど、流れに乗れる人もいる。

だが、私はそういうタイプではない。

ソファに座ってポテトチップを食べながらネットフリックスを観ていたい――そんな自分と闘いながらの執筆だった。不安や恐怖に呑みこまれる――そんな気分を味わうのは、博士号を取ったときが最後だと思っていたのに、今回もまたそんな気分と日々闘うはめになった。本を書いたというより、まさに泣きわめきながら、どうにかして絞りだしたというほうが正確かもしれない。

だからこそ、執筆に快く協力してくださった心優しい方々に感謝の言葉を贈りたい。出版社の優秀なスタッフは、この一年間、本書のために惜しみなく時間を費やし、アイディアを出してくれた。スザンナ・ウェイドソン、クィン・ゾ、クレア・コンラッド、エマ・パリー、ジリアン・サマースケールズ、エマ・バートン、ソフィー・クリストファー、ハンナ・ブライト、キャロライン・セイン、陰の立役者ジャンクロー&ネスビット、トランスワールド、ノートンのみなさま。スー・ライダー、カト・ビー、トム・コプソン――あなたたちがいなければ、私は途方に暮れていた。

取材に応じてくださった方々――言葉を引用させていただいた方々はもちろん、アイディアを形にするために協力してくれたすべての方々に心からの謝意を表したい。ジョナサン・ロウゾン、ナイジャル・ハーヴィー、アダム・ベンフォラード、ジャイルズ・ニューウェル、リチャード・バーク、シーナ・アーウィン、スティーブ・コルガン、マンディープ・ダミ、エイドリアン・ウェラー、トビー・デイヴィス、ロブ・ジェンキンズ、ジョン・カネフスキー、ティマンドラ・ハークネス、ドン・ポープル、そして、ウェストミッドランド警察のみなさま、アンディー・ベック、ジャック・スティルゴー、キャロライン・ランス、ポール・ニューマン、フィリス・イラーニ、アーマンド・レオニ、デイヴィッド・コープ、エド・フィン、ケイト・デヴリン、シーラ・ヘイマン、トム・チャットウィン、カール・ゴンブリッチ、ジョニー・ライアン、ジョン・クロウクロフト、フランク・ケリー。

ネットワーク・タイピングのスー・ウェブとデビー・エンライト。シャロン・リチャードソン、シュルティ・ラオ、ウィル・ストーは、本書を形にするために奮闘している著者に救いの手を差しのべてくれた。執筆の終盤にお世話になった方々にもお礼を言いたい。ジェームズ・フルカー、エリザベス・アドリントン、ブレンダン・マギニス、イアン・ハンター、オマル・ミランダ、アダム・デネット、マイケル・ヴィール、ジョスリン・ベイリー、キャット・ブラック、トレーシー・フライ、アダム・ラザフォード、トーマス・オレロン・エヴァンス。あなた方がいたから、大きな不備を見つけられ、正すことができた。また、ジェフ・ダールはすべてを通して心の支えになり、装丁に関してもすばらしいアイディアを出してくれた。

本書の感想を聞かせてくれた同僚にも感謝している。エリザベス・クレバードン、ベサニー・デイヴィス、ベン・ディクソン、マイク・ダウンズ、チャーリー・ガランとローラ・ガラン、ケイティー・ヒース、ミア・カジ‐フォーネリ、ファタ・アイオーライティン、シボーン・マザーズ、メイベル・スモーラー、アリ・シハン・サラル、ジェニファー・シェリー、エドワード・スティール、ダニエル・ヴェスマ、ジャス・ウブハイ。

献身的で、いつでも頼りになる家族にも、心からの謝意を表したい。フィル、トレーシー、ナタリー、マージとパージ、オマル、タニア。あふれるほどのやさしさで包んでくれてありがとう（ただし、これで終わりだと思わないでほしい。私はきっとまた本を書く。そのときにはまたあなたたちの力が必要になる。そのときも、どうぞよろしくお願いします）。

最後に、といっても、決しておまけではなく、イーディスにお礼を言いたい。正直なところ、何もしてくれなくても、それだけで充分だ。

訳者あとがき

アマゾンで初めて商品をお勧めされたときの衝撃は、今でも忘れられない。「えっ⁉ 私の行動を見張ってるの？」と恐ろしくなった。見張られているわけがないとわかっていても、誰かが見ているのではないかと、思わず周囲を見まわしてしまうほどの衝撃だった。

今、思えば、それが私とアルゴリズムとの出会いだ。とはいえ、当時は〝アルゴリズム〟という言葉すら聞いたことがなかった。

アルゴリズムとはなんなのか？ 広義では〝ひとつの作業をどのように成し遂げるかを論理的に示した手順……ケーキのレシピもアルゴリズム……目的をかなえるための手順が示されているものは、なんであれアルゴリズム〟と本書に書かれている。だが、実際には、そしてまた本書でも、もっと狭い意味で使われている。誤解を恐れずごく簡単に言うなら、無数の人から収集したデータをコンピュータに読み込ませ、確率などの数学的な計算をおこなって、分類し、予測することだ。たとえばネットショップがその予測を利用すると、「この商品を買った人は、この商品も好きなはず」となり、お勧め商品としてモニターに表示されることになる。

その程度なら、すでにご存じの方も多いだろう。だが、アルゴリズムが使われているのは、ネットショップだけではない。医療現場では病気の診断に、法廷では刑罰、保釈や仮釈放の決定に、さらには、自動運転機能にも使われ、人生や命にかかわる決定の一端を担っている。

そんな重大な決定を、血の通わない機械に、しかも〝予測〟をもとに決められてはたまらない、と考える人がいるのも無理はない。実際、本書の訳出にあたり、「アルゴリズム」が出てくる本に何冊も目を通したが、アルゴリズム（あるいはＡＩ）に任せたら恐ろしい世界になるというスタンスで書かれているものも多かった。

だが、本書はちがう。著者は数学者ならではの客観性を保ちつつ、数字だけでは割り切れない問題点にもしっかり着目している。アルゴリズムを闇雲に悪者扱いするのではなく、かといって、全能の神扱いもしない。便利な道具としてアルゴリズムをどんなふうに使うかは、人の手にかかっていると説く。

著者のハンナ・フライは、１９８４年イギリス生まれ。全英屈指の名門校ユニバーシティ・カレッジ・ロンドンで数学を専攻し、流体力学で博士号を取得した。優秀な数学者で、対人関係などにおける人間の行動パターンを、数学にあてはめる研究をしている。大学での特別講義はもとより、執筆活動や講演活動を精力的におこない、ラジオやテレビにも出演している。子供に向けた講演も数多くこなし、科学や数学の面白さを、実験や具体例を交えて伝えている。

ハンナ・フライの活動は、YouTubeでも数々の動画が公開されている。TED Talksにも登壇し、「愛を語る数学」というテーマで、恋愛という数学ではとうてい解明できそうもない問題（ある意味で人類の永遠のテーマ）に対して、どのように数学を利用できるかということを、ユーモアを交えてわかりやすく解説している。日本語字幕付きの動画も公開されているので、ぜひご覧になってほしい（TED日本語――ハンナ・フライ：愛を語る数学。日本語字幕付き動画　https://digitalcast.jp/v/21847/）。著者が数学をどのようにとらえているかが、おわかりいただけるはずだ。難解な方程式を作りあげたり解いたりする学問としての数学に終わらせず、人間社会、人間関係に用いようとする意気込みが伝わってくる。そんな著者だからこそ、アルゴリズムにも人間にも能力の限界があり、両方の能力を融合させるのが最良だとする本を書きあげられたのだと、納得できるはずだ。

　さて、アマゾンで初めてアルゴリズムの洗礼を受けたときには、あれほどの衝撃を受けたくせに、今の私はアルゴリズムにすっかり慣れっこになっている。

　インターネットショッピングのサイトで好みとはまるでちがうものをお勧めされると、「わかってないなぁ、もっと私の興味のありそうなものを表示して」と上から目線で文句を言い、いっぽうで、YouTubeの自身のチャンネルで配信した動画が「おすすめ」にのらないと、どうしたらアルゴリズムに気に入ってもらえるのか真剣に悩むといった有様だ。はっきり言えば、インターネット上の私はアルゴリズムに支配されつつある。だが、本書を翻訳し、その実態を理解したからには、もっと上手にアルゴリズムと付き合っていけると希望が湧いてきた。

　本書にあるとおり、インターネット以外でも身近なところでさまざまなアルゴリズムが使われている。それを考えれば、現代を生きるすべての人が、アルゴリズムから逃れられない。だからこそ、ひとりでも多くの人に本書を読んでいただきたい。そして、アルゴリズムの正体を知り、拒むのでも、おもねるのでもなく、いきすぎたアルゴリズムの利用にはきちんと声をあげるようにする。それが、アルゴリズムと共存する理想の社会への第一歩になるにちがいない。

　本書の訳出にあたっては、文藝春秋社の高橋夏樹氏にたいへんお世話になった。この場を借りて、心よりお礼を申しあげたい。

森嶋マリ

参考文献

原題にまつわる覚書

（1）Brian W. Kernighan and Dennis M. Ritchie. *The C Programming Language* (Upper Saddle River, NJ: Prentice-Hall, 1978).

はじめに

（1）Robert A. Caro, *The Power Broker: Robert Moses and the Fall of New York* (London: Bodley Head, 2015), p. 318.

（2）これに関しては、必読の論文が二点ある。ひとつは、Langdon Winner, 'Do artifacts have politics?', *Daedalus*, vol. 109, no. 1, 1980, pp. 121–36, https://www.jstor.org/stable/20024652, で、モーゼスの橋の話が紹介されている。新しいところでは、Kate Crawford, 'Can an algorithm be agonistic? Ten scenes from life in calculated publics', *Science, Technology and Human Values*, vol. 41, no. 1, 2016, pp. 77–92。

（3）*Scunthorpe Evening Telegraph*, 9 April 1996.

（4）チャクエメカ・アフィーボはツイッター（@nke_ise）に短い動画を投稿した。ぜひご覧いただきたい。YouTube動画：https://www.youtube.com/watch?v=87QwWpzVy7I.

（5）CNNのインタビューに応じるマーク・ザッカーバーグ。YouTube、２０１８年３月21日：Mark Zuckerberg: 'I'm really sorry that this happened';https://www.youtube.com/watch?v=G6DOhioBfyY.

1章　影響力とアルゴリズム

（1）チェスの名人ジョナサン・ローソンとの会話より。

（2）Feng-Hsiung Hsu, 'IBM's Deep Blue Chess grandmaster chips', *IEEE Micro*, vol. 19, no. 2, 1999, pp. 70–81、http://ieeexplore.ieee.org/document/755469/.

（3）Garry Kasparov, *Deep Thinking: Where Machine Intelligence Ends and Human Creativity Begins* (London: Hodder & Stoughton, 2017).〔ガルリ・カスパロフ『ディープ・シンキング　人工知能の思考を読む』染田屋茂訳、日経ＢＰ〕

（4）TheGoodKnight, 'Deep Blue vs Garry Kasparov Game 2 (1997 Match)', YouTube, 18 Oct. 2012、https://www.youtube.com/watch?v=3Bd1Q2rOmok&t=2290s.

（5）同前

（6）Steven Levy, 'Big Blue's Hand of God', *Newsweek*, 18 May 1997、http://www.newsweek.com/big-blues-handgod-173076.

（7）Kasparov, *Deep Thinking*, p. 187.

（8）同前、p.191.

（9）メリアム＝ウェブスター社によると、『オックスフォード英語辞典（*Oxford English Dictionary*）』に掲載されたアルゴリズムの定義は、より数学的だ。「主にコンピュータによる、計算やその他の問題解決作業における手順、または、ルール」

（10）アルゴリズムにはさまざまな分類方法があり、コンピュータ科学者の中には本書での分類方法は単純過ぎると考える者もいるはずだ。完璧を期すなら、次のようなカテゴリーもくわえるべきだろう。マッピング、リダクション、回帰、クラスタリングなど。とはいえ、分類に関しては、基本を押さえ、広範囲に及ぶ複雑な研究を簡潔に、漏れなくまとめるために、以下の文献を参考にした。Nicholas Diakopoulos, *Algorithmic Accountability Reporting: On the Investigation of Black Boxes* (New York: Tow Center for Digital Journalism, Columbia University, 2014)

（11）Kerbobotat, 'Went to buy a baseball bat on Amazon, they have some interesting suggestions for accessories', *Reddit*, 28 Sept. 2013, https://www.reddit.com/r/funny/comments/1nb16l/went_to_buy_a_baseball_bat_on_amazon_they_have/.

（12）Sarah Perez, 'Uber debuts a "smarter" UberPool in Manhattan', *TechCrunch*, 22 May 2017, https://techcrunch.com/2017/05/22/uber-debuts-a-smarter-uberpool-in-manhattan/.

（13）ここで〝理論上は〟としたのは、現実はいくらか異なるからだ。アルゴリズムの中には、数百、あるいは数千人の開発者が関わり、何年もかけて作られるものがある。その過程で、各開発者がさまざまなステップをつけくわえる。プログラムの行数は増え、システムは複雑になり、その結果、ロジックは皿に盛られたスパゲティのように絡みあう。最後には、流れを追えなくなり、人間の理解を超えた難解なアルゴリズムができあがる。

二〇一三年、トヨタは自社の車が引き起こした死亡事故により、三〇〇万ドルの補償金の支払いを命じられた。問題の車は、運転手がアクセルではなくブレーキを踏んでいるにもかかわらず、急加速した。ある専門家は陪審員に、複雑なソフトウェアの奥底に隠された意図しない指示が原因であると話した。Phil Koopman, *A case study of Toyota unintended acceleration and software safety* (Pittsburgh: Carnegie Mellon University, 18 Sept. 2014), https://users.ece.cmu.edu/~koopman/pubs/koopman14_toyota_ua_slides.pdf.

（14）この目の錯覚は考案者のエドガー・ルビンの名を取り、「ルビンの壺」と呼ばれている（https://commons.wikimedia.org/wiki/File:Vase_of_rubin.png. を参照）。だまし絵のひとつで、黒い部分は向きあっているふたつの顔に見え、白い部分は壺に見える。このままなら、そのふたつは簡単に見分けられる。ところが、何本か線を描き足すだけで、どちらか一方しか見えなくなる。たとえば、顔に目をつけるとか、壺のくびれている部分に陰を描き足すだけで。

画像の車を犬と認識したのも、それと同じ原理だ。その研究チームは、異なるカテゴリーの境界線に位置する画像は、わずかな摂動によって、機械の目にはまるでちがうものに映るのを発見した。

(15) Jiawei Su, Danilo Vasconcellos Vargas and Kouichi Sakurai, 'One pixel attack for fooling deep neural networks', *arXiv:1710.08864v7* [cs.LG], 17 Oct. 2019′ https://arxiv. org/pdf/1710.08864.pdf.

(16) Chris Brooke, '"I was only following satnav orders" is no defence: Driver who ended up teetering on cliff edge convicted of careless driving', *Daily Mail*, 16 Sept. 2009, http://www.dailymail.co.uk/news/article-1213891/Driver-ended-teetering-cliff-edge-guilty-blindly-following-sat-nav-directions.html.

(17) 同前

(18) Robert Epstein and Ronald E. Robertson, 'The search engine manipulation effect (SEME) and its possible impact on the outcomes of elections', *Proceedings of the National Academy of Sciences*, vol. 112, no. 33, 2015, pp. E4512–21, http://www.pnas.org/content/112/33/E4512.

(19) David Shultz, 'Internet search engines may be influencing elections', *Science*, 7 Aug. 2015, http://www.sciencemag.org/news/2015/08/internet-search-engines-may-be-influencing-elections.

(20) Epstein and Robertson, 'The search engine manipulation effect (SEME)'.

(21) Linda J. Skitka, Kathleen Mosier and Mark D. Burdick, 'Accountability and automation bias', *International Journal of Human–Computer Studies*, vol. 52, 2000, pp. 701–17, http://lskitka.people.uic.edu/IJHCS2000.pdf.

(22) K.W. *v.* Armstrong, US District Court, D. Idaho, 2 May 2012, https://scholar.google.co.uk/scholar_case?case=17062168494596747089&hl=en&as_sdt=2006.

(23) Jay Stanley, *Pitfalls of Artificial intelligence Decisionmaking Highlighted in Idaho ACLU Case*, American Civil Liberties Union, 2 June 2017, https://www.aclu.org/blog/privacytechnology/pitfalls-artificial-intelligence-decisionmaking-highlighted-idaho-aclu-case.

(24) 'K.W. v. Armstrong', *Leagle.com*, 24 March 2014, https://www.leagle.com/decision/infdco20140326c20.
(25) 同前
(26) ACLU Idaho staff, https://www.acluidaho.org/en/about/staff.
(27) Stanley, *Pitfalls of Artificial Intelligence Decisionmaking.*
(28) ACLU, *Ruling mandates important protections for due process rights of Idahoans with developmental disabilities*, 30 March 2016, https://www.aclu.org/news/federal-court-rules-against-idaho-department-health-and-welfare-medicaid-class-action.
(29) Stanley, *Pitfalls of Artificial Intelligence Decision-making.*
(30) 同前
(31) 同前
(32) 同前
(33) 同前
(34) Kristine Phillips, 'The former Soviet officer who trusted his gut — and averted a global nuclear catastrophe', *Washington Post*, 19 Sept. 2017, https://www.washingtonpost.com/news/retropolis/wp/2017/09/18/the-former-soviet-officer-who-trusted-his-gut-and-averted-a-global-nuclear-catastrophe/.
(35) Pavel Aksenov, 'Stanislav Petrov: the man who may have saved the world', BBC News, 26 Sept. 2013, http://www.bbc.co.uk/news/world-europe-24280831.
(36) 同前
(37) Stephen Flanagan, *Re: Accident at Smiler Rollercoaster, Alton Towers, 2 June 2015: Expert's Report*, prepared at the request of the Health and Safety Executive, Oct. 2015, http://www.chiark.greenend.org.uk/~ijackson/2016/Expert%20witness%20report%20from%20Steven%20Flanagan.pdf.
(38) Paul E. Meehl, *Clinical versus Statistical Prediction: A Theoretical Analysis and a Review of the Evidence* (Minneapolis: University of Minnesota, 1996; first publ. 1954), http://citeseerx.ist.psu.edu/viewdoc/download?doi=10.1.1.693.6031&rep=rep1&type=pdf.
(39) William M. Grove, David H. Zald, Boyd S. Lebow, Beth E. Snitz and Chad Nelson, 'Clinical versus mechanical prediction: a meta-analysis', *Psychological Assessment*, vol. 12, no. 1, 2000, p. 19.
(40) Berkeley J. Dietvorst, Joseph P. Simmons and Cade Massey. 'Algorithmic aversion: people erroneously avoid algorithms after seeing them err', *Journal of Experimental Psychology*, Sept. 2014, https://repository.upenn.edu/fnce_

papers/58/.

2章　データとアルゴリズム

(1) Nicholas Carlson, 'Well, these new Zuckerberg IMs won't help Facebook's privacy problems', *Business Insider*, 14 May 2010, http://www.businessinsider.com/well-these-new-zuckerberg-ims-wont-help-facebooks-privacy-problems-2010-5?IR=T.

(2) Clive Humby, Terry Hunt and Tim Phillips, *Scoring Points: How Tesco Continues to Win Customer Loyalty* (London: Kogan Page, 2008).〔クライブ・ハンビィほか『Ｔｅｓｃｏ　顧客ロイヤルティ戦略』大竹佳憲訳、海文堂出版〕

(3) 同前、Kindle edn, 1313–17.

(4) Eric Schmidt, 'The creepy line', YouTube, 11 Feb. 2013, https://www.youtube.com/watch?v=o-rvER6YTss.

(5) Charles Duhigg, 'How companies learn your secrets', *New York Times*, 16 Feb. 2012, https://www.nytimes.com/2012/02/19/magazine/shopping-habits.html.

(6) 同前

(7) Sarah Buhr, 'Palantir has raised $880 million at a $20 billion valuation', *TechCrunch*, 24 Dec. 2015.

(8) Federal Trade Commission, *Data Brokers: A Call for Transparency and Accountability*, (Washington DC, May 2014), https://www.ftc.gov/system/files/documents/reports/data-brokers-call-transparency-accountability-report-federal-trade-commission-may-2014/140527databrokerreport.pdf.

(9) 同前

(10) Wolfie Christl, *Corporate Surveillance in Everyday Life*, Cracked Labs, June 2017, http://crackedlabs.org/en/corporate-surveillance.

(11) Heidi Waterhouse, 'The death of data: retention, rot, and risk', The Lead Developer, Austin, Texas, 22 March 2018, https://www.youtube.com/watch?v=mXvPChEo9iU.

(12) Amit Datta, Michael Carl Tschantz and Anupam Datta, 'Automated experiments on ad privacy settings', *Proceedings on Privacy Enhancing Technologies*, no. 1, 2015, pp. 92–112.

(13) Latanya Sweeney, 'Discrimination in online ad delivery', *Queue*, vol. 11, no. 3, 2013 p. 10, https://dl.acm.org/citation.cfm?id=2460278.

(14) Jon Brodkin, 'Senate votes to let ISPs sell your Web browsing history to advertisers', *Ars Technica*, 24 March 2017, https://arstechnica.com/tech-policy/2017/03/senate-votes-to-let-isps-sell-your-web-browsing-history-to-advertisers/.

(15) Svea Eckert and Andreas Dewes, 'Dark data', DEFCON Conference 25, 21 Oct. 2017, https://www.youtube.com/watch?v=1nvYGi7-Lxo.
(16) この研究の一部は以下を参考におこなわれた。 Arvind Narayanan and Vitaly Shmatikov, 'Robust de-anonymization of large sparse datasets', paper presented to IEEE Symposium on Security and Privacy, 18–22 May 2008.
(17) Michal Kosinski, David Stillwell and Thore Graepel. 'Private traits and attributes are predictable from digital records of human behavior', vol. 110, no. 15, 2013, pp. 5802–5.
(18) 同前
(19) Wu Youyou, Michal Kosinski and David Stillwell, 'Computer-based personality judgments are more accurate than those made by humans', *Proceedings of the National Academy of Sciences*, vol. 112, no. 4, 2015, pp. 1036–40.
(20) S. C. Matz, M. Kosinski, G. Nave and D. J. Stillwell, 'Psychological targeting as an effective approach to digital mass persuasion', *Proceedings of the National Academy of Sciences*, vol. 114, no. 48, 2017, 201710966.
(21) Paul Lewis and Paul Hilder, 'Leaked: Cambridge Analytica's blueprint for Trump victory', *Guardian*, 23 March 2018.
(22) 'Cambridge Analytica planted fake news', BBC, 20 March 2018, http://www.bbc.co.uk/news/av/world-43472347/cambridge-analytica-planted-fake-news.
(23) Adam D. I. Kramer, Jamie E. Guillory and Jeffrey T. Hancock, 'Experimental evidence of massive-scale emotional contagion through social networks', *Proceedings of the National Academy of Sciences*, vol. 111, no. 24, 2014, pp. 8788–90.
(24) Jamie Bartlett, 'Big data is watching you — and it wants your vote', *Spectator*, 24 March 2018.
(25) Li Xiaoxiao, 'Ant Financial Subsidiary Starts Offering Individual Credit Scores', *Caixin*, 2 March 2015, https://www.caixinglobal.com/2015-03-02/ant-financial-subsidiary-starts-offering-individual-credit-scores-101012655.html.
(26) Rick Falkvinge, 'In China, your credit score is now affected by your political opinions — and your friends' political opinions', *Privacy News Online*, 3 Oct. 2015, https://www.privateinternetaccess.com/blog/in-china-your-credit-score-is-now-affected-by-your-political-opinions-and-your-friends-political-opinions/.
(27) *State Council Guiding Opinions Concerning Establishing and Perfecting Incentives for Promise-keeping and Joint Punishment Systems for Trust-breaking, and Accelerating the Construction of Social Sincerity*, China Copyright and Media, 30 May 2016, updated 18 Oct. 2016, https://chinacopyrightandmedia.wordpress.com/2016/05/30/state-council-guiding-opinions-concerning-establishing-and-perfecting-incentives-for-promise-keeping-and-joint-punishment-systems-for-trust-breaking-and-accelerating-the-construction-of-social-sincer/.
(28) Rachel Botsman, *Who Can You Trust? How Technology Brought Us Together — and Why It Could Drive Us Apart*

(London: Penguin, 2017), Kindle edn, p. 151.〔レイチェル・ボッツマン『TRUST　世界最先端の企業はいかに〈信頼〉を攻略したか』関美和訳、日経BP〕

3章　正義とアルゴリズム

(1) John-Paul Ford Rojas, 'London riots: Lidl water thief jailed for six months', *Telegraph*, 11 Aug. 2011, http://www.telegraph.co.uk/news/uknews/crime/8695988/London-riots-Lidl-water-thief-jailed-for-six-months.html.

(2) Matthew Taylor, 'London riots: how a peaceful festival in Brixton turned into a looting free-for-all', *Guardian*, 8 Aug. 2011, https://www.theguardian.com/uk/2011/aug/08/london-riots-festival-brixton-looting.

(3) Rojas, 'London riots'.

(4) Josh Halliday, 'London riots: how BlackBerry Messenger played a key role', *Guardian*, 8 Aug. 2011, https://www.theguardian.com/media/2011/aug/08/london-riots-facebook-twitter-blackberry.

(5) David Mills, 'Paul and Richard Johnson avoid prison over riots', *News Shopper*, 13 Jan. 2012, http://www.newsshopper.co.uk/londonriots/9471288.Father_and_son_avoid_prison_over_riots/.

(6) 同前

(7) Rojas, 'London riots'. 二〇一五年、マンチェスター大学の刑法と裁判の上級講師ハンナ・クワークは、ニコラスの件について〝通常、警察はこのような犯罪では犯人を逮捕しない。こういったことで拘留されることはまずない。裁判が開かれることもない〟と書いた。 Carly Lightowlers and Hannah Quirk, 'The 2011 English "riots": prosecutorial zeal and judicial abandon', *British Journal of Criminology*, vol. 55, no. 1, 2015, pp. 65–85.

(8) Mills, 'Paul and Richard Johnson avoid prison over riots'.

(9) William Austin and Thomas A. Williams III, 'A survey of judges' responses to simulated legal cases: research note on sentencing disparity', *Journal of Criminal Law and Criminology*, vol. 68, no. 2, 1977, pp. 306–310.

(10) Mandeep K. Dhami and Peter Ayton, 'Bailing and jailing the fast and frugal way', *Journal of Behavioral Decision-making*, vol. 14, no. 2, 2001, pp. 141–68, http://onlinelibrary.wiley.com/doi/10.1002/bdm.371/abstract.

(11) いずれのケースでも、ほぼ半分の裁判官の意見が異なった。

(12) 統計学ではこの種の判決の不一致を測定する方法がある。コーエンのカッパ係数というものだ。それは、たとえ推測であっても、最終的には偶然の一致が見られるという事実に基づいている。1は完全に一致していることを意味し、0は単なる無作為と変わらないことを意味する。0〜1のあいだの点数で、裁判官たちの平均は0・69だった。

(13) Diane Machin, 'Sentencing guidelines around the world', paper prepared for Scottish Sentencing Council, May 2005,

https://www.scottishsentencingcouncil.org.uk/media/1109/paper-31a-sentencing-guidelines-around-the-world.pdf.

（14）同前

（15）同前

（16）Ernest W. Burgess, 'Factors determining success or failure on parole', in *The Workings of the Intermediate-sentence Law and Parole System in Illinois* (Springfield, IL: State Board of Parole, 1928). この論文が見つからない場合は、バージェスの同僚のティビッツが書いた追跡研究をお勧めする。 Clark Tibbitts, 'Success or failure on parole can be predicted: a study of the records of 3,000 youths paroled from the Illinois State Reformatory', *Journal of Criminal Law and Criminology*, vol. 22, no. 1, Spring 1931, https://scholarlycommons.law.northwestern.edu/cgi/viewcontent.cgi?article=2211&context=jclc. バージェスが使用したカテゴリーは他に〝一家の厄介者〟〝偶然による犯罪者〟〝麻薬中毒者〟〝ギャング〟がある。そのカテゴリーの中で〝田舎者〟は再犯率が極めて低かった。

（17）Karl F. Schuessler, 'Parole prediction: its history and status', *Journal of Criminal Law and Criminology*, vol. 45, no. 4, 1955, pp. 425–31, https://pdfs.semanticscholar.org/4cd2/31dd25321a0c14a9358a93ebccb6f15d3169.pdf.

（18）同前

（19）Bernard E. Harcourt, *Against Prediction: Profiling, Policing, and Punishing in an Actuarial Age* (Chicago and London: University of Chicago Press, 2007), p. 1.

（20）Philip Howard, Brian Francis, Keith Soothill and Les Humphreys, *OGRS 3: The Revised Offender Group Reconviction Scale*, Research Summary 7/09 (London: Ministry of Justice, 2009), https://core.ac.uk/download/pdf/1556521.pdf.

（21）この統計には選択バイアスが考えられる。〝オーディエンス〟はクイズの早い段階、問題が比較的簡単な段階で使われることが多い。とはいえ、個人より大勢の意見のほうが正しい場合が多いとする見解は裏付けられている。参考資料：James Surowiecki, *The Wisdom of Crowds: Why the Many Are Smarter than the Few* (New York: Doubleday, 2004), p. 4.〔ジェームズ・スロウィッキー『「みんなの意見」は案外正しい』小高尚子訳、角川文庫〕

（22）Netflix Technology Blog, https://medium.com/netflix-techblog/netflix-recommendations-beyond-the-5-stars-part-2-d9b96aa399f5.

（23）Shih-ho Cheng, 'Unboxing the random forest classifier: the threshold distributions', Airbnb Engineering and Data Science, https://medium.com/airbnb-engineering/unboxing-the-random-forest-classifier-the-threshold-distributions-22ea2bb58ea6.

（24）Jon Kleinberg, Himabindu Lakkaraju, Jure Leskovec, Jens Ludwig and Sendhil Mullainathan, *Human Decisions and*

Machine Predictions, NBER Working Paper no. 23180 (Cambridge, MA: National Bureau of Economic Research, Feb. 2017), http://www.nber.org/papers/w23180.
この研究には勾配ブースティング決定木（GBDT）が使用された。ランダムフォレストに似たアルゴリズムだ。どちらも多くの決定木の予測から結論にいたるが、ランダムフォレストの決定木が並行的に実行されるのに対して、GBDTの決定木は連続的に実行される。この研究のために、まずデータセットを半分に分けた。半分はアルゴリズムの訓練に使い、もう半分はわきによけておいた。アルゴリズムの学習が済むと、残りの半分に関して何が起きるかを予測させた（最初にデータを分けておかないと、アルゴリズムはただのルックアップテーブルとなる）。

（25）研究者たちは時間をかけて統計的手法を考案し、この問題に正確に対処した。ゆえに、裁判官とアルゴリズムによる各予測の有意の比較ができる。参考資料：Kleinberg et al., *Human Decisions and Machine Predictions*.

（26）'Costs per place and costs per prisoner by individual prison', *National Offender Management Service Annual Report and Accounts 2015–16*, Management Information Addendum, Ministry of Justice information release, 27 Oct. 2016, https://www.gov.uk/government/uploads/system/uploads/attachment_data/file/563326/costs-per-place-cost-per-prisoner-2015-16.pdf.

（27）Marc Santora, 'City's annual cost per inmate is $168,000, study finds', *New York Times*, 23 Aug. 2013, http://www.nytimes.com/2013/08/24/nyregion/citys-annual-cost-per-inmate-is-nearly-168000-study-says.html;Harvard University, 'Harvard at a glance', https://www.harvard.edu/about-harvard/harvard-glance.

（28）Luke Dormehl, *The Formula: How Algorithms Solve All Our Problems . . . and Create More* (London: W. H. Allen, 2014), p. 123.

（29）Julia Angwin, Jeff Larson, Surya Mattu and Lauren Kirchner, 'Machine bias', ProPublica, 23 May 2016, https://www.propublica.org/article/machine-bias-risk-assessments-in-criminal-sentencing.

（30）'Risk assessment' questionnaire, https://www.documentcloud.org/documents/2702103-Sample-Risk-Assessment-COMPAS-CORE.html.

（31）Tim Brennan, William Dieterich and Beate Ehret (Northpointe Institute), 'Evaluating the predictive validity of the COMPAS risk and needs assessment system', *Criminal Justice and Behavior*, vol. 36, no. 1, 2009, pp. 21–40, http://www.northpointeinc.com/files/publications/Criminal-Justice-Behavior-COMPAS.pdf. 二〇一八年の研究によると、COMPASは人間の〝アンサンブル〟と同等の精度だ。研究チームが二〇人の素人に再犯を予測させると、COMPASと同等の点数だった。それは興味深い比較結果ではあるが、本物の裁判では、裏で何人もの一般人が投票し、その結果を裁判官が参考にするわけではない。裁判官は自身で判断している。実際の比較対象になるのはそれだけだ。参考資料：Julia

Dressel and Hany Farid, 'The accuracy, fairness, and limits of predicting recidivism', *Science Advances*, vol. 4, no. 1, 2018.

(32) *Christopher Drew Brooks* v. *Commonwealth*, Court of Appeals of Virginia, Memorandum Opinion by Judge Rudolph Bumgardner III, 28 Jan. 2004, https://law.justia.com/cases/virginia/court-of-appeals-unpublished/2004/2540023.html.

(33) 'ACLU brief challenges constitutionality of Virginia's sex offender risk assessment guidelines', American Civil Liberties Union Virginia, 28 Oct. 2003, https://acluva.org/en/press-releases/aclu-brief-challenges-constitutionality-virginias-sex-offender-risk-assessment.

(34) *State* v. *Loomis*, Supreme Court of Wisconsin,13 July 2016, http://caselaw.findlaw.com/wi-supreme-court/1742124.html.

(35) リチャード・バークとの会話から引用。

(36) Angwin et al., 'Machine bias'.

(37) *Global Study on Homicide 2013*（Vienna: United Nations Office on Drugs and Crime, 2014）, http://www.unodc.org/documents/gsh/pdfs/2014_GLOBAL_HOMICIDE_ BOOK_web.pdf.

(38) ACLU, 'The war on marijuana in black and white', June 2013, www.aclu.org/sites/default/files/field_document/1114413-mj-report-rfs-rel1.pdf.

(39) ウィスコンシン州最高裁判所はイクイバレントの姿勢を支持する判断を下した。COMPASの再犯リスク評価を使用した裁判官によって六年の懲役を科されたエリック・ルーミスは、控訴した。ルーミス対ウィスコンシン州となったその裁判での被告側の主張は、採点の科学的妥当性に異議を唱えられないがゆえに、知的所有権で守られたクローズドソースの再犯リスク評価ソフトウェアを使った判決は、適正手続きの権利を侵害しているというものだった。だが、ウィスコンシン州最高裁判所は第一審裁判所での判決時のアルゴリズムによる再犯リスク評価の使用は、被告人の適正手続きの権利を侵害していないという判決を下した。 Supreme Court of Wisconsin, case no. 2015AP157-CR, opinion filed 13 July 2016, https://www.wicourts.gov/sc/opinion/DisplayDocument.pdf?content=pdf&seqNo=171690.

(40) Lucy Ward, 'Why are there so few female maths professors in universities?', *Guardian*, 11 March 2013, https://www.theguardian.com/lifeandstyle/the-womens-blog-with-jane-martinson/2013/mar/11/women-maths-professors-uk-universities.

(41) Sonja B. Starr and M. Marit Rehavi, *Racial Disparity in Federal Criminal Charging and Its Sentencing Consequences*, Program in Law and Economics Working Paper no. 12-002（Ann Arbor: University of Michigan Law School, 7 May 2012）, http://economics.ubc.ca/files/2013/05/pdf_paper_marit-rehavi-racial-disparity-federal-criminal.

pdf.
(42) David Arnold, Will Dobbie and Crystal S. Yang, *Racial Bias in Bail Decisions*, NBER Working Paper no. 23421 (Cambridge, MA: National Bureau of Economic Research, 2017), http://arks.princeton.edu/ark:/88435/dsp01bv73c2942.
(43) John J. Donohue III, *Capital Punishment in Connecticut, 1973–2007: A Comprehensive Evaluation from 4686 Murders to One Execution* (Stanford, CA, and Cambridge, MA: Stanford Law School and National Bureau of Economic Research, Oct. 2011), https://law.stanford.edu/wp-content/uploads/sites/default/files/publication/259986/doc/slspublic/fulltext.pdf.
(44) Adam Benforado, *Unfair: The New Science of Criminal Injustice* (New York: Crown, 2015), p. 197.
(45) Sonja B. Starr, *Estimating Gender Disparities in Federal Criminal Cases*, University of Michigan Law and Economics Research Paper no. 12-018 (Ann Arbor: University of Michigan Law School, 29 Aug. 2012), https://ssrn.com/abstract=2144002, または http://dx.doi.org/10.2139/ssrn.2144002.
(46) David B. Mustard, 'Racial, ethnic, and gender disparities in sentencing: evidence from the US federal courts', *Journal of Law and Economics*, vol. 44, no. 2, April 2001, pp. 285–314, https://www.jstor.org/stable/10.1086/320276.
(47) Daniel Kahneman, *Thinking, Fast and Slow* (New York: Farrar, Straus & Giroux, 2011), p. 44.〔ダニエル・カーネマン『ファスト&スロー』(上・下)村井章子訳、早川文庫〕
(48) Chris Guthrie, Jeffrey J. Rachlinski and Andrew J. Wistrich, *Blinking on the Bench: How Judges Decide Cases*, paper no. 917 (New York: Cornell University Law Faculty, 2007), http://scholarship.law.cornell.edu/facpub/917.
(49) Kahneman, *Thinking, Fast and Slow*, p. 13.
(50) 同前, p. 415.
(51) Dhami and Ayton, 'Bailing and jailing the fast and frugal way'.
(52) Brian Wansink, Robert J. Kent and Stephen J. Hoch, 'An anchoring and adjustment model of purchase quantity decisions', *Journal of Marketing Research*, vol. 35, 1998, pp. 71–81, http://www.communicationcache.com/uploads/1/0/8/8/10887248/an_anchoring_and_adjustment_model_of_purchase_quantity_decisions.pdf.
(53) Mollie Marti and Roselle Wissler, 'Be careful what you ask for: the effect of anchors on personal injury damages awards', *Journal of Experimental Psychology: Applied*, vol. 6, no. 2, 2000, pp. 91–103.
(54) Birte Englich and Thomas Mussweiler, 'Sentencing under uncertainty: anchoring effects in the courtroom', *Journal of Applied Social Psychology*, vol. 31, no. 7, 2001, pp. 1535–51, http://onlinelibrary.wiley.com/doi/10.1111/j.1559-

1816.2001. tb02687.x.

(55) Birte Englich, Thomas Mussweiler and Fritz Strack, 'Playing dice with criminal sentences: the influence of irrelevant anchors on experts' judicial decision making', *Personality and Social Psychology Bulletin*, vol. 32, 2006, pp. 188–200, https://www.researchgate.net/publication/7389517_Playing_Dice_With_Criminal_Sentences_The_Influence_of_Irrelevant_Anchors_on_Experts%27_Judicial_Decision_Making.

(56) 同前

(57) 同前

(58) Mandeep K. Dhami, Ian K. Belton, Elizabeth Merrall, Andrew McGrath and Sheila Bird, 'Sentencing in doses: is individualized justice a myth?', マンディープ・ダミの厚意により査読中論文について教示を受けた。

(59) 同前

(60) Adam N. Glynn and Maya Sen, 'Identifying judicial empathy: does having daughters cause judges to rule for women's issues?', *American Journal of Political Science*, vol. 59, no. 1, 2015, pp. 37–54, https://scholar.harvard.edu/files/msen/files/ daughters.pdf.

(61) Shai Danziger, Jonathan Levav and Liora Avnaim-Pesso, 'Extraneous factors in judicial decisions', *Proceedings of the National Academy of Sciences of the United States of America*, vol. 108, no. 17, 2011, pp. 6889–92, http://www.pnas.org/content/108/17/6889.

(62) Keren Weinshall-Margel and John Shapard, 'Overlooked factors in the analysis of parole decisions', *Proceedings of the National Academy of Sciences of the United States of America*, vol. 108, no. 42, 2011, E833, http://www.pnas.org/content/108/42/ E833.long.

(63) Uri Simonsohn and Francesca Gino, 'Daily horizons: evidence of narrow bracketing in judgment from 9,000 MBA-admission interviews', *Psychological Science*, vol. 24, no. 2, 2013, pp. 219–24, https://ssrn.com/abstract=2070623.

(64) Lawrence E. Williams and John A. Bargh, 'Experiencing physical warmth promotes interpersonal warmth', *Science*, vol. 322, no. 5901, pp. 606–607, https://www.ncbi.nlm.nih.gov/pmc/articles/PMC2737341/.

4章　医療とアルゴリズム

(1) Richard M. Levenson, Elizabeth A. Krupinski, Victor M. Navarro and Edward A. Wasserman. 'Pigeons (*Columba livia*) as trainable observers of pathology and radiology breast cancer images', *PLOS ONE*, 18 Nov. 2015, http://journals.plos.org/plosone/article?id=10.1371/journal.pone.0141357.

(2) 'Hippocrates' daughter as a dragon kills a knight, in "The Travels of Sir John Mandeville"', *British Library Online Gallery*, 26 March 2009, http://www.bl.uk/onlinegallery/onlineex/illmanus/harlmanucoll/h/011hrl000003954u00008v00.html.

(3) Eleni Tsiompanou, 'Hippocrates: timeless still', JLL Bulletin: Commentaries on the History of Treatment Evaluation (Oxford and Edinburgh: James Lind Library, 2012), http://www.jameslindlibrary.org/articles/hippocrates-timeless-still/.

(4) David K. Osborne, 'Hippocrates: father of medicine', *Greek Medicine.net*, 2015, http://www.greekmedicine.net/whos_who/Hippocrates.html.

(5) Richard Colgan, 'Is there room for art in evidence-based medicine?', *AMA Journal of Ethics*, Virtual Mentor 13: 1, Jan. 2011, pp. 52–4, http://journalofethics.ama-assn.org/2011/01/msoc1-1101.html.

(6) Joseph Needham, *Science and Civilisation in China*, vol. 6, *Biology and Biological Technology*, part VI, *Medicine*, ed. Nathan Sivin (Cambridge: Cambridge University Press, 2004), p. 143, https://monoskop.org/images/1/16/Needham_Joseph_Science_and_Civilisation_in_China_Vol_6-6_Biology_and_Biological_Technology_Medicine.pdf.

(7) 'Ignaz Semmelweis', *Brought to Life: Exploring the History of Medicine* (London: Science Museum n.d.), http://broughttolife.sciencemuseum.org.uk/broughttolife/people/ignazsemmelweis.

(8) アンディー・ベックとの会話より。

(9) Joann G. Elmore, Gary M. Longton, Patricia A. Carney, Berta M. Geller, Tracy Onega, Anna N. A. Tosteson, Heidi D. Nelson, Margaret S. Pepe, Kimberly H. Allison, Stuart J. Schnitt, Frances P. O'Malley and Donald L. Weaver, 'Diagnostic concordance among pathologists interpreting breast biopsy specimens', *Journal of the American Medical Association*, vol. 313, no. 11, 17 March 2015, 1122–32, https://jamanetwork.com/journals/jama/fullarticle/2203798.

(10) 同前

(11) 〝ニューラルネットワーク〟という名前は、脳の神経回路と類似していることに由来する。脳内では無数のニューロンが相互に連結し、膨大なネットワークを形成する。各ニューロンは他のニューロンの興奮を感知すると、それを受けて、シグナルを送る。そのシグナルを受けたニューロンも興奮する。

ニューラルネットワークは脳内のニューロンをよりシンプルに、より秩序正しくしたものだ。その(人工の)ニューロンはいくつもの層で構成され、各層内のニューロンは前層のニューロンからの情報を受けとる。犬の例では、最初の層はその写真の個々のピクセルだ。次に、ニューロンからなるいくつかの層が中間にあり、ひとつのニューロンからなる最後の層で写真が犬である可能性が出力される。

〝バックプロパゲーション・アルゴリズム〟がニューロンを訓練する。最後のニューロンでは写真が犬である確率が出力される。たとえば、犬の写真を入力して、その写真に写っているものが犬である確率が七〇％と予測されたとしよう。最後の層は前層から受けとったシグナルを確かめて、「次にこれと似た情報を受けとったら、犬の写真である確率を上げよう」と考える。そうして、前層の各ニューロンに、「このシグナルを送ってくれれば、より正確に予測できる」と伝える。すると、それを知ったニューロンはその入力シグナルを確かめて、次回はそれを出力することにする。さらに、前層にもどのシグナルを送れば良いのかを伝える。そうやって、うしろから前へとすべての層に伝わっていく。ニューラルネットワーク内で誤差をうしろ（バック）から前へと伝えていく（プロパゲーティング）ことから、〝バックプロパゲーション・アルゴリズム〟と名づけられた。

ニューラルネットワークの概要、構造、トレーニング方法の詳細資料：Pedro Domingos, *The Master Algorithm: How the Quest for the Ultimate Learning Machine Will Remake Our World* (New York: Basic Books, 2015).〔ペドロ・ドミンゴス『マスターアルゴリズム　世界を再構築する「究極の機械学習」』神嶌敏弘訳、講談社〕

（12）Alex Krizhevsky, Ilya Sutskever and Geoffrey E. Hinton, 'ImageNet classification with deep convolutional neural networks', in F. Pereira, C. J. C. Burges, L. Bottou and K. Q. Weinberger, eds, *Advances in Neural Information Processing Systems 25* (La Jolla, CA, Neural Information Processing Systems Foundation, 2012), pp. 1097–1105, http://papers.nips.cc/paper/4824-imagenet-classification-with-deep-convolutional-neural-networks.pdf. このアルゴリズムは畳み込みニューラルネットワークと呼ばれている。そのアルゴリズムは画像全体を読み込むのではなく、まずはいくつもの異なるフィルタを用いて、画像の特徴を割り出す形で、局所的なパターンを探り出す。

（13）Marco Tulio Ribeiro, Sameer Singh and Carlos Guestrin, '"Why should I trust you?" Explaining the predictions of any classifier', *Proceedings of the 22nd ACM SIGKDD International Conference on Knowledge Discovery and Data Mining*, San Francisco, 2016, pp. 1135–44, http://www.kdd.org/kdd2016/papers/files/rfp0573-ribeiroA.pdf.

（14）これは複数の専門家の評価との比較だ。専門家の収集分析は、スライド内にあるものの〝真の正解〟として扱われた。

（15）Trafton Drew, Melissa L. H. Vo and Jeremy M. Wolfe, 'The invisible gorilla strikes again: sustained inattentional blindness in expert observers', *Psychological Science*, vol. 24, no. 9, Sept. 2013, pp. 1848–53, https://www.ncbi.nlm.nih.gov/pmc/articles/PMC3964612/.

（16）ゴリラは画像内の右上にいる。

（17）Yun Liu, Krishna Gadepalli, Mohammad Norouzi, George E. Dahl, Timo Kohlberger, Aleksey Boyko, Subhashini Venugopalan, Aleksei Timofeev, Philip Q. Nelson, Greg S. Corrado, Jason D. Hipp, Lily Peng and Martin C. Stumpe, 'Detecting cancer metastases on gigapixel pathology images', Cornell University Library, 8 March 2017, https://arxiv.

org/abs/1703.02442.
(18) Dayong Wang, Aditya Khosla, Rishab Gargeya, Humayun Irshad and Andrew H. Beck, 'Deep learning for identifying metastatic breast cancer', Cornell University Library, 18 June 2016, https://arxiv.org/abs/1606.05718.
(19) David A. Snowdon, 'The Nun Study', *Boletin de LAZOS de la Asociación Alzheimer de Monterrey*, vol. 4, no. 22, 2000; D. A. Snowdon, 'Healthy aging and dementia: findings from the Nun Study', *Annals of Internal Medicine*, vol. 139, no. 5, Sept. 2003, pp. 450–54.
(20) 言葉の複雑さを測るためのアイディア濃度は、一〇語ごとに独創的なアイディアがいくつ表出するかを数えて、計算された。参考資料：Associated Press, 'Study of nuns links early verbal skills to Alzheimer's', *Los Angeles Times*, 21 Feb. 1996, http://articles.latimes.com/1996-02-21/news/mn-38356_1_alzheimer-nuns-studied.
(21) Maja Nielsen, Jørn Jensen and Johan Andersen, 'Pre-cancerous and cancerous breast lesions during lifetime and at autopsy: a study of 83 women', *Cancer*, vol. 54, no. 4, 1984, pp. 612–15, http://onlinelibrary.wiley.com/wol1/doi/10.1002/1097-0142(1984)54:4%3C612::AID-CNCR2820540403%3E3.0.CO;2-B/abstract.
(22) H. Gilbert Welch and William C. Black, 'Using autopsy series to estimate the disease "reservoir" for ductal carcinoma in situ of the breast: how much more breast cancer can we find?', *Annals of Internal Medicine*, vol. 127, no. 11, Dec. 1997, pp. 1023–8, www.vaoutcomes.org/papers/Autopsy_Series.pdf.
(23) 国や人口統計、また、国によって乳がん検査の普及度が異なるため、正確な統計値は得られない。参考サイト：http://www.cancerresearchuk.org/health-professional/cancer-statistics/statistics-by-cancer-type/breast-cancer.
(24) ジョナサン・カネフスキーとの会話より。
(25) 'Breakthrough method predicts risk of DCIS becoming invasive breast cancer', *Artemis*, May 2010, http://www.hopkinsbreastcenter.org/artemis/201005/3.html.
(26) H. Gilbert Welch, Philip C. Prorok, A. James O'Malley and Barnett S. Kramer, 'Breastcancer tumor size, overdiagnosis, and mammography screening effectiveness', *New England Journal of Medicine*, vol. 375, 2016, pp. 1438–47, http://www.nejm.org/doi/full/10.1056/NEJMoa1600249.
(27) Independent UK Panel on Breast Cancer Screening, 'The benefits and harms of breast cancer screening: an independent review', *Lancet*, vol. 380, no. 9855, 30 Oct. 2012, pp. 1778–86, http://www.thelancet.com/journals/lancet/article/PIIS01406736(12)61611-0/abstract.
(28) ジョナサン・カネフスキーとの会話より。
(29) Andrew H. Beck, Ankur R. Sangoi, Samuel Leung, Robert J. Marinelli, Torsten O. Nielsen, Marc J. van de Vijver,

Robert B. West, Matt van de Rijn and Daphne Koller, 'Systematic analysis of breast cancer morphology uncovers stromal features associated with survival', *Science Translational Medicine*, 9 Nov. 2011. https://becklab.hms.harvard.edu/files/becklab/files/sci_transl_med-2011-beck-108-ra113.pdf.

(30) Phi Vu Tran, 'A fully convolutional neural network for cardiac segmentation in short-axis MRI', 27 April 2017, https://arxiv.org/pdf/1604.00494.pdf.

(31) 'Emphysema', *Imaging Analytics*, Zebra Medical, https://www.zebra-med.com/ algorithms/lungs/.

(32) Eun-Jae Lee, Yong-Hwan Kim, Dong-Wha Kang et al., 'Deep into the brain: artificial intelligence in stroke imaging', *Journal of Stroke*, vol. 19, no. 3, 2017, pp. 277–85, https://www.ncbi.nlm.nih.gov/pmc/articles/PMC5647643/.

(33) Taylor Kubota, 'Deep learning algorithm does as well as dermatologists in identifying skin cancer', *Stanford News*, 25 Jan. 2017, https://news.stanford.edu/2017/01/25/artificial-intelligence-used-identify-skin-cancer/.

(34) Jo Best, 'IBM Watson: the inside story of how the *Jeopardy*-winning supercomputer was born, and what it wants to do next', *Tech Republic*, n.d., https://www.techrepublic.com/article/ibm-watson-the-inside-story-of-how-the-jeopardy-winning-supercomputer-was-born-and-what-it-wants-to-do-next/.

(35) Jennings Brown, 'Why everyone is hating on IBM Watson, including the people who helped make it', *Gizmodo*, 10 Aug. 2017, https://www.gizmodo.com.au/2017/08/why-everyone-is-hating-on-watsonincluding-the-people-who-helped-make-it/.

(36) https://www.theregister.co.uk/2017/02/20/watson_cancerbusting_trial_on_hold_after_damning_audit_report/.

(37) Casey Ross and Ike Swetlitz, 'IBM pitched its Watson supercomputer as a revolution in cancer care. It's nowhere close', *STAT*, 5 Sept. 2017, https://www.statnews.com/2017/09/05/watson-ibm-cancer/.

(38) Tomoko Otake, 'IBM Big data used for rapid diagnosis of rare leukemia case in Japan', *Japan Times*, 11 Aug. 2016, https://www.japantimes.co.jp/news/2016/08/11/national/science-health/ibm-big-data-used-for-rapid-diagnosis-of-rare-leukemia-case-in-japan/#.Wf8S_hO0MQ8.

(39) 'Researchers validate five new genes responsible for ALS', *Science Daily*, 1 Dec. 2017, https://www.sciencedaily.com/releases/2017/12/171201104101.htm.

(40) David H. Freedman, 'A reality check for IBM's AI ambitions', *MIT Technology Review*, 27 June 2017.

(41) *Asthma facts and statistics*, Asthma UK, 2016, https://www.asthma.org.uk/about/media/facts-and-statistics/;*Asthma in the US*, Centers for Disease Control and Prevention, May 2011, https://www.cdc.gov/vitalsigns/asthma/index. html.

(42) 'Schoolgirl, 13, who died of asthma attack was making regular trips to A&E and running out of medication — but was NEVER referred to a specialist even when her lips turned blue, mother tells inquest', *Daily Mail*, 13 Oct. 2015, https://www.dailymail.co.uk/news/article-3270728/Schoolgirl-13-died-asthma-attack-not-referred-specialist-lips-turned-blue.html.
(43) *My Data, My Care: How Better Use of Data Improves Health and Wellbeing* (London: Richmond Group of Charities, Jan. 2017), https://richmondgroupofcharities.org.uk/publications.
(44) Terence Carney, 'Regulation 28: report to prevent future deaths', coroner's report on the case of Tamara Mills, 29 Oct. 2015, https://www.judiciary.gov.uk/publications/tamara-mills/.
(45) Jamie Grierson and Alex Hern, 'Doctors using Snapchat to send patient scans to each other, panel finds', *Guardian*, 5 July 2017, https://www.theguardian.com/technology/2017/jul/05/doctors-using-snapchat-to-send-patient-scans-to-each-other-panel-finds.
(46) こういった問題すべてを解決できたとしても、データそのものが存在しない場合もある。特殊な遺伝的要因による稀な病気は無数にある。そういった病気を医者がなかなか発見できないのは、多くの場合、これまでにそういった症例がないからだ。どれほど優秀なアルゴリズムに生検材料を調べさせても、この問題は解決できない。
(47) Hal Hodson, 'Revealed: Google AI has access to huge haul of NHS patient data', *New Scientist*, 29 April 2016, https://www.newscientist.com/article/2086454-revealed-google-ai-has-access-to-huge-haul-of-nhs-patient-data/.
(48) 実のところ、この件は、世界でもっとも有名な人工知能の企業と提携したいと願ったロイヤル・フリーNHSトラストの〝法的に不適切〟な状況が大きな原因と思われる。参考資料：『スカイ・ニュース』が入手したナショナル・データ・ガーディアンのデーム・フィオナ・カルディコットからの手紙：Alex Martin, 'Google received 1.6 million NHS patients' data on an "inappropriate legal basis"', Sky News, 15 May 2017, https://news.sky.com/story/google-received-1-6-million-nhs-patients-data-on-an-inappropriate-legal-basis-10879142.
(49) Denis Campbell, 'Surgeons attack plans to delay treatment to obese patients and smokers', *Guardian*, 29 Nov. 2016, https://www.theguardian.com/society/2016/nov/29/surgeons-nhs-delay-treatment-obese-patients-smokers-york.
(50) Nir Eyal, 'Denial of treatment to obese patients: the wrong policy on personal responsibility for health', *International Journal of Health Policy and Management*, vol. 1, no. 2, Aug. 2013, pp. 107–10, https://www.ncbi.nlm.nih.gov/pmc/articles/ PMC3937915/.
(51) 詳細な資料：http://galton.org/essays/1880-1889/galton1884-jaigi-anthro-lab.pdf.
(52) Francis Galton, 'On the Anthropometric Laboratory at the late international health exhibition', *Journal of the*

Anthropological Institute of Great Britain and Ireland, vol. 14, 1885, pp. 205–21.
(53) 'Taste', https://permalinks.23andme.com/pdf/samplereport_traits.pdf.
(54) 'Sneezing on summer solstice? ', *23andMeBlog*, 20 June 2012, https://blog.23andme.com/health-traits/sneezing-on-summer-solstice/.
(55) 'Find out what your DNA says about your health, traits and ancestry', 23andMe, https://www.23andme.com/en-gb/dna-health-ancestry/.
(56) Kristen v. Brown, '23andMe is selling your data but not how you think', *Gizmodo*, 14 April 2017, https://gizmodo.com/23andme-is-selling-your-data-but-not-how-you-think-1794340474.
(57) Michael Grothaus, 'How 23andMe is monetizing your DNA', *Fast Company*, 1 May 2015, https://www.fastcompany.com/3040356/what-23andme-is-doing-with-all-that-dna.
(58) Rob Stein, 'Found on the Web, with DNA: a boy's father', *Washington Post*, 13 Nov. 2005, http://www.washingtonpost.com/wp-dyn/content/article/2005/11/12/AR2005111200958.html.
(59) その若者はDNA検査を受け、その後、父から息子へと受け継がれるY染色体を、父方の遠い親戚と同じ苗字の男性ふたりが持っているのを知った。それにくわえて、住所、父親の生年月日などから、生物学的な父親を突き止めた。
(60) M. Gymrek, A. L. McGuire, D. Golan, E. Halperin and Y. Erlich, 'Identifying personal genomes by surname inference', *Science*, vol. 339, no. 6117, Jan. 2013, pp. 321–4, https://www.ncbi.nlm.nih.gov/pubmed/23329047.
(61) 現在、ハンチントン舞踏病の遺伝子検査は、市販のDNA検査キットでは対応していない。
(62) Matthew Herper, '23andMe rides again: FDA clears genetic tests to predict disease risk', *Forbes*, 6 April 2017, https://www.forbes.com/sites/matthewherper/2017/04/06/23andme-rides-again-fda-clears-genetic-tests-to-predict-disease-risk/#302aea624fdc.

5章　車とアルゴリズム

(1) DARPA, *Grand Challenge 2004: Final Report* (Arlington, VA: Defence Advanced Research Projects Agency, 30 July 2004), http://www.esd.whs.mil/Portals/54/Documents/FOID/Reading%20Room/DARPA/15-F-0059_GC_2004_FINAL_ RPT_7-30-2004.pdf.
(2) *The Worldwide Guide to Movie Locations*, Kill Bill: Vol.2, 2004, http://www.movie-locations.com/movies/k/Kill-Bill-Vol-2.php.
(3) Mariella Moon, *What you need to know about DARPA, the Pentagon's mad science division*, Engadget, 7 July 2014,

https://www.engadget.com/2014/07/07/darpa-explainer/.
(4) DARPA, *Urban Challenge: Overview*, http://archive.darpa.mil/grandchallenge/overview.html.
(5) Sebastian Thrun, 'Winning the DARPA Grand Challenge, 2 August 2006', YouTube, 8 Oct. 2007, https://www.youtube.com/watch?v=j8zj5lBpFTY.
(6) DARPA, *Urban Challenge: Overview*.
(7) 'DARPA Grand Challenge 2004 – road to ...', YouTube, 22 Jan. 2014, https://www.youtube.com/watch?v=FaBJ5sPPmcI.
(8) Alex Davies, 'An oral history of the DARPA Grand Challenge, the grueling robot race that launched the self-driving car', *Wired*, 8 March 2017, https://www.wired.com/story/darpa-grand-challenge-2004-oral-history/.
(9) 'Desert race too tough for robots', BBC News, 15 March, 2004, http://news.bbc.co.uk/1/hi/technology/3512270.stm.
(10) Davies, 'An oral history of the DARPA Grand Challenge'.
(11) Denise Chow, 'DARPA and drone cars: how the US military spawned self-driving car revolution', *LiveScience*, 21 March 2014, https://www.livescience.com/44272-darpa-self-driving-car-revolution.html.
(12) Joseph Hooper, 'From Darpa Grand Challenge 2004 DARPA's debacle in the desert', *Popular Science*, 4 June 2004, https://www.popsci.com/scitech/article/2004-06/darpa-grand-challenge-2004darpas-debacle-desert.
(13) Davies, 'An oral history of the DARPA Grand Challenge'.
(14) DARPA, *Report to Congress: DARPA Prize Authority. Fiscal Year 2005 Report in Accordance with 10 U.S.C. 2374a*, March 2006, http://archive.darpa.mil/grandchallenge/docs/grand_challenge_2005_report_to_congress.pdf.
(15) Alan Ohnsman, 'Bosch and Daimler partner to get driverless taxis to market by early 2020s', *Forbes*, 4 April 2017, https://www.forbes.com/sites/alanohnsman/2017/04/04/bosch-and-daimler-partner-to-get-driverless-taxis-to-market-by-early-2020s/.
(16) Ford, *Looking Further: Ford Will Have a Fully Autonomous Vehicle in Operation by 2021*, https://corporate.ford.com/innovation/autonomous-2021.html.
(17) John Markoff, 'Should your driverless car hit a pedestrian to save your life?', *New York Times*, 23 June 2016, https://www.nytimes.com/2016/06/24/technology/should-your-driverless-car-hit-a-pedestrian-to-save-your-life.html.
(18) Clive Thompson, Anna Wiener, Ferris Jabr, Rahawa Haile, Geoff Manaugh, Jamie Lauren Keiles, Jennifer Kahn and Malia Wollan, 'Full tilt: when 100 per cent of cars are autonomous', *New York Times*, 8 Nov. 2017, https://www.nytimes.com/interactive/2017/11/08/magazine/tech-design-autonomous-future-cars-100-percent-augmented-reality-

policing.html.
(19) Peter Campbell, 'Trucks headed for a driverless future: unions warn that millions of drivers' jobs will be disrupted', *Financial Times*, 31 Jan. 2018, https://www.ft.com/content/7686ea3e-e0dd-11e7-a0d4-0944c5f49e46.
(20) Markus Maurer, J. Christian Gerdes, Barbara Lenz and Hermann Winner, *Autonomous Driving: Technical, Legal and Social Aspects* (New York: Springer, May 2016), p 48.
(21) Stephen Zavestoski and Julian Agyeman, *Incomplete Streets: Processes, Practices, and Possibilities* (London: Routledge, 2015), p. 29.
(22) Maurer et al., *Autonomous Driving*, p. 53.
(23) David Rooney, *Self-guided Cars* (London: Science Museum, 27 Aug. 2009), https://blog.sciencemuseum.org.uk/self-guided-cars/.
(24) Blake Z. Rong, 'How Mercedes sees into the future', *Autoweek*, 22 Jan. 2014, http://autoweek.com/article/car-news/how-mercedes-sees-future.
(25) Dean A. Pomerleau, *ALVINN: An Autonomous Land Vehicle In a Neural Network*, CMU-CS-89-107 (Pittsburgh: Carnegie Mellon University, Jan. 1989), https://kilthub.cmu.edu/articles/journal_contribution/ALVINN_an_autonomous_land_vehicle_in_a_neural_network/6603146.
(26) Joshua Davis, 'Say hello to Stanley', *Wired*, 1 Jan. 2006, https://www.wired.com/2006/01/stanley/; 詳しくはDean A. Pomerleau, *Neural Network Perception for Mobile Robot Guidance* (New York: Springer, 2012), p. 52.
(27) A. Filgueira, H. González-Jorge, S. Lagüela, L. Diaz-Vilariño and P. Arias, 'Quantifying the influence of rain in LiDAR performance', *Measurement*, vol. 95, Jan. 2017, pp. 143-8, DOI: https://doi.org/10.1016/j.measurement.2016.10.009; https://www.sciencedirect.com/science/article/pii/S0263224116305577.
(28) Chris Williams, 'Stop lights, sunsets, junctions are tough work for Google's robo-cars', *The Register*, 24 Aug. 2016, https://www.theregister.co.uk/2016/08/24/google_self_driving_car_problems/.
(29) Novatel, *IMU Errors and Their Effects*, https://hexagondownloads.blob.core.windows.net/public/Novatel/assets/Documents/Bulletins/APN064/APN064.pdf.
(30) ベイズの定理自体は方程式だ。推測の確率、観察された証拠、その証拠の確率を組み合わせて、予測する。初心者向け参考サイト：https://arbital.com/p/bayes_rule/?l=1zq.
(31) Sharon Bertsch McGrayne, *The Theory That Would Not Die: How Bayes' Rule Cracked the Enigma Code, Hunted Down Russian Submarines, and Emerged Triumphant from Two Centuries of Controversy* (New Haven: Yale

University Press, 2011).〔シャロン・バーチュ・マグレイン『異端の統計学ベイズ』冨永星訳、草思社文庫〕

(32) M. Bayes and M. Price, *An Essay towards Solving a Problem in the Doctrine of Chances. By the Late Rev. Mr. Bayes, F.R.S. Communicated by Mr. Price, in a Letter to John Canton, A.M.F.R.S.* (1763), digital copy uploaded to archive.org 2 Aug. 2011, https://archive.org/details/philtrans09948070.

(33) Michael Taylor, 'Self-driving Mercedes-Benzes will prioritize occupant safety over pedestrians', *Car and Driver*, 7 Oct. 2016, https://blog.caranddriver.com/self-driving-mercedes-will-prioritize-occupant-safety-over-pedestrians/.

(34) Jason Kottke, *Mercedes' Solution to the Trolley Problem*, Kottke.org, 24 Oct. 2016, https://kottke.org/16/10/mercedes-solution-to-the-trolley-problem.

(35) Jean-François Bonnefon, Azim Shariff and Iyad Rahwan (2016), 'The social dilemma of autonomous vehicles', *Science*, vol. 35, 24 June 2016, DOI 10.1126/science.aaf2654; https://arxiv.org/pdf/1510.03346.pdf.

(36) ポール・ニューマンとの会話より。

(37) Naaman Zhou, 'Volvo admits its self-driving cars are confused by kangaroos', *Guardian*, 1 July 2017, https://www.theguardian.com/technology/2017/jul/01/volvo-admits-its-self-driving-cars-are-confused-by-kangaroos.

(38) ジャック・スティルゴーとの会話より。

(39) Jeff Sabatini, 'The one simple reason nobody is talking realistically about driverless cars', *Car and Driver*, Oct. 2017, https://www.caranddriver.com/features/the-one-reason-nobody-is-talking-realistically-about-driverless-cars-feature.

(40) William Langewiesche, 'The human factor', *Vanity Fair*, 17 Sept. 2014, https://www.vanityfair.com/news/business/2014/10/air-france-flight-447-crash.

(41) Bureau d'Enquêtes et d'Analyses pour la Sécuritié de l'Aviation Civile, *Final Report on the Accident on 1st June 2009 to the Airbus A330-203 registered F-GZCP operated by Air France Flight AF447 Rio de Janeiro – Paris*, Eng. edn (Paris, updated July 2012), https://www.bea.aero/docspa/2009/f-cp090601.en/pdf/f-cp090601.en.pdf.

(42) 同前

(43) Langewiesche, 'The human factor'.

(44) 同前

(45) Jeff Wise, 'What really happened aboard Air France 447', *Popular Mechanics*, 6 Dec. 2011, http://www.popularmechanics.com/flight/a3115/what-really-happened-aboard-air-france-447-6611877/.

(46) Langewiesche, 'The human factor'.

(47) Wise, 'What really happened aboard Air France 447'.

(48) Lisanne Bainbridge, 'Ironies of automation', *Automatica*, vol. 19, no. 6, Nov. 1983, pp. 775–9, https://www.sciencedirect.com/science/article/pii/0005109883900468.
(49) 同前
(50) Alex Davies, 'Everyone wants a level 5 self-driving car — here's what that means', *Wired*, 26 Aug. 2016.
(51) Justin Hughes, 'Car autonomy levels explained', *The Drive*, 3 Nov. 2017, http://www.thedrive.com/sheetmetal/15724/what-are-these-levels-of-autonomy-anyway.
(52) Bainbridge, 'Ironies of automation'.
(53) Jack Stilgoe, 'Machine learning, social learning and the governance of self-driving cars', *Social Studies of Science*, vol. 48, no. 1, 2017, pp. 25–56.
(54) Eric Tingwall, 'Where are autonomous cars right now? Four systems tested', *Car and Driver*, 3 Oct. 2017, https://www.caranddriver.com/features/where-are-autonomous-cars-right-now-four-systems-tested-feature.
(55) Tracey Lindeman, 'Using an orange to fool Tesla's autopilot is probably a really bad idea', *Motherboard*, 17 Jan. 2018, https://motherboard.vice.com/en_us/article/a3na9p/tesla-autosteer-orange-hack.
(56) Daisuke Wakabayashi, 'Uber's self-driving cars were struggling before Arizona Crash', *New York Times*, 23 March 2018, https://www.nytimes.com/2018/03/23/technology/uber-self-driving-cars-arizona.html.
(57) Sam Levin, 'Video released of Uber self-driving crash that killed woman in Arizona', *Guardian*, 22 March 2018, https://www.theguardian.com/technology/2018/mar/22/video-released-of-uber-self-driving-crash-that-killed-woman-in-arizona.
(58) Audi, *The Audi vision of autonomous driving*, Audi Newsroom, 11 Sept. 2017, https://media.audiusa.com/en-us/releases/184.
(59) P. Morgan, C. Alford and G. Parkhurst, *Handover Issues in Autonomous Driving: A Literature Review. Project Report* (Bristol: University of the West of England, June 2016), http://eprints.uwe.ac.uk/29167/1/Venturer_WP5.2Lit%20ReviewHandover.pdf.
(60) Langewiesche, 'The human factor'.
(61) Evan Ackerman, 'Toyota's Gill Pratt on self-driving cars and the reality of full autonomy', *IEEE Spectrum*, 23 Jan. 2017, https://spectrum.ieee.org/cars-that-think/transportation/self-driving/toyota-gill-pratt-on-the-reality-of-full-autonomy.
(62) Julia Pyper, 'Self-driving cars could cut greenhouse gas pollution', *Scientific American*, 15 Sept. 2014, https://www.

scientificamerican.com/article/self-driving-cars-could-cut-greenhouse-gas-pollution/.

(63) Raphael E. Stern et al., 'Dissipation of stop-and-go waves via control of autonomous vehicles: field experiments', *arXiv: 1705.01693v1*, 4 May 2017, https://arxiv.org/ abs/1705.01693.

(64) SomeJoe7777, 'Tesla Model S forward collision warning saves the day', YouTube, 19 Oct. 2016, https://www.youtube.com/watch?v=SnRp56XjV_M.

(65) Jordan Golson and Dieter Bohn, 'All new Tesla cars now have hardware for "full selfdriving capabilities": but some safety features will be disabled initially', *The Verge*, 19 Oct. 2016, https://www.theverge.com/2016/10/19/13340938/tesla-autopilot-update-model-3-elon-musk-update.

(66) Fred Lambert, 'Tesla introduces first phase of "Enhanced Autopilot": "measured and cautious for next several hundred million miles" - release notes', *Electrek*, 1 Jan. 2017, https://electrek.co/2017/01/01/tesla-enhanced-autopilot-release-notes/.

(67) DPC Cars, 'Toyota Guardian and Chauffeur autonomous vehicle platform', YouTube, 27 Sept. 2017, https://www.youtube.com/watch?v=IMdceKGJ9Oc.

(68) Brian Milligan, 'The most significant development since the safety belt', BBC News, 15 April 2018, http://www.bbc.co.uk/news/business-43752226.

6章　犯罪とアルゴリズム

(1) Bob Taylor, *Crimebuster: Inside the Minds of Britain's Most Evil Criminals* (London: Piatkus, 2002), ch. 9, 'A day out from jail'.

(2) 同前

(3) Nick Davies, 'Dangerous, in prison — but free to rape', *Guardian*, 5 Oct. 1999, https://www.theguardian.com/uk/1999/oct/05/nickdavies1.

(4) João Medeiros, 'How geographic profiling helps find serial criminals', *Wired*, Nov. 2014, http://www.wired.co.uk/article/mapping-murder.

(5) Nicole H. Rafter, ed., *The Origins of Criminology: A Reader* (Abingdon: Routledge, 2009), p. 271.

(6) Luke Dormehl, *The Formula: How Algorithms Solve All Our Problems . . . and Create More* (London: W. H. Allen, 2014), p. 117.

(7) Dormehl, *The Formula*, p. 116.

(8) D. Kim Rossmo, 'Geographic profiling', in Gerben Bruinsma and David Weisburd, eds, *Encyclopedia of Criminology and Criminal Justice* (New York: Springer, 2014), https://link.springer.com/referenceworkentry/10.1007%2F978-1-4614-5690-2_678.
(9) 同前
(10) João Medeiros, 'How geographic profiling helps find serial criminals'.
(11) 同前
(12) '"Sadistic" serial rapist sentenced to eight life terms', *Independent* (Ireland), 6 Oct. 1999, http://www.independent.ie/world-news/sadistic-serial-rapist-sentenced-to-eight-life-terms-26134260.html.
(13) 同前
(14) Steven C. Le Comber, D. Kim Rossmo, Ali N. Hassan, Douglas O. Fuller and John C. Beier, 'Geographic profiling as a novel spatial tool for targeting infectious disease control', *International Journal of Health Geographics*, vol. 10, no.1, 2011, p. 35, https://www.ncbi.nlm.nih.gov/pmc/articles/PMC3123167/.
(15) Michelle V. Hauge, Mark D. Stevenson, D. Kim Rossmo and Steven C. Le Comber, 'Tagging Banksy: using geographic profiling to investigate a modern art mystery', *Journal of Spatial Science*, vol. 61, no. 1, 2016, pp. 185–90, http://www.tandfonline.com/doi/abs/10.1080/14498596.2016.1138246.
(16) Raymond Dussault, 'Jack Maple: betting on intelligence', *Government Technology*, 31 March 1999, http://www.govtech.com/featured/Jack-Maple-Betting-on-Intelligence.html.
(17) 同前
(18) 同前
(19) Nicole Gelinas, 'How Bratton's NYPD saved the subway system', *New York Post*, 6 Aug. 2016, http://nypost.com/2016/08/06/how-brattons-nypd-saved-the-subway-system/.
(20) Dussault, 'Jack Maple: betting on intelligence'.
(21) Andrew Guthrie Ferguson, 'Predictive policing and reasonable suspicion', *Emory Law Journal*, vol. 62, no. 2, 2012, p. 259, https://scholarlycommons.law.emory.edu/elj/vol62/iss2/1/.
(22) Lawrence W. Sherman, Patrick R. Gartin and Michael E. Buerger, 'Hot spots of predatory crime: routine activities and the criminology of place', *Criminology*, vol. 27, no. 1, 1989, pp. 27–56, http://onlinelibrary.wiley.com/doi/10.1111/j.1745-9125.1989.tb00862.x/abstract.
(23) Toby Davies and Shane D. Johnson, 'Examining the relationship between road structure and burglary risk via

quantitative network analysis', *Journal of Quantitative Criminology*, vol. 31, no. 3, 2015, pp. 481–507, http://discovery.ucl.ac.uk/id/eprint/1456293/5/Johnson_art%253A10.1007%252Fs10940-014-9235-4.pdf.

(24) Michael J. Frith, Shane D. Johnson and Hannah M. Fry, 'Role of the street network in burglars' spatial decision-making', *Criminology*, vol. 55, no. 2, 2017, pp. 344–76, http://onlinelibrary.wiley.com/doi/10.1111/1745-9125.12133/full.

(25) Spencer Chainey, *Predictive Mapping (Predictive Policing)*, JDI Brief (London: Jill Dando Institute of Security and Crime Science, University College London, 2012), http://discovery.ucl.ac.uk/1344080/3/JDIBriefs_PredictiveMappingSChaineyApril2012.pdf.

(26) 同前

(27) プレッドポルのアルゴリズムそのものは一般には入手できない。この実験はプレッドポルの基礎を考案した複数の数学者が、そのソフトウェアの所有者が述べた方法と同じ技術を使っておこなった。わかっている範囲でそっくりそのまま再現したが、厳密には、本物とまったく同じなのかどうかはわからない。

(28) G. O. Mohler, M. B. Short, Sean Malinowski, Mark Johnson, G. E. Tita, Andrea L. Bertozzi and P. J. Brantingham, 'Randomized controlled field trials of predictive policing', *Journal of the American Statistical Association*, vol. 110, no. 512, 2015, pp. 1399–1411, http://www.tandfonline.com/doi/abs/10.1080/01621459.2015.107 7710.

(29) Kent Police Corporate Services Analysis Department, *PredPol Operational Review*, 2014, http://www.statewatch.org/docbin/uk-2014-kent-police-predpol-op-review.pdf.

(30) Mohler et al., 'Randomized controlled field trials of predictive policing'.

(31) Kent Police Corporate Services Analysis Department, *PredPol Operational Review: Initial Findings*, 2013, https://www.whatdotheyknow.com/request/181341/response/454199/attach/3/13%2010%20888%20Appendix.pdf.

(32) Kent Police Corporate Services Analysis Department, *PredPol Operational Review*.

(33) ここではプレッドポルではなく〝フラグ〟と〝ブースト〟効果にも使われる、よりシンプルなアルゴリズムが使用された。
参考資料：Matthew Fielding and Vincent Jones, 'Disrupting the optimal forager: predictive risk mapping and domestic burglary reduction in Trafford, Greater Manchester', *International Journal of Police Science and Management*, vol. 14, no. 1, 2012, pp. 30–41.

(34) Joe Newbold, '"Predictive policing", "preventative policing" or "intelligence led policing". What is the future?' Consultancy project submitted in assessment for Warwick MBA programme, Warwick Business School, 2015.

(35) Data from 2016: COMPSTAT, *Citywide Profile 12/04/16–12/31/16*, http://assets.lapdonline.org/assets/pdf/123116cityprof.pdf.

(36) Ronald V. Clarke and Mike Hough, *Crime and Police Effectiveness*, Home Office Research Study no. 79 (London: HMSO, 1984), https://archive.org/stream/op1276605-1001/op1276605-1001_djvu.txt, as told in Tom Gash, *Criminal: The Truth about Why People Do Bad Things* (London: Allen Lane, 2016).
(37) Kent Police Corporate Services Analysis Department, *PredPol Operational Review*.
(38) PredPol, 'Recent examples of crime reduction', 2017, http://www.predpol.com/results/.
(39) Aaron Shapiro, 'Reform predictive policing', *Nature*, vol. 541, no. 7638, 25 Jan. 2017, http://www.nature.com/news/reform-predictive-policing-1.21338.
(40) Chicago Data Portal, Strategic Subject List, https://data.cityofchicago.org/PublicSafety/Strategic-Subject-List/4aki-r3np.
(41) Jessica Saunders, Priscilla Hunt and John Hollywood, 'Predictions put into practice: a quasi-experimental evaluation of Chicago's predictive policing pilot', *Journal of Experimental Criminology*, vol. 12, no. 3, 2016, pp. 347–71.
(42) Copblock, 'Innocent man arrested for robbery and assault, spends two months in Denver jail', 28 April 2015, https://www.copblock.org/122644/man-arrested-for-robbery-assault-he-didnt-commit-spends-two-months-in-denver-jail/.
(43) 同前
(44) Ava Kofman, 'How a facial recognition mismatch can ruin your life', *The Intercept*, 13 Oct. 2016.
(45) 同前
(46) Copblock, 'Denver police, "Don't f*ck with the biggest gang in Denver" before beating man wrongfully arrested – TWICE!!', 30 Jan. 2016, https://www.copblock.org/152823/denver-police-fck-up-again/.
(47) 実際のタリーの体験は、ここに記した以上に悲惨だ。逮捕されて、二カ月間拘留されたのちに釈放された。一年後、シェルターで暮らしていたタリーは再逮捕された。今度は起訴され、ＦＢＩがタリーに不利な証言をした。最終的には、銀行の窓口を担当していた女性が、銀行強盗がカウンター越しに差しだした手にほくろがあったのを覚えていて、タリーの手にはほくろがなかったことで決着した。女性は「強盗はこの人ではありません」と裁判で証言したのだ。タリーは一〇〇〇万ドルの訴訟を起こした。参考資料：Kofman, 'How a facial recognition mismatch can ruin your life.'
(48) Justin Huggler, 'Facial recognition software to catch terrorists being tested at Berlin station', *Telegraph*, 2 Aug. 2017, http://www.telegraph.co.uk/news/2017/08/02/facial-recognition-software-catch-terrorists-tested-berlin-station/.
(49) David Kravets, 'Driver's license facial recognition tech leads to 4,000 New York arrests', *Ars Technica*, 22 Aug. 2017, https://arstechnica.com/tech-policy/2017/08/biometrics-leads-to-thousands-of-a-ny-arrests-for-fraud-identity-theft/.

(50) Ruth Mosalski, 'The first arrest using facial recognition software has been made', *Wales Online*, 2 June 2017, http://www.walesonline.co.uk/news/local-news/first-arrest-using-facial-recognition-13126934.

(51) Sebastian Anthony, 'UK police arrest man via automatic-face recognition tech', *Ars Technica*, 6 June 2017, https://arstechnica.com/tech-policy/2017/06/police-automatic-face-recognition.

(52) David White, Richard I. Kemp, Rob Jenkins, Michael Matheson and A. Mike Burton, 'Passport officers' errors in face matching', *PLOSOne*, 18 Aug. 2014, http://journals.plos.org/plosone/article?id=10.1371/journal.pone.0103510#s6.

(53) Teghan Lucas and Maciej Henneberg, 'Are human faces unique? A metric approach to finding single individuals without duplicates in large samples', *Forensic Science International*, vol. 257, Dec. 2015, pp. 514. e1–514.e6, https://www.sciencedirect.com/science/article/abs/pii/S0379073815003758.

(54) Zaria Gorvett, 'You are surprisingly likely to have a living doppelganger', BBC Future, 13 July 2016, http://www.bbc.com/future/story/20160712-you-are-surprisingly-likely-to-have-a-living-doppelganger.

(55) 'Eyewitness misidentification', The Innocence Project, https://www.innocenceproject.org/causes/eyewitness-misidentification.

(56) Douglas Starr, 'Forensics gone wrong: when DNA snares the innocent', *Science*, 7 March 2016, http://www.sciencemag.org/news/2016/03/forensics-gone-wrong-when-dna-snares-innocent.

(57) DNA鑑定に誤認はないという意味ではない。誤認はある。誤認が起きないようにするための、頼りになる武器と考えるべきだろう。

(58) Richard W. Vorder Bruegge, *Individualization of People from Images* (Quantico, Va., FBI Operational Technology Division, Forensic Audio, Video and Image Analysis Unit), 12 Dec. 2016, https://www.nist.gov/system/files/documents/2021/03/05/ansi-nist_archived_2007_workshop2_vorderbruegge-face.pdf.

(59) Lance Ulanoff, 'The iPhone X can't tell the difference between twins', *Mashable UK*, 31 Oct. 2017, http://mashable.com/2017/10/31/putting-iphone-x-face-id-to-twin-test/#A87kA26aAqqQ.

(60) Kif Leswing, 'Apple says the iPhone X's facial recognition system isn't for kids', *Business Insider UK*, 27 Sept. 2017, http://uk.businessinsider.com/apple-says-the-iphone-xs-face-id-is-less-accurate-on-kids-under-13-2017-9.

(61) Andy Greenberg, 'Watch a 10-year-old's face unlock his mom's iPhone X', *Wired*, 14 Nov. 2017, https://www.wired.com/story/10-year-old-face-id-unlocks-mothers-iphone-x/.

(62) 'Bkav's new mask beats Face ID in "twin way": severity level raised, do not use Face ID in business transactions', Bkav Corporation, 27 Nov. 2017, https://www.bkav.com/top-new/-/view-content/65202/bkav-s-new-mask-beats-face-id-in-

twin-way-severity-level-raised-do-not-use-face-id-in-business-transactions.

(63) Mahmood Sharif, Sruti Bhagavatula, Lujo Bauer and Michael Reiter, 'Accessorize to a crime: real and stealthy attacks on state-of-the-art face recognition', paper presented at ACM SIGSAC Conference, 2016, https://www.cs.cmu.edu/~sbhagava/papers/face-rec-ccs16.pdf.

(64) Ira Kemelmacher-Shlizerman, Steven M. Seitz, Daniel Miller and Evan Brossard, *The MegaFace Benchmark: 1 Million Faces for Recognition at Scale*, Computer Vision Foundation, 2015, https://arxiv.org/abs/1512.00596.

(65) 'Half of all American adults are in a police face recognition database, new report finds', press release, Georgetown Law, 18 Oct. 2016, https://www.law.georgetown.edu/news/half-of-all-american-adults-are-in-a-police-face-recognition-database-new-report-finds/.

(66) Josh Chin and Liza Lin, 'China's all-seeing surveillance state is reading its citizens' faces', *Wall Street Journal*, 26 June 2017, https://www.wsj.com/articles/the-all-seeing-surveillance-state-feared-in-the-west-is-a-reality-in-china-1498493020.

(67) Daniel Miller, Evan Brossard, Steven M. Seitz and Ira Kemelmacher-Shlizerman, *The MegaFace Benchmark: 1 Million Faces for Recognition at Scale*, 2015, https://arxiv.org/ pdf/1505.02108.pdf.

(68) 同前

(69) MegaFace and MF2: Million-Scale Face Recognition, 'Most recent public results', 12 March 2017, http://megaface.cs.washington.edu/; 'Leading facial recognition platform Tencent YouTu Lab smashes records in MegaFace facial recognition challenge', Cision PR Newswire, 14 April 2017, http://www.prnewswire.com/news-releases/leading-facial-recognition-platform-tencent-youtu-lab-smashes-records-in-megaface-facial-recognition-challenge-300439812.html.

(70) Dan Robson, 'Facial recognition a system problem gamblers can't beat?', *TheStar.com*, 12 Jan. 2011, https://www.thestar.com/news/gta/2011/01/12/facial_recognition_a_system_problem_gamblers_cant_beat.html.

(71) British Retail Consortium, *2016 Retail Crime Survey* (London: BRC, Feb. 2017), https://brc.org.uk/media/116348/10081-brc-retail-crime-survey-2016_all-graphics-latest.pdf.

(72) D&D Daily, *The D&D Daily's 2016 Retail Violent Death Report*, 9 March 2017, http://www.d-ddaily.com/archivesdaily/DailySpecialReport03-09-17F.htm.

(73) Joan Gurney, 'Walmart's use of facial recognition tech to spot shoplifters raises privacy concerns', iQ Metrix, 9 Nov. 2015, http://www.iqmetrix.com/blog/walmarts-use-of-facial-recognition-tech-to-spot-shoplifters-raises-privacy-concerns.

(74) Andy Coghlan and James Randerson, 'How far should fingerprints be trusted?', *New Scientist*, 14 Sept. 2005, https://www.newscientist.com/article/dn8011-how-far-should-fingerprints-be-trusted/.
(75) Phil Locke, 'Blood spatter — evidence?', *The Wrongful Convictions Blog*, 30 April 2012, https://wrongfulconvictionsblog.org/2012/04/30/blood-spatter-evidence/.
(76) Michael Shermer, 'Can we trust crime forensics?', *Scientific American*, 1 Sept. 2015, https://www.scientificamerican.com/article/can-we-trust-crime-forensics/.
(77) National Research Council of the National Academy of Sciences, *Strengthening Forensic Science in the United States: A Path Forward* (Washington DC: National Academies Press, 2009), p. 7, https://www.ncjrs.gov/pdffiles1/nij/grants/228091.pdf.
(78) Colin Moynihan, 'Hammer attacker sentenced to 22 years in prison', *New York Times*, 19 July 2017, https://www.nytimes.com/2017/07/19/nyregion/hammer-attacker-sentenced-to-22-years-in-prison.html?mcubz=0.
(79) Jeremy Tanner, 'David Baril charged in hammer attacks after police-involved shooting', *Pix11*, 14 May 2015, http://pix11.com/2015/05/14/david-baril-charged-in-hammer-attacks-after-police-involved-shooting/.
(80) 'Long-time fugitive captured juggler was on the run for 14 years', FBI, 12 Aug. 2014, https://www.fbi.gov/news/stories/long-time-fugitive-neil-stammer-captured.
(81) Pei-Sze Cheng, 'I-Team: use of facial recognition technology expands as some question whether rules are keeping up', NBC *4NewYork*, 23 June 2015, http://www.nbcnewyork.com/news/local/facial-recognition-nypd-technology-video-camera-police-arrest-surveillance/1205732/.
(82) Nate Berg, 'Predicting crime, LAPD-style', *Guardian*, 25 June 2014, https://www.theguardian.com/cities/2014/jun/25/predicting-crime-lapd-los-angeles-police-data-analysis-algorithm-minority-report.

7章　芸術とアルゴリズム

(1) Matthew J. Salganik, Peter Sheridan Dodds and Duncan J. Watts, 'Experimental study of inequality and unpredictability in an artificial cultural market', *Science*, vol. 311, 10 Feb. 2006, p. 854, DOI: 10.1126/science.1121066, https://www.princeton.edu/mjs3/salganik_dodds_watts06_full.pdf.
(2) http://www.princeton.edu/mjs3/musiclab.shtml.
(3) Kurt Kleiner, 'Your taste in music is shaped by the crowd', *New Scientist*, 9 Feb. 2006, https://www.newscientist.com/article/dn8702-your-taste-in-music-is-shaped-by-the-crowd/.

(4) Bjorn Carey, 'The science of hit songs', *LiveScience*, 9 Feb. 2006, https://www.livescience.com/7016-science-hit-songs.html.

(5) 'Vanilla, indeed', *True Music Facts Wednesday Blogspot*, 23 July 2014, http://truemusicfactswednesday.blogspot.co.uk/2014/07/tmfw-46-vanilla-indeed.html.

(6) Matthew J. Salganik and Duncan J. Watts, 'Leading the herd astray: an experimental study of self-fulfilling prophecies in an artificial cultural market', *Social Psychology Quarterly*, vol. 74, no. 4, Fall 2008, p. 338, DOI : https://doi.org/10.1177/019027250807100404.

(7) S. Sinha and S. Raghavendra, 'Hollywood blockbusters and long-tailed distributions: an empirical study of the popularity of movies', *European Physical Journal B*, vol. 42, 2004, pp. 293–6, DOI : https://doi.org/10.1140/epjb/e2004-00382-7, http://econwpa.repec.org/eps/io/papers/0406/0406008.pdf.

(8) '*John Carter*: analysis of a so-called flop: a look at the box office and critical reaction to Disney's early tentpole release *John Carter*', *WhatCulture*, http://whatculture.com/film/john-carter-analysis-of-a-so-called-flop.

(9) J. Valenti, 'Motion pictures and their impact on society in the year 2000', speech given at the Midwest Research Institute, Kansas City, 25 April 1978, p. 7.

(10) William Goldman, *Adventures in the Screen Trade* (New York: Warner, 1983).

(11) Sameet Sreenivasan, 'Quantitative analysis of the evolution of novelty in cinema through crowdsourced keywords', *Scientific Reports* 3, article no. 2758, 2013, updated 29 Jan. 2014, DOI : https://doi.org/10.1038/srep02758, https://www.nature.com/articles/srep02758.

(12) Márton Mestyán, Taha Yasseri and János Kertész, 'Early prediction of movie box office success based on Wikipedia activity big data', *PLoS ONE*, 21 Aug. 2013, DOI : https://doi.org/10.1371/journal.pone.0071226.

(13) Ramesh Sharda and Dursun Delen, 'Predicting box-office success of motion pictures with neural networks', *Expert Systems with Applications*, vol. 30, no. 2, 2006, pp. 243–4, DOI : https://doi.org/10.1016/j.eswa.2005.07.018;https://www.sciencedirect.com/science/article/pii/S0957417405001399.

(14) Banksy NY, 'Banksy sells work for $60 in Central Park, New York — video', *Guardian*, 14 Oct. 2013, https://www.theguardian.com/artanddesign/video/2013/oct/14/banksy-central-park-new-york-video.

(15) Bonhams, 'Lot 12 Banksy: Kids on Guns', 2 July 2014, http://www.bonhams.com/auctions/21829/lot/12/.

(16) Charlie Brooker, 'Supposing . . . subversive genius Banksy is actually rubbish', *Guardian*, 22 Sept. 2006, https://www.theguardian.com/commentisfree/2006/sep/22/arts.visualarts.

（17）Gene Weingarten, 'Pearls before breakfast: can one of the nation's greatest musicians cut through the fog of a DC rush hour? Let's find out', *Washington Post*, 8 April 2007, https://www.washingtonpost.com/lifestyle/magazine/pearls-before-breakfast-can-one-of-the-nations-great-musicians-cut-through-the-fog-of-a-dc-rush-hour-lets-find-out/2014/09/23/8a6d46da-4331-11e4-b47c-f5889e061e5f_story.html.

（18）アルマン・ルロワとの会話より。ルロワの研究の参考資料：Matthias Mauch, Robert M. MacCallum, Mark Levy and Armand M. Leroi, 'The evolution of popular music: USA 1960–2010', *Royal Society Open Science*, 6 May 2015, DOI：https://doi.org/10.1098/rsos.150081.

（19）デイヴィッド・コープとの会話より。

（20）引用は中略あり。参考資料：Douglas Hofstadter, *Gödel, Escher, Bach: An Eternal Golden Braid* (London: Penguin, 1979), p. 673.〔ダグラス・ホフスタッター『ゲーデル、エッシャー、バッハ――あるいは不思議の環』野崎昭弘ほか訳、白揚社〕

（21）George Johnson, 'Undiscovered Bach? No, a computer wrote it', *New York Times*, 11 Nov. 1997.

（22）Benjamin Griffin and Harriet Elinor Smith, eds, *Autobiography of Mark Twain*, vol. 3 (Oakland, CA, and London, 2015), part 1, p. 103.

（23）Leo Tolstoy, *What Is Art?* (London: Penguin, 1995; first publ. 1897).〔レフ・トルストイ『芸術とはなにか』中村融訳、角川文庫〕

（24）Hofstadter, *Gödel, Escher, Bach*, p. 674.

結論　機械とともに生きる時代に

（1）参考サイト：https://www.propublica.org/article/fbi-checked-wrong-box-rahinah-ibrahim-terrorism-watch-list; https://alumni.stanford.edu/get/page/magazine/article/?article_id=66231.

（2）GenPact, *Don't underestimate importance of process in coming world of AI*, 14 Feb. 2018, http://www.genpact.com/insight/blog/dont-underestimate-importance-of-process-in-coming-world-of-ai.

著者

ハンナ・フライ　Hannah Fry

1984年、イギリス生まれ。ユニバーシティ・カレッジ・ロンドン高等空間解析センター准教授、数学者。数理モデルで人間の行動パターンを解析する研究をおこない、政府、警察、健康分析企業、スーパーマーケットなどとも協力している。TEDトークで人気を集め、BBCやPBSのドキュメンタリーの司会も務める。アダム・ラザフォードとのBBCの科学ポッドキャスト『The Curious Cases of Rutherford & Fry』は人気長寿番組になっている。前著に『TEDブックス　恋愛を数学する』（朝日出版社、2017年邦訳刊）。

訳者

森嶋マリ　Mari Morishima

翻訳家。訳書に『鎮魂のデトロイト』『喪失のブルース』（シーナ・カマル、ハーパーコリンズ・ジャパン）、『YOUNGER　遺伝子をリセットして10歳若返る』（サラ・ゴットフリード、ソシム）、『5年後の自分を計画しよう』（シェーン・J・ロペス）、『卒アル写真で将来はわかる』（マシュー・ハーテンステイン）、『ハウスワイフ2.0』（エミリー・マッチャー、以上文藝春秋）などがある。

写真クレジット

p24　「車か犬か」：Danilo Vasconcellos Vargas（九州大学）の許諾による。
p119「胸のなかのゴリラ」：Trafton Drew(University of Utah)の許諾による。
p205「スティーヴ・タリーの写真」：©Steve Talley(左)/FBI
p208「ニール・ダグラスとドッペルゲンガー」：Neil Douglasの許諾による。
p213「鼈甲眼鏡」：Mahmood Sharif(Carnegie Mellon University)、「カンヌ映画祭のミラ・ジョヴォヴィッチ」：Georges Biardの許諾による。

デザイン　観野良太
DTP制作　エヴリ・シンク

アルゴリズムの時代(じだい)
機械(きかい)が決定(けってい)する世界(せかい)をどう生(い)きるか

2021年8月25日　第1刷

著　者　ハンナ・フライ
訳　者　森嶋(もりしま)マリ
発行者　花田朋子
発行所　株式会社 文藝春秋
〒102-8008　東京都千代田区紀尾井町3-23
電話　03-3265-1211（代）
印刷所　凸版印刷
製本所　凸版印刷

ISBN 978-4-16-391422-0　Printed in Japan